La France
de la IVe République

2. L'expansion et l'impuissance
1952-1958

Jean-Pierre Rioux

Nouvelle histoire
de la France contemporaine
16

La France
de la IVe République

2. L'expansion et l'impuissance

1952-1958

Édition revue et mise à jour

Éditions du Seuil

En couverture :
Caravelle, premier avion de transport à réaction,
construit par Sud-Aviation. Il vole en 1955
et sera commercialisé à partir de 1959.
Un fier symbole de l'expansion à la française.
Photo René Burri. Magnum.

ISBN 2-02-005216-4 (éd. complète)
ISBN 2-02-006385-9 (tome 16)

1

La République enlisée

1952 - 1958

1

Gouverner
sans choisir

De mars 1952 à juin 1954, de l'investiture par surprise d'Antoine Pinay à celle par nécessité de Pierre Mendès France, la droite revenue au pouvoir croit gouverner une France bourgeoise. Modérés et indépendants, flanqués des radicaux et du MRP *, rejoints par des gaullistes — qui, souligne cruellement de Gaulle, « vont à la soupe » —, entérinent la fin de la Troisième Force, prévisible aux élections de 1951 et consacrée par le passage de la SFIO dans l'opposition en janvier 1952. Leur politique libérale sait épouser une conjoncture économique favorable et satisfaire les intérêts de la modernité comme ceux de la nostalgie : la croissance est la bienvenue, l'épargne est défendue, les groupes de pression se pavanent impunément tandis que la « France profonde » s'oxygène après les dures années de privations de l'après-guerre. Loin des idéologies et des jeux des partis mais très sensibles à la personnalisation du pouvoir [1], soucieux de protéger leur niveau de vie, lovés au creux de l'État-Providence en construction et de l'expansion prometteuse, les Français observent plus qu'ils ne participent, tout en jugeant sévèrement les immobilistes qui croient

---

* Voir, avant la chronologie, la liste qui recense les sigles les moins usuels. Le lecteur voudra bien s'y reporter désormais au fil des pages.
1. F. Mauriac (*le Figaro*, 24 avril 1951) avait fustigé « une assemblée sans visage ». En 1953 et 1954, Joseph Laniel devient la tête de Turc de son « Bloc-notes » de *l'Express* (73)** (« il y a du lingot dans cet homme-là », « la dictature à tête de bœuf », etc.), et Mendès France son héros : signe des temps. Sur la question, voir R. Rémond, « Les grands leaders », dans (7).
** Le nombre entre parenthèses renvoie à la bibliographie finale.

les anesthésier. En fait, la démocratie gouvernée est entrée en crise de langueur, avec un régime représentatif replié sur ses jeux du cirque.

Car cette droite provinciale si sensible aux intérêts hexagonaux subit les nouveaux rapports de force mondiaux. La mort de Staline et l'équilibre atomique amorcent dès 1953 la détente internationale et laissent prévoir une possible « coexistence pacifique » entre l'Est et l'Ouest. La décolonisation s'accélère. Dès lors, les fils tissés par la Troisième Force se rompent sans qu'une nouvelle politique soit mise sur le métier. La fin de la guerre froide rend moins indispensable une armée européenne qu'avait voulue Pleven, la peur du communisme ne suffit plus à expliquer les progrès du nationalisme en Afrique du Nord et n'évite pas la déroute en Indochine : de la mise en sommeil de la CED à Diên Biên Phu, l'impuissance est cocardière, et le refus de choisir moralisateur.

M. Pinay, « Français moyen ».

Antoine Pinay, on s'en souvient, fut investi le 6 mars 1952 à l'étonnement général[1]. Vincent Auriol, qui avait dès longtemps remarqué ce sage ministre des Travaux publics et qui saura coopérer franchement avec lui dès lors qu'en stoppant la vie chère il désamorcera l'agitation communiste et rendra la République populaire, misait sur son échec pour replâtrer une solution de centre gauche avec Queuille[2]. Les radicaux et l'UDSR font une politesse, à charge de revanche pour leur poulain qui prendra la relève. Les chefs du MRP prennent le risque de constituer le flanc gauche d'une coalition de centre droit et passent outre aux crises de conscience des militants de la base puisque Robert Schuman au Quai d'Orsay, Pierre Pflimlin et Jean Letourneau, à l'Outre-Mer et aux États associés, assureront la pérennité de leur politique européenne et coloniale. Les communistes, les socialistes et une majorité des gaullistes sont hostiles. L'offensive victorieuse vient donc de la droite qui ne l'emporte qu'avec le ren-

1. Voir J.-P. Rioux (1), chap. 10.
2. Voir V. Auriol (34), 1952, p. 152-188.

fort inattendu de 27 des siens, menés par Frédéric-Dupont, et jusqu'alors abrités dans le groupe RPF : Pinay, ce leader de l'Alliance démocratique, ami de Flandin, cet orléaniste libéral, cet antidirigiste hostile aux « sottises » de la Libération et aux technocrates du jeune secteur public, ce patron tanneur de Saint-Chamond, voilà son homme, son nouveau Poincaré. Neutralisant communistes et gaullistes, la Troisième Force semble triompher. Pourtant, privée de l'indispensable soutien de la SFIO, livrée aux arbitrages de la poignée de ministrables des partis du centre, elle disparaît et laisse s'installer une droite qui a su s'étaler jusqu'au beau milieu du MRP et des radicaux et qui phagocyte le RPF.

Dans ce contexte, la force d'Antoine Pinay, qui s'est réservé les Finances, dont personne ne voulait, fut d'avoir présenté une politique de bon sens et d'habiller son libéralisme très empirique en défense du consommateur. Contre l'inflation, pour arrêter la course des salaires et des prix, il entend user de l'arme psychologique. Pour consolider le franc, il s'attache à rassurer les détenteurs de capitaux. Enfin, une réduction des dépenses de l'État assurera l'équilibre budgétaire sans qu'on ait recours à de nouveaux impôts et évitera la banqueroute. Politique de père de famille et de chef d'entreprise prudent, sans doute. Mais Pinay n'est pas un paysan du Danube investissant le Palais-Bourbon. Le *brain trust* qui l'a largement façonné depuis 1948 lui mâche les dossiers et donne une très moderne technicité aux appels qu'il lance à l'opinion [1]; l'orthodoxe Jacques Rueff prodigue ses encouragements, le CNPF suit avec intérêt. Ce président du Conseil, qui combattit à Verdun, exprime en fait, fort paisiblement, à la fois le classicisme libéral de l'avant-guerre et la confiance dans le marché des entrepreneurs du néo-capitalisme. Du fond de sa province, à Saint-Étienne, le 21 septembre 1952, il résumera ainsi sa philosophie d'administrateur : « L'ordre dans les finances se traduit par l'ordre sur le marché des changes, l'ordre monétaire par l'ordre économique, l'ordre dans l'État par l'ordre dans les mœurs [2]. »

---

1. Voir G. Elgey (3), p. 50.
2. *L'Année politique*, 1952, p. 60.

Vertus pédagogiques et morales de l'appel à l'épargne, de la restriction du crédit et des investissements, volonté bourgeoise de ne pas vivre au-dessus de ses moyens, cette politique de droite n'avait aucune chance d'aboutir en période de surchauffe économique et d'agitation idéologique. Sa réussite est strictement conjoncturelle. Car, après deux années de croissance liées au « boom » coréen en 1950-1951, la conjoncture internationale s'est refroidie : production étale, ralentissement des échanges, chute des prix des matières premières, fléchissement des demandes d'investissement dans les entreprises. Cette stabilisation mondiale, ces quelques mois où l'on reprend souffle avant le grand élan expansionniste, s'inscrivent tout naturellement dans le contexte français : Pinay arrive au pouvoir au bon moment. Docilement, les prix français suivent en effet les cours extérieurs. En gros, pour une base 100 en 1949, ils se figent à 144 dès le second semestre 1952, puis à 143 en 1953 et à 135 en 1954-1955; au détail, avec moins de fermeté, ils suivent à 145 en 1952, à 143 en 1953-1954 et à 145 en 1955. Avant le renversement de 1957, voici muselée pour plus de quatre années la vieille hantise de l'inflation par les prix qui avait si fort marqué l'après-guerre : l'événement est considérable, en politique comme en économie. Quoi qu'il arrive outre-mer, quelques erreurs que puissent accumuler les gouvernements, la stabilisation des prix acquise sous l'heureux Pinay, si elle défavorise les vendeurs et en particulier les commerçants, satisfait les citoyens salariés de plus en plus nombreux, peut faire ravaler au rang de péripéties politiciennes les catastrophes diplomatiques et coloniales, emplit donc d'aise les Français qui entendent profiter des fruits de l'expansion après avoir assuré leurs arrières en consolidant leur pouvoir d'achat. Car la question pécuniaire, qu'il faut lire comme une exigence de niveau de vie en ascension, est tout au long, à travers les sondages de l'IFOP, le problème majeur pour 57 % des Français interrogés en septembre 1951, 46 % en avril 1956 et 58 % en janvier 1958, loin devant la guerre ou la paix, la CED ou l'Algérie [1].

Ainsi, les mesures économiques et financières qui appartiennent en propre au gouvernement Pinay ne font que pousser l'avantage

---

1. Voir *Sondages*, 1951, n° 3, 1956, n° 3, et 1958, n° 3.

et convainquent le pays qu'il peut sortir du gué par ses seules vertus. Réduction des dépenses publiques de 110 milliards de francs, sur un budget d'environ 3 500 milliards, refus de recourir aux avances de la Banque de France, blocage de 100 milliards d'investissements publics qui ne seront effectués qu'au fur et à mesure des rentrées de l'emprunt : quoi qu'on en ait dit, si le déficit est ainsi en partie réduit sans création d'impôts nouveaux, les dépenses de l'État sont en net accroissement par rapport à 1951, et les administrations publiques demeurent de grosses consommatrices, jouant ainsi, bon gré mal gré, un rôle contracyclique [1]. Ce sont donc le resserrement des trésoreries des entreprises et leurs moindres demandes d'investissement qui stoppent massivement l'inflation par la soif de crédit et permettent au Trésor comme au secteur public d'être moins sollicités. Cette stabilisation financière est la conséquence de la pause de l'économie [2] et non sa cause comme le soutient Pinay. Par ailleurs, le vote de l'échelle mobile des salaires (rectifiés dès que la hausse des prix aura atteint 5 %) sous un gouvernement dirigé par un de ses vieux adversaires satisfait les syndicats et donne vigueur, par contraste, au pari de bonne tenue des prix tout en assurant une large paix sociale. L'amnistie sur la fraude fiscale pour les industriels et les gros possédants, en revanche, si elle comble d'aise les maîtres de l'économie, ne rapportera guère et détournera les inspecteurs des Contributions vers des proies accessibles, en particulier des commerçants déjà aux abois : le poujadisme est en germe dans cette politique maladroite.

Par contre, l'emprunt de mai 1952 auquel Pinay attachera son nom et sa popularité couronne magnifiquement ce dispositif de mesures empiriques et parfois peu cohérentes. Il est vrai que cet appel au réveil de l'épargne avait de quoi séduire. Produisant un intérêt de 3,5 %, son capital indexé sur le cours du napoléon [3], exonéré de tout impôt et de tout droit de succession, cet

1. Voir M. Catinat (84), p. 28-30.
2. L'indice de la production industrielle (base 100 en 1938) passe de 151 à 145 de janvier à décembre 1952.
3. Principe fort discuté par les experts, en particulier par François Bloch-Lainé qui, à cette occasion, quitte la Direction du Trésor de la

emprunt est le plus solide qu'ait lancé la République au xxe siècle. Si son succès, acquis du 26 mai au 17 juillet avec une sous-
cription de 428 milliards, n'est pas aussi éclatant sur le moment
qu'on pouvait l'espérer — il n'apporte que 34 tonnes d'or dans
les caisses sur les 2 000 au minimum que thésaurisent les particuliers mais consolide beaucoup de titres des emprunts antérieurs —,
sa paisible digestion jusqu'en 1973 le parera d'une inégalable
réputation : petits porteurs ou grosses fortunes mobilières ne
cesseront de se féliciter de leur coup d'éclat de 1952, et d'incalcu-
lables droits sur l'héritage ne seront pas versés dès qu'on prendra
l'habitude de « mettre en Pinay avant de mettre en bière » dans
les milieux les plus sensibles au patriotisme de portefeuille. Cette
gloire à terme ne suffit cependant pas à éviter sur le moment toute
inquiétude au gouvernement, qui doit emprunter aux banques
suisses, bloquer les prix à l'automne et tenter de démanteler le
dispositif de l'État-Providence. C'est très précisément sur une
proposition de transfert de 0,75 % du montant des allocations
familiales que le MRP, si soucieux d'aide sociale, renverse Antoine
Pinay le 22 décembre. Il s'agit, sans doute, d'un prétexte pour
ne pas laisser mettre en accusation l'impuissance de Schuman aux
Affaires étrangères, mais le signe n'est pas négligeable et la riposte
fort révélatrice des contradictions d'une période de transition
où cohabitent dirigisme hérité et libéralisme-surprise.

Cependant l'expérience Pinay a réussi à user de la conjoncture
de stabilisation pour ralentir la consommation des ménages,
ressusciter le goût de l'épargne et donc, opportunément, équilibrer
l'offre et la demande alanguies, avant le grand bond des années à
venir. Avec l'appui de l'opinion publique, par appel direct de
consensus, sans médiation du Parlement et des partis, à la France
moyenne et à ses millions de consommateurs. Par des voies très
louis-philippardes : des « comités d'honneur » de notables départementaux assurent que l'emprunt est moral; les corporations
les plus humbles sont reçues par le président du Conseil qui leur
parle du bon vieux temps et les encourage au civisme sur les prix.

Rue de Rivoli où il était en fonction depuis 1947 pour prendre la direction générale de la Caisse des dépôts et consignations. Voir F. Bloch-
Lainé (22), p. 120 *sq.*

Mais plus encore par tous les moyens modernes de la médiation, émissions de radio ou campagnes de *marketing* publicitaire, telle celle de la « défense du franc » où les grands magasins arborent sur certains produits aux prix réduits le coq gaulois enrubanné de tricolore : on se prend à rêver aujourd'hui d'un Pinay pouvant user de la télévision de masse alors balbutiante. Les parlementaires eux-mêmes sont soumis à la question de confiance un vendredi pour qu'au cours du week-end dans leur circonscription les électeurs leur rappellent utilement dans quelle estime ils tiennent le défenseur de leurs économies et de leur pouvoir d'achat. « Tenez bon, monsieur Pinay! », lui crie la foule à la Foire de Lyon en avril. Rare rencontre sous la IVe République, et durable jusqu'en 1958 et au-delà, entre un honnête homme et les Français. Sa chute, pour la première fois, sera déplorée par une majorité d'entre eux[1].

Sans doute le bilan de son expérience, si positif dans la mémoire collective[2], n'est-il pas sur le moment aussi flatteur. Les investissements perdus ne seront pas tous rattrapés, la thésaurisation stérile est renforcée, les déficits des échanges commerciaux subsistent, le budget reste volontairement déséquilibré (Pinay, quoi qu'il en dise, est aussi proche de Keynes que de Poincaré), le chômage réapparaît dans le freinage généralisé avec 48 000 chômeurs secourus en décembre 1952 contre 31 000 un an auparavant. Mais la fin de l'inflation et le retour temporaire à la confiance dans le régime sont inestimables. C'est dire qu'en politique intérieure le gouvernement est à l'abri de toute surprise, même s'il accumule les maladresses. La démonstration en est faite quand s'engage l'épreuve de force avec les communistes dès mai 1952. Deux ministres radicaux, l'obscur Brune à l'Intérieur et le toutpuissant secrétaire du parti, Martinaud-Déplat, à la Justice, sont décidés à « casser » du comploteur communiste, fermement encou-

1. Voir *Sondages*, 1953, no 3. 56 % n'ont pas souhaité sa chute contre 21 %. Ils étaient respectivement 47 et 25 % pour de Gaulle, 40 et 36 % pour Blum. Même la popularité de Mendès France sera soumise à de plus fortes fluctuations que celle de Pinay.
2. Antoine Pinay a délibérément entretenu son mythe. Voir S. Guillaume (33).

ragés par « Paix et liberté » et les réseaux policiers souterrains du commissaire Dides et du préfet de police Jean Baylot [1]. En face, le parti communiste, dirigé par Duclos tant que Thorez, malade, est à Moscou, applique en renchérissant les directives de Staline sur la lutte anticoloniale et la dénonciation de l'impérialisme américain. Bien appuyé sur les appareils de la CGT et du Mouvement de la Paix, il bloque à l'occasion dans les ports l'acheminement de renforts et de matériel pour l'Indochine et peaufine une manifestation de masse le 28 mai à l'occasion de la venue à Paris du général Ridgway, accusé d'avoir usé d'armes bactériologiques en Corée, qui vient prendre son commandement des forces alliées en Europe. Au terme de très vifs affrontements au cours desquels un Algérien sera tué, les « durs » se félicitent de part et d'autre. Mais le soir même Jacques Duclos est arrêté. Que la découverte dans le coffre de sa voiture de deux innocents pigeons (transformables en colombes de la paix ?) soit grossie par Charles Brune en un « complot des pigeons voyageurs » suffit certes à couvrir le gouvernement de ridicule [2]. Le choc est néanmoins autrement rude pour le PCF. Des dirigeants arrêtés [3], une CGT qui ne parvient pas à mobiliser pour imposer leur tardive libération, une incompréhension inquiétante des méthodes et des buts de Pinay, la chasse aux sorcières dans l'administration, un grand désarroi à la base : le parti flotte et ne retrouve son efficacité que dans l'application stricte des mécanismes policiers des procès de l'Est, en éliminant à l'automne de la direction

1. Voir J.-P. Rioux (1), p. 213-216, et R. Sommer, « Paix et liberté : la IVe République contre le PC », *L'histoire*, n° 40, décembre 1981, p. 26-35.
2. Voir *le Monde* du 30 mai 1952. Pourquoi, au mépris de toutes les règles de sécurité qu'il connaît bien depuis 1939, Jacques Duclos est-il ce soir-là sur les lieux de la manifestation, dans une voiture équipée d'un poste à ondes courtes, flanqué d'un garde du corps armé, muni de 315 pages de notes secrètes et avec ces volatiles ? Mystère. Voir Ph. Robrieux (9), p. 304.
3. Outre Duclos, André Stil, directeur de *l'Humanité*, en mai ; puis en septembre, avec Alain Le Léap, second secrétaire de la CGT, les dirigeants de l'Union des Jeunesses républicaines de France (P. Laurent, L. Baillot, J. Elleinstein).

André Marty et Charles Tillon[1]. Ici aussi, la page de la Résistance est tournée. Jamais les communistes n'ont été aussi isolés dans l'opinion et aussi paralysés par la glaciation stalinienne : l'anticommunisme a une proie facile. La droite l'érige en méthode de gouvernement.

Péripéties encore que les états d'âme d'un RPF agonisant, où les dissidents de droite exposent en juin leurs doléances à un de Gaulle méprisant. Car le ralliement par étapes des gaullistes parlementaires au « système » est en bonne voie, tandis que le Conseil national hésite sur l'avenir, que la presse s'effondre et qu'à tous les niveaux du Rassemblement les petites démissions font peu à peu de gros bataillons. Le front intérieur est donc agité mais fermement tenu. C'est bien sur l'armée européenne et l'Union française que le gouvernement Pinay est désavoué, au grand dam, on l'a vu, des Français. Ses successeurs, celui du radical René Mayer (janvier-mai 1953) et du PRL Joseph Laniel (juin 1953-juin 1954), un brasseur d'affaires parisien et un industriel normand, ne renoueront certes pas avec sa popularité. Et échoueront comme lui sur les problèmes extérieurs. Du moins savent-ils, eux aussi, proposer aux consommateurs les solutions moyennes de la sagesse commune. Cette dévotion soigneusement entretenue au culte du niveau de vie demeure au premier plan des préoccupations du pays jusqu'en 1954. Les Français étaient-ils si désireux de choisir et de débrider les plaies ? Ou bien suffirait-il qu'un Cassandre puisse les persuader de ne plus attendre ? Questions peut-être vaines. Car en 1952, quand l'opinion s'est prononcée nettement, c'est pour la seule stabilité de ses avoirs et pour la croissance future de son mieux-être.

---

1. Voir A. Marty, *l'Affaire Marty*, Éd. Norman Béthune, 1972, et Ch. Tillon, *Un « procès de Moscou » à Paris*, Éd. du Seuil *, 1971. Accusés de « travail fractionnel », ils sont dénoncés comme « flics ». L'affaire est à insérer dans la longue chaîne de procès qui se déroulent parallèlement à Budapest et à Prague.

* Sauf indication contraire, le lieu d'édition des ouvrages cités en note est Paris.

Le gel de la CED.

Ce choix domestique prioritaire rend délicate toute appréciation des échos réels dans l'opinion de cette querelle de la Communauté européenne de défense qui a révélé crûment les grippages du système de gouvernement et mobilisé les meilleures consciences. Ce « cadavre dans le placard » a-t-il véritablement alimenté une nouvelle « affaire Dreyfus » comme il fut à l'époque soutenu [1] ? Seule l'étude précise sur archives des couches profondes de l'opinion permettra un jour de trancher entre agitation partisane, empoignade des élites et drame national. à propos d'une initiative que Robert Schuman et René Pleven avaient faite française.

Les 26 et 27 mai 1952, les accords de Bonn et de Paris entre les Six avaient conjointement reconnu la souveraineté internationale de l'Allemagne de l'Ouest et fait naître la CED. Le gouvernement Pinay, en y apposant la signature de la France, accomplissait la mission confiée au gouvernement Faure par l'Assemblée en février à une courte majorité de 327 voix contre 287. Mais signer n'est pas ratifier, et seul un nouveau débat parlementaire peut engager définitivement le pays. Or, jusqu'à l'été 1954, une étrange langueur diplomatique gèle toute solution tandis que la majorité d'hier se délite et qu'une vaste empoignade saisit l'opinion. Minces avancées techniques d'une part, au point que nos partenaires — qui, eux, ratifient le traité dans les délais, à l'exception de l'Italie — mettent en doute la volonté française de trouver une solution raisonnable ; fort tapage médiatisé et moralisant de l'autre : l'affaire de la CED stagne dans des eaux mêlées. Chacun feint de croire que s'y concentrent encore explosivement les problèmes dramatiques de l'après-guerre et de la guerre froide qui avaient rendu nécessaire son lancement : la réunification et le

---

1. Voir R. Aron et D. Lerner (35), p. 9. Leur remarquable étude sociologique « à chaud » s'appuie sur les sondages, la presse, les brochures et les feuilles confidentielles. Elle néglige cependant les corps constitués, les syndicats, les associations, les lieux divers de sociabilité et de discussion à travers lesquels on pourrait mesurer la portée réelle du débat. Compléter par J.-P. Rioux, « L'opinion publique française et la CED : querelle partisane ou bataille de la mémoire ? », *Relations internationales*, nº 37, fév. 1984.

réarmement de l'Allemagne, l'avenir des constructions européennes inaugurées par la CECA, la défense de l'Europe occidentale et du monde libre contre une prévisible agression soviétique[1]. Or, la nouvelle conjoncture internationale et nationale oblige peu à peu les combattants à ferrailler à front inversé ou à inventer des arguments nouveaux. La fin de la guerre de Corée, le dégel de la guerre froide, la mort de Staline, l'appel à la négociation et au désarmement de la nouvelle direction à Moscou, rendent improbable une attaque soviétique. Pourquoi, dès lors, se hâter pour ratifier un traité de circonstance ? D'autant qu'à défaut d'Armée rouge la CED fait surgir deux questions majeures sur lesquelles la France n'entend pas s'avouer qu'elle n'a eu aucune prise depuis 1944 : l'hégémonie américaine et le réveil allemand.

Au strict plan diplomatique et parlementaire, la subtilité des manœuvres ne doit pas faire oublier qu'elles n'entretiennent qu'un piétinement. On peut donc les résumer en quelques passes d'armes.

1° De février à décembre 1952, sous Pinay et Schuman, le traité ne sera pas déposé devant le Parlement. Officiellement, parce qu'il serait incomplet et n'offrirait pas toutes les garanties, le débat parlementaire de février ayant révélé des inquiétudes tardives sur la solidité des engagements militaires américains en Europe, sur l'attitude britannique et sur le poids des contingents français. Chacun sait, en outre, que dans les états-majors intégrés de l'OTAN, activés par Eisenhower, on prévoit de faire manœuvrer 12 divisions allemandes dans les corps d'armée européens : pour faire admettre son projet de CED, la France a déjà cédé sur presque tous les détails de son organisation militaire. Pour gagner du temps, elle réclame donc des exposés des motifs plus nourris et des protocoles additionnels, afin d'étendre les solidarités entre alliés sans aggraver la supranationalité de leur instrument militaire, ce qui revient à rechercher la quadrature du cercle. Mais, officieusement, la dérobade découle du soutien impératif que le gouvernement attend des gaullistes dissidents qui ont voté son investiture mais qui demeurent reliés au général par le cordon ombilical de l'anticédisme. Que s'affichent plus fermement dans le même temps, en public ou en privé, les hostilités d'Auriol et

1. Voir J.-P. Rioux (1), p. 202-204.

de De Gaulle, que les radicaux si utiles aux majorités se divisent ouvertement depuis que les deux Édouard, Herriot et Daladier, font front commun contre la CED, suffit à remiser la question au placard.

2º De janvier à novembre 1953, la langueur s'explique par le glissement de majorité à l'Assemblée, entériné par l'entrée de ministres RPF dans le gouvernement Laniel : les députés tiennent mieux encore les gouvernements en lisières. Mayer doit s'engager publiquement à ne pas poser la question de confiance sur ce sujet tabou et à négocier plus fébrilement encore que Pinay des protocoles d'accord. Ce qu'il fait, avec l'aide un peu moins enthousiaste de Bidault revenu au Quai d'Orsay où il se révèle plus faible cédiste que Schuman, et malgré les signes d'impatience de plus en plus nets de Washington et de Londres. On relance donc la question des marges de manœuvre que le traité laisse à la France dans l'Union française, on exhume à propos le vieux problème de la Sarre. A ce point du dédale, si l'on se souvient que le texte était déjà fort détaillé (132 articles !) et riche en annexes, seuls quelques experts sont capables de négocier utilement, mais l'opinion française et internationale ricane ou s'indigne de ces précisions sur la couleur des képis ou « le droit de pêche et de chasse des garnisons intégrées ». Mayer, au reste, ne recueille pas le fruit de sa docilité : les gaullistes l'abattent en mai 1953 pour le punir d'avoir cru pouvoir aboutir[1] et les commissions de la Défense nationale et des Affaires étrangères ont déjà pris soin de désigner deux rapporteurs hostiles au texte de la CED, le général Kœnig et Jules Moch.

Avec Laniel qui lui succède en juin et dont le gouvernement est un très détonant mélange de partisans et d'adversaires du traité, les gaullistes neutralisant les républicains populaires, les indépendants, l'UDSR et les radicaux se déchirant entre eux, tout est discrètement oublié jusqu'au débat parlementaire du 17 au 27 novembre. Sous la pression de plus en plus nerveuse des Américains — Foster Dulles parlera en décembre de « révision déchirante » des alliances en cas de nouvelles tergiversations — et

1. Diethelm, président du groupe, s'écrie : « Nous ne sommes donc pas morts puisque nous pouvons encore détruire! »

pour préparer la réunion des Trois aux Bermudes en préface à une conférence des Quatre prévue à Berlin, il fallut bien en effet en parler enfin : au terme d'une longue joute oratoire, où seul émerge un fort plaidoyer que Bidault, épuisé, ne put prononcer et que Maurice Schumann dut lire sans que l'Assemblée fasse mine de s'y intéresser, Laniel est très vaguement mandaté pour poursuivre la construction de l'Europe, chacun campant sur ses positions. Ce qui valut à la France à la conférence des Bermudes, du 4 au 8 décembre, d'essuyer des menaces d'Eisenhower et de Churchill : cette humiliation ne fait qu'alimenter le solide anti-américanisme des anticédistes.

3° De novembre 1953 à avril 1954, alors que l'Indochine devient la question la plus angoissante, peu importe que s'esquisse un projet de règlement de l'affaire de la Sarre par recours à un référendum ou que la Grande-Bretagne précise les conditions de sa participation à la défense de l'Europe : deux préalables nouveaux à la ratification sont avancés par Bidault, tirer au clair les intentions des nouveaux maîtres du Kremlin et faire la paix en Indochine. La CED agonise, arbitrant plus que jamais la politique intérieure puisque l'anticédisme des gaullistes ébranle bien des « européens » à droite et soude un front avec des socialistes et les communistes, refoulant vers l'opposition le MRP. La majorité qui investira Mendès France est en germe. Aucune solution de rechange n'étant approuvée, c'est l'hallali. En février, tandis que Bidault tente de faire croire à Berlin que la ratification est acquise, Moch et Kœnig condamnent un traité « totalement inefficace », et les ministres gaullistes, menés par le général Corniglion-Molinier, font du tapage en conseil. Le 31 mars, le maréchal Juin dénonce vivement la CED, ce qui lui vaudra des sanctions mais n'empêchera pas des manifestants de mêler son nom à celui des combattants d'Indochine pour mieux molester Laniel et Pleven le 4 avril 1954 à l'Arc de Triomphe. Ultimes barouds. Déjà tous les regards sont tournés vers l'Indochine et vers Genève.

D'expertises en démissions, pourquoi fallut-il tant attendre ? C'est que les majorités cédistes qui font les gouvernements étant de moins en moins sûres et les anticédistes qui les défont étant, elles, mobilisables à tout moment, oublier ce traité était la seule garantie de survie pour l'exécutif. Et que le renversement de la

conjoncture internationale, on l'a dit, fait de la CED non plus
une réplique cohérente à Moscou mais un peureux système de
garanties et de précautions au moment où la détente internationale et l'expansion des échanges économiques des « miracles »
européens rendent celles-ci de moins en moins indispensables.
Sur la défensive, grignotés, un peu las, les partisans du traité sont
privés des ressorts de l'urgence et de l'antisoviétisme : le temps
joue contre eux. Dans leurs rangs, seul le MRP fait bonne figure,
peu sensible aux minimes dissidences d'un Léo Hamon, d'un
Charles d'Aragon ou d'un Robert Buron, trop engagé dans
l'affaire pour ne pas infléchir habilement l'argumentation du
camp tout entier. Renoncer à réarmer l'Allemagne sous prétexte
que la guerre ne menace plus serait une erreur, disent-ils : les
États-Unis ne laisseront pas éternellement leurs troupes sur le
continent et seul un rapprochement franco-allemand symbolisé
et pérennisé par la CED cimentera la construction politique de
l'Europe. C'est dire qu'ils saluent les tentatives de Spaak et de
De Gasperi pour envelopper l'Europe militaire dans l'Europe
politique à la faveur de l'article 38 du traité qui permettait d'accroître les pouvoirs supranationaux de l'Assemblée parlementaire
européenne. Or ces solutions sont prématurées. En dehors des
petits cercles d'« européens » convaincus, tel celui qu'anime Jean
Monnet en France, les opinions et les partis ne sont pas mûrs
pour les États-Unis des Six. Le premier argument des cédistes,
« la CED ou la Wehrmacht », devient donc insensiblement « un
argument du moindre mal[1] » : à défaut de l'Europe, faisons la
CED pour garantir l'Alliance atlantique. N'avons-nous pas besoin
de l'aide américaine pour gagner en Indochine ? Raisonnement
dont le bon sens apparent est souligné par Raymond Aron dans
le Figaro, ou Jules Romains dans *l'Aurore*, et qui séduit indistinctement la droite atlantiste et européenne, de Reynaud à Laniel,
et une bonne part des radicaux menés par Queuille, Martinaud-
Déplat, Gaillard, Mayer et Bourgès-Maunoury. Mais aisément
réversible. Pour peu que s'y mêle un solide anticommunisme de
toujours, que les anticédistes soient définis comme des alliés du
Kremlin, chez un Fabre-Luce par exemple, que la confiance dans

1. R. Aron et D. Lerner (35), p. 13.

les vertus démocratiques des Allemands soit un brin forcée, et le camp rival peut aisément fustiger les nouveaux munichois, voire les nouveaux « collaborateurs » qui privent la France de toute volonté autonome.

Les anticédistes ont dû, eux aussi, modifier leur argumentation. Jusqu'à la mort de Staline et aux troubles de Berlin-Est, avec la haine du bolchevisme et du chauvinisme grand-russien, la CED avait aisément le vent en poupe, et ses adversaires les plus conséquents ne pouvaient être que les communistes et les gaullistes. Les premiers par soumission aux intérêts de Moscou, les seconds par vieux sens d'une Europe des nationalités à construire, « de Gibraltar à l'Oural », contre l'hégémonie anglo-saxonne. Avec l'aube de la coexistence pacifique et l'impatience américaine à conclure l'affaire, l'étroit front ne peut devenir une grande coalition victorieuse que par modulations variées de nouveaux thèmes mobilisateurs, la défense de l'indépendance nationale face à l'Allemagne revancharde et le refus de l'impérialisme yankee. Ici encore, le PCF et de Gaulle sont au cœur du dispositif de cette « résistance » contre tous les « vichystes » potentiels. Les communistes sont à l'aise pour détailler la perfidie de Washington et défendre la mémoire des victimes du nazisme : l'armée européenne, disent-ils, sera un repaire de SS mal blanchis et une succursale du Pentagone. C'est de toutes leurs forces qu'ils se jettent dans la bataille, faisant donner leurs organisations satellites, sentant confusément que ce retour aux sources de l'honneur national les délivre de l'opprobre du « parti de l'étranger » et les réinsère dans le jeu politique. De Gaulle, véhémentement relayé par Michel Debré et Jacques Soustelle, rode tous les thèmes qu'il pourra imposer sous la Ve République, contre les pro-européens apatrides enivrés de volapük, contre l'abaissement français dans un camp atlantique dont seule l'OTAN, et non la pauvre CED, soude une efficacité conforme aux intérêts américains. Argument de combat inespéré, qui de nouveau pourrait faire du gaullisme un rassemblement à l'heure où le RPF s'effondre.

Et ce dynamisme négatif des opposants du temps de la Troisième Force galvanise bien des ensommeillés. Voici que les « neutralistes » d'hier repartent en guerre : ainsi *le Monde* devient le plus efficace

instrument de la campagne contre la CED[1]. Que le « progressisme »
de la Libération renaît de ses désillusions de guerre froide, alimenté
par l'équipe de *Combat*, où Claude Bourdet est particulièrement
incisif, par celles de *France-Observateur* et de *Libération*, bien
relayées dans l'opinion catholique de gauche par *Témoignage
chrétien* et dans les stricts milieux laïcs par la Ligue des Droits de
l'homme d'Émile Kahn, séduisant de jeunes étudiants, des syndicalistes et des militants d'associations : la « nouvelle gauche »
se donne consistance historique et identité autant sans doute dans
ce combat que dans celui de l'anticolonialisme. Voici, enfin, que
la SFIO se divise durablement mais se bat bien. Sa majorité cédiste,
ardemment proeuropéenne, conduite par Mollet, Jaquet, Pineau
et Defferre, doit ferrailler pied à pied au fil des congrès et des
réunions du Comité directeur, brandir avec un succès mitigé le
vieil épouvantail de l'expansionnisme soviétique, sanctionner et
convaincre à la fois, face à une minorité de gauche décidée, conduite
par Daniel Mayer, Moch, Savary, Lejeune, Lacoste, Pivert et
Verdier, tous hommes clés du parti clandestin. Rude bataille,
à l'issue de laquelle Guy Mollet conserve la maîtrise de l'appareil
du parti mais ne peut empêcher la cassure du groupe parlementaire
et une vive inquiétude des militants[2].

Longtemps circonscrite au Parlement, dans les cabinets ministériels et les conférences internationales, la querelle s'étale ainsi
par vagues successives dans les chairs vives de la nation. Elle tend
de nouveaux ressorts. Celui de l'anticléricalisme, quand la CED
est présentée comme une machine de guerre de l'« Europe noire »
des démocrates-chrétiens. Celui du nationalisme économique,
quand les *lobbies* d'affaires tentent d'émouvoir les Français sur
le sort des sidérurgistes ruinés par la CECA et sur nos industries
d'armement menacées par le « miracle allemand ». Elle divise

---

1. A cette occasion, il traverse victorieusement deux crises. Celle
qui suit sa publication du faux rapport Fechteler en mai 1952, qui
tentait de persuader l'opinion que les États-Unis ne croyaient pas à
la CED, et celle du *Temps de Paris*. Voir J.-N. Jeanneney et J. Julliard
(177), chap. 5.

2. Voir P. J. Schaeffer, « Recherche sur l'attitude de la SFIO à l'égard
de l'unification européenne », *Travaux et recherches*, Université de
Metz, 1973-2, p. 107-129.

davantage encore les forces politiques et restructure leurs rapports
de forces. Elle inquiète la haute fonction publique, lassée par les
atermoiements ministériels ou peu soucieuse d'obéissance passive
sur un problème qui trouble la conscience de ses meilleurs fonctionnaires issus de la Résistance. Elle gagne même l'armée [1]. Sans doute
les troupes d'Indochine et d'Afrique du Nord restent-elles muettes.
Mais, dans les garnisons de France ou d'Allemagne, le ton monte,
et de plus en plus hostile à la CED, pour l'honneur du drapeau,
dans l'inquiétude sur les carrières et la haine de l'ennemi hérédi-
taire. Ély, Stehlin, Béthouard, Larminat, en généraux soumis à
leur gouvernement, tentent certes d'avancer un plaidoyer intelli-
gent, bien diffusé par la *Revue militaire d'information*. Mais ils
trouvent en face d'eux les gloires de Kœnig, de Monsabert et
surtout du maréchal Juin, poussés par l'impatience de jeunes
colonels frondeurs qui découvrent déjà à cette occasion les rudi-
ments de l'action psychologique et le goût de la pression directe
sur le pouvoir politique.

Peu à peu, à ressasser des arguments qui tournent toujours au
bout du compte autour de la guerre avec l'Allemagne, la querelle
devient résurgence d'un passé qu'on avait voulu à la hâte évacuer
en 1945, rude bataille de la mémoire. L'actualité venant, il est vrai,
en renfort pour raviver le cauchemar refoulé. En janvier et février
1953, le procès à Bordeaux des SS de la division « Das Reich »
responsables du massacre d'Oradour-sur-Glane et des pendaisons
de Tulle en juin 1944 expose quels crimes peut perpétrer une armée
allemande. Qu'y soient mêlés des Alsaciens enrôlés de force dans
la Wehrmacht, et amnistiés par le Parlement aussitôt après leur
condamnation, fait méditer sur des déchirements qu'on ne voudrait
plus voir reparaître : l'Alsace gronde, le Limousin aussi mais pour
des motifs symétriquement opposés [2]. Au même moment, l'affaire
des enfants Finaly arrachés par leur famille d'Israël à leurs parents
adoptifs de France ravive les drames personnels que plus d'une
famille sur deux a subis en 39-45. Enfin, l'exécution des époux
Rosenberg, en juin, donne visage de martyrs aux victimes du

1. Voir P.-M. de La Gorce (4), p. 128-135.
2. Voir J.-P. Rioux, « Le procès d'Oradour », *L'histoire*, n° 64,
février 1984.

LES FRANÇAIS ET LA CED

en %	mai 1953[1]	juillet 1954[2]	19-22 août 1954[3]	23-30 août 1954	31 août- 8 sept. 1954	janvier 1955[4]
pour	30	19	21	14	16	36
plutôt pour		17	16	17	18	
plutôt contre		11	12	12	11	
contre	21	20	22	24	22	32
indécis ou ne répondent pas	49	33	29	33	33	32

1. « S'il y avait un référendum sur le projet de traité, tel qu'il est proposé actuellement à l'Assemblée, voteriez-vous pour ou contre ? », enquête du 28 avril au 10 mai 1953, *Sondages*, 1953, n° 2 (supplément), p. 9, publiée en novembre 1953.

2. « Attitude à l'égard de la CED », *Sondages*, 1958, n°s 1-2, p. 139.

3. « Attitude à l'égard de la CED », enquête sur « L'opinion et la conscience nationale » du 19 août au 8 septembre 1954, *Sondages*, 1954, n° 4, publiée dans *France-Soir* et *le Monde* des 14-15 octobre 1954.

4. « Si vous aviez eu à vous prononcer sur les accords de Paris, auriez-vous voté pour ou contre ? », enquête sur « Le gouvernement Mendès France et l'opinion » du 15-30 janvier 1955, *Sondages*, 1955, n° 1, p. 28.

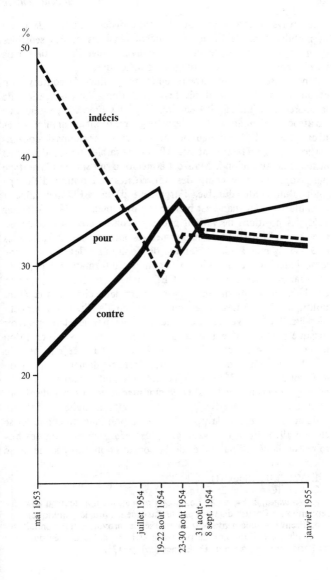

%

50

40

30

20

indécis

pour

contre

mai 1953

juillet 1954

19-22 août 1954

23-30 août 1954

31 août-
8 sept. 1954

janvier 1955

maccarthysme et indigne tous les anticédistes. Bouffées de passé et mobilisations de l'émotion tendent ainsi les cordes sensibles d'un pays qui a cru depuis 1944 pouvoir jouer l'amnésie [1] mais ne répugne jamais aux empoignades historiques.

Une conscience collective réveillée, un instinct de conservation et un nationalisme réaffûtés favorisent donc l'intensification de la querelle. En juillet 1954 encore, 85 % des Français pensent que les atrocités allemandes de la dernière guerre n'ont été ni minimisées ni exagérées, 61 % craignent de voir se rouvrir des camps de concentration, 45 % préféreraient une Allemagne faible, divisée, désarmée et tenue en suspicion [2]. Mais cette mémoire qui saigne n'avantage pas exagérément le camp des anticédistes. La notion d'Europe jouit d'un crédit durable, l'argument d'une CED neutralisant le militarisme allemand est bien reçu : de septembre 1951 à février 1955, les positions ne varient guère, si l'on en croit les sondages, avec 42-43 % partisans d'une armée européenne, 26-22 % hostiles et 32-35 % muets. Cette stabilité de l'opinion reflète au vrai une large indécision et un sérieux manque d'information : combien de Français pensent qu'une CED signée est déjà en vigueur, combien préfèrent déléguer passivement leur civisme aux élites politiques et morales et se contentent, on l'a dit, d'assurer leur bien-être ? L'effervescence des hommes de parole et de pouvoir masque peut-être une France plus calme ou plus perplexe qu'on ne le croit. En juillet 1954, à la veille de la flambée passionnelle de l'été qui clôt le débat, 36 % des Français demeurent pour ou « plutôt pour » la CED, 31 % contre ou « plutôt contre » et 33 % ne se prononcent pas [3]. Est-ce le chiffrage d'une France des blocs et d'une affaire Dreyfus [4] ? Pourtant, cette querelle ne fut pas artificielle. A preuve, la nouvelle donne politique qu'elle favorise en juin 1954. Et bien davantage après 1958, tout au long des histoires de la Ve République, de la construction européenne et de

1. Voir J.-P. Rioux (1), p. 61-67.
2. Voir R. Aron et D. Lerner (35), p. 153.
3. *Sondages*, 1954, n° 4. Les « contre » ne l'emportent qu'en août-septembre, à l'heure du rejet par le Parlement (voir le graphique).
4. Preuve supplémentaire : la presse de province, qui connaît ses bourgades, est d'une grande prudence et bien moins divisée que celle de Paris. Voir R. Aron et D. Lerner (35), p. 171.

l'Alliance atlantique, la stricte discipline avec laquelle se reconstitueront ses deux camps. Né fortuitement de la hantise d'une nouvelle guerre, ce débat confus avait un passé et un avenir [1].

Du cap Bon à Diên Biên Phu.

Outre-mer, attentisme et recherche d'une voie moyenne sont également érigés en politique pour le sauvetage d'une Union française au sein de laquelle, à l'exception de l'Afrique noire, nulle évolution positive n'est décelable. Bien au contraire. Ayant perdu l'initiative à long terme, Paris pare aux urgences par des coups de force en Tunisie et au Maroc et ne peut éviter à ses soldats l'humiliation de la défaite en Indochine. Ce temps des vérités amères n'est plus, cependant, celui où quelque ministre, MRP de préférence, pouvait tenter d'agir à sa guise dans l'indifférence de l'opinion. Les gouvernements n'ont pas mieux qu'auparavant la maîtrise du suivi de leur politique. Mal informés ou avec retard, comme en fait foi à maints passages le *Journal* de Vincent Auriol, ses missions d'enquête parfois circonvenues, ils laissent trop souvent administrateurs civils et responsables militaires, du maréchal de France au commissaire spécial, les mettre sur place devant le fait accompli ou manquer à l'obligation de réserve en métropole. Mais désormais cette solitude et cette faiblesse sont entraperçues par les Français, et la proximité des affrontements décisifs active les groupes de pression antagonistes, ce qui paralyse plus encore un pouvoir déjà faible : cercle vicieux de l'indécision.

Pressions et débats ne s'exercent guère sur l'affaire d'Indochine. Cette guerre lointaine, menée par des soldats professionnels et des auxiliaires « indigènes », met en jeu quelques grands intérêts de la colonisation mais ne frappe pas une masse de « petits Blancs » comme en Afrique du Nord. Le thème de la localisation asiatique de la croisade universelle contre le communisme est bien reçu, et sans inventaire. Toutes ces raisons expliquent une singulière atonie de l'opinion, qui ne s'éveillera qu'avec la gifle de Diên Biên Phu. Sur ces entrefaites, seuls des scandales comme celui du trafic des

1. Voir R. Rémond, « Quand la CED divisait les Français », *L'histoire*, n° 13, juin 1979.

piastres [1] ou les dures manifestations communistes contre la « sale guerre » lui ont fait ouvrir un œil.

Par contre, les affaires de Tunisie et du Maroc mettent en jeu des intérêts plus proches. Des groupes de pression savent tenir les moyens d'information et faire les couloirs du Parlement. Ainsi, « Présence française » qui rassemble colons, industriels et fonctionnaires du Maroc, fait donner François Charles-Roux, membre de l'Institut et président de la Compagnie de Suez, Émile Roche, vice-président du parti radical, ou le maréchal Juin. Une presse confidentielle de « lettres d'information » et de « bulletins hebdomadaires » sensibilise les notables de métropole aux arguments des grands intérêts, tandis que Marcel Boussac leur ouvre _l'Aurore_ et Marcel Dassault _Paris-Presse_. Et surtout, la présence de fortes colonies françaises menacées par l'explosion démographique indigène donne ici du poids aux associations, aux sections locales des partis de métropole, à tous les groupements de défense [2].

Un des éléments du drame est lié à l'impuissance des partis de métropole à prendre en compte la nouveauté historique du phénomène de la décolonisation. Aucun d'entre eux, à l'exception du parti communiste, déterminé mais isolé, n'est ouvertement anticolonialiste. C'est par conséquent en dehors d'eux que s'exercent les forces lucides et neuves. A la pression des lobbies conservateurs réplique donc systématiquement l'opposition morale et intellectuelle au colonialisme. Celle d'un progressisme ou d'un neutralisme déjà ragaillardis, on l'a vu, par leur bataille contre

---

1. La piastre vaut 10 francs à Saigon et 17 à Paris : belle occasion de trafic à l'occasion des transferts. Des fonctionnaires, des militaires, des hommes d'affaires et quelques hommes de main de la pègre y sont impliqués. Un journaliste, Jacques Despuech, dénonce en 1953 l'ampleur du mal dans _le Trafic des piastres_ (Éd. des Deux Rives). Enquête et débats parlementaires, où les communistes sont particulièrement incisifs, achèvent de convaincre les Français que cette guerre est pourrie, tandis que le dégel soviétique conduit à minimiser le danger viêt-minh.

2. Ainsi en Tunisie, la population totale passe de 1946 à 1956 de 3 200 000 à 3 800 000, et la proportion d'Européens chute de 7,4 à 6,7 %. Mais 4 000 exploitants agricoles européens y produisent 20 milliards sur 65 en 1953, et 500 000 fellahs se répartissent les 45 milliards restant. En Tunisie comme au Maroc, exploitations minières, industries, transports et services modernes sont aux mains des Européens.

la CED. Elle devint peu à peu l'objectif majeur de *France-Obser-vateur*, fondé en 1950, où se côtoient autour de Claude Bourdet, Hector de Galard et Roger Stéphane, des équipes de presse forgées à *Combat, Libération* ou *Action*[1]. Derrière l'objectivité affichée du journal, elle transparaît assez bien dans *le Monde*. Elle est déterminante dans le lancement de *l'Express* en mai 1953. Mais la nouveauté féconde tient à la confluence de cet anticolonialisme des Droits de l'homme avec celui de la conscience chrétienne. Déjà exercé à *Réforme*, à *Témoignage chrétien* ou à *Esprit*, il devient celui d'une partie de la hiérarchie soutenue par Rome qui ne s'en tient plus aux stricts arguments missionnaires bien désuets qui circulent encore dans *la France catholique*, celui de la Mission de France, des mouvements de jeunesse, du Centre catholique des intellectuels français, qui, fait significatif, propose, pour sa semaine annuelle de 1953, le thème « Colonisation et conscience chrétienne ». Éveil d'une grande importance quand on sait la place tenue désormais par le catholicisme dans la formation des jeunes et la fabrication des élites. La fondation en juin 1953 par Robert Barrat et Roger Stéphane de « France-Maghreb », auquel Mauriac apporte l'éclat de sa plume et la profondeur de ses tourments[2], parachève l'entreprise. Cette nébuleuse, très parisienne à l'origine, brasse journalistes et intellectuels, étudiants et professeurs, syndicalistes et cadres, chrétiens et communistes, dispose d'hebdomadaires modernes : elle marque incontestablement des points, « mord » sur l'opinion, dans une fraternité qui rappelle à certains les beaux jours de 1944. Si bien que *le Figaro* lui-même en vient un temps à passer les tribunes libérales du général Catroux fidèle à Lyautey.

Cette nouvelle configuration du débat rend donc plus perplexes encore les partis les plus influents. Le MRP, fort secoué par cette offensive d'une active minorité catholique, se divise, refusant l'autonomie mais souhaitant des réformes; ses ministres subissent l'assaut dès mai 1951 des Jeunesses du parti et l'exposé des troubles

---

1. *L'Observateur* de 1950 devient *France-Observateur* le 15 avril 1954. Voir C. Estier, *la Gauche hebdomadaire*, Colin, 1962, chap. 6 à 8.
2. Voir J. Lacouture, *François Mauriac*, Éd. du Seuil, 1980, chap. 18, et R. Barrat, *Justice pour le Maroc*, Éd. du Seuil, 1953.

de nombreux élus et militants liés à l'Action catholique, ceux par exemple de Léo Hamon, de Robert Buron ou de Félix Lacambre. La SFIO, très rebutée par l'aspect « féodal » du nationalisme marocain, est en revanche attentive à la situation tunisienne et bien disposée à progresser vers l'acceptation de l'indépendance. Si l'autorité d'un Charles-André Julien, spécialiste de l'histoire du Maghreb et ancien conseiller de Blum, n'y est pas toujours reconnue par les caciques de l'appareil, le poids des militants de la Fédération de Tunisie menée par le très incisif Dr Cohen-Hadria peut s'exercer[1] ; la minorité hostile à la CED a la sagesse de ne pas transposer pour l'instant son combat au plan des affaires d'outre-mer, le laïcisme de Bourguiba et les liens étroits qu'entretiennent les syndicats tunisiens avec Force ouvrière plaident enfin pour « le plus français » des nationalismes d'Afrique du Nord : les socialistes absents du pouvoir se présentent de nouveau sur ce point comme une force de proposition. En revanche, les radicaux expriment très exactement les contradictions de la classe politique en ces matières. Sans doute un Edgar Faure et un Pierre Mendès France sont-ils accessibles aux arguments de raison, mais le tout-puissant Martinaud-Déplat, qui transite par différents ministères de janvier 1952 à juin 1954, mêle à son solide anticommunisme une haine très constante des nationalismes maghrébins. Il tient les puissantes fédérations d'Afrique du Nord, gonflées par la masse des petits Blancs inquiets, sait faire alimenter les finances du parti par les grands intérêts représentés par René Mayer, élu de Constantine, le sénateur Borgeaud, élu d'Alger, et son collègue Colonna, de Tunisie : la postérité de Caillaux est encore vigoureuse rue de Valois. Les radicaux étant désormais bien plus indispensables que la SFIO et le MRP à toute coalition de gouvernement, leur agressive impuissance pèse lourd dans la décision finale.

En Tunisie, la réponse négative — l'idée de « cosouveraineté » n'est pas tout à fait écartée, mais est rappelé « le caractère définitif » du lien du protectorat — du gouvernement Pleven le 15 décembre 1951 au mémorandum du ministère Chenik, qui définissait les

---

1. Voir E. Cohen-Hadria, « Du protectorat français à l'indépendance tunisienne », *Cahiers de la Méditerranée*, Université de Nice, 1976.

étapes d'une autonomie interne, a ouvert « une ère de répression et de résistance », comme a conclu aussitôt Bourguiba. Le Néo-Destour, modernisé, renforcé par les apports populaires de la centrale syndicale de l'UGTT animée par Ferhat Hached, entend ne plus rien laisser passer. En face, quand le libéral résident Périllier est remplacé par Jean de Hautecloque, en janvier 1952, les Européens pavoisent, très excités par des groupuscules contre-terroristes et la grande presse. Dès lors, l'épreuve de force est engagée. Hautecloque, ayant interdit le congrès du Destour prévu pour le 16 janvier, ne peut faire face à la grève générale et aux émeutes qu'en couvrant le ratissage du cap Bon par les troupes du général Garbay, qui laissent derrière elles plus de 200 morts, du 28 janvier au 1er février. Puis il fait arrêter et déporter, le 25 mars, Chenik et trois autres ministres dont le bey avait refusé de se séparer. Le pâle ministère Baccouche composé de fonctionnaires indigènes « sûrs » ne pouvant, à l'évidence, combler le vide ainsi créé, le bey refusant sa signature à toute mesure ou projet émanant de Paris, Bourguiba déporté, la situation est bloquée. Et l'avantage passe insensiblement du côté des Tunisiens : le bey s'entoure en août de notables qui jouent le rôle d'un contre-ministère; l'assassinat, le 5 décembre, de Fehrat Hached par des contre-terroristes renforce en quelques heures aux Nations unies le camp des pays hostiles à la politique française — dont les États-Unis, cette fois, font partie — au cours d'un débat qui s'achève par un rappel « de la capacité des Tunisiens à s'administrer eux-mêmes ». La France n'a plus prise sur l'événement : aux élections municipales et caïdales du 3 mai 1953, seuls 8 % des Tunisiens et 46 % des Français prennent part au vote, la Fédération socialiste de Tunisie s'étant même ralliée au boycottage; dans les villes, la « Main rouge » s'oppose au terrorisme nationaliste; dans les campagnes, des groupes de « fellagha » en armes créent une insécurité permanente. Le gouvernement Laniel peut certes remplacer enfin Hautecloque par Voizard, qui desserre un peu la poigne. Rien n'y fait, car le Destour redouble ses exigences et refuse en bloc les propositions de réforme du nouveau cabinet Mzali, en mars 1954. Ce dernier, découragé, ayant démissionné le 17 juin suivant, le chaos s'installe. L'alternative est simple : la guerre à outrance ou la négociation avec Bourguiba.

Le drame tunisien rejaillit désormais directement sur le Maroc. Depuis que le 29 mars 1952 un mémorandum du sultan a été repoussé, la crise finale est ouverte. Le 7 décembre suivant, la grève générale lancée par les syndicats de l'Istiqlāl pour protester contre l'assassinat de Ferhat Hached révèle la profondeur des antagonismes : lynchages, assassinats de part et d'autre, bruits de chars et répression qui fait des dizaines de morts. Désormais, le général Guillaume, un fidèle de Juin qui lui a succédé comme résident général, révoque tout caïd ou pacha suspect de nationalisme, assimile l'agitation à un vaste complot du communisme international et cajole le vieux Glaoui, pacha de Marrakech. Avec succès : au début de 1953, l'opposition est pratiquement décapitée. C'est alors que le groupe de pression colonial, mené par Juin et Martinaud-Déplat et qui étale ses projets dans *l'Aurore*[1], met à exécution son vieux projet : déposer le sultan Ben Youssef, à ses yeux suspect depuis son discours de Tanger en 1947. Le Glaoui est, comme en 1951, au cœur du complot, dont les détails sont mis au point à Paris, à l'été 1953, après que le maréchal eut fait l'éloge du sage de Marrakech dans son discours de réception à l'Académie française, le 25 juin[2]. Du 13 au 19 août, le Glaoui réunit ses pachas fidèles, fait venir de Fez son candidat, le vieux Moulay Arafa, puis le fait désigner comme nouvel *iman* tout en concentrant autour de Rabat ses cavaliers berbères du Sud. Guillaume ne tenant guère compte des instructions officielles de Bidault[3] qui lui demandait de contrer le Glaoui, l'affaire se déroule suivant le plan prévu. Une capitale encerclée, une presse aux ordres des conjurés français et marocains, aucune réaction populaire prévisible : le 20 août, totalement isolé, le sultan Ben Youssef est arrêté par Guillaume et déporté sans ména-

---

1. Et dans la presse amie. Ainsi, Raymond Cartier expose dès le 7 février dans *Paris-Match* les détails du futur complot.
2. Son confrère Mauriac lui réplique dans *le Figaro* du 30 par un cinglant article intitulé « Un coup de bâton étoilé ». Sur l'ensemble de la crise, voit J. Lacouture, *Cinq hommes et la France*, Éd. du Seuil, 1961, p. 217-232, et *le Maroc à l'épreuve*, Éd. du Seuil, 1958.
3. Bidault est en fait très favorable à la déposition du sultan. Sur le détail des télégrammes entre Paris et Rabat, voir G. Elgey (3), p. 407-421.

gement en Corse puis à Madagascar. Moulay Arafa lui succède aussitôt. A Paris, craignant une guerre civile au Maroc si le coup de force n'est pas entériné, Laniel et Bidault cèdent sans gloire. Au sein du gouvernement divisé, seul Edgar Faure émet une protestation, seul François Mitterrand a le courage de démissionner. « Présence française » triomphe. Mais, en piétinant le traité de Fez de 1912, la France a donné au nationalisme marocain un martyr et un espoir, le sultan déposé. Dès septembre, les attentats ont repris.

En Indochine, le pire est accompli : la France ne sait plus pourquoi elle poursuit une guerre ruineuse et dont l'opinion se détourne. Son internationalisation, amorcée à l'été 1950, va bon train : civils ou militaires doivent presser le pas vers Washington, tandis que la Chine populaire accroît sans cesse son aide au Viêt-minh. Car désormais la France est aux avant-postes de la défense du monde libre, et sa guerre est intégrée à la politique de la Maison-Blanche du *containment* en Extrême-Orient et dans le Pacifique. De juin 1950 à mai 1954, selon des chiffres présentés au Sénat de Washington, l'aide américaine est de 3,6 milliards de dollars, soit 80 % du coût total des opérations militaires et de l'assistance technique et économique. Ce que contestent les gouvernements français, non seulement soucieux de ne pas voir intervenir directement les conseillers américains dans la ventilation des crédits et dans les états-majors, mais plaidant sans relâche pour l'intensification de l'aide sur un ton de marchandage qui affaiblit quelque peu leur très nationale exhibition des sacrifices consentis : nos alliés, soutiennent-ils, ne supportent guère que la moitié des dépenses. Et, de fait, le poids des crédits militaires représente de 1952 à 1955 le tiers environ des dépenses budgétaires de la France contre le quart en temps normal. Mais ce raisonnement devient pervers. Aidez-nous davantage, mais laissez-nous les mains libres, supportez les coûts, faites de la France le pilier de l'Alliance atlantique et l'héroïne de la guerre froide, et, en retour, forte de ses droits mais respectueuse de ses engagements, elle ratifiera la CED et sauvera l'Afrique du Nord et l'Afrique noire du danger communiste tout en vous conservant l'Indochine. Bref, comme le soulignent avec indignation les communistes, du sang français et indigène contre des dollars. A ces arguments,

Eisenhower, Dulles et les experts du Pentagone sont de moins en moins sensibles : la guerre de Corée prend fin en juillet 1953, la détente est prévisible, les intérêts économiques anglais et américains peuvent être défendus avec les États associés d'Indochine sans que soit conservé le cadre vermoulu d'une Union française, et seule la menace chinoise les retient de se désengager. Le risque est donc pris sans être tout à fait assumé de voir une guerre internationalisée trouver une issue internationale dans une négociation où la France n'aura aucune voix prépondérante : les dollars donnent un sérieux droit de regard. D'autre part, à confirmer mois après mois aux États associés du Viêt-nam, du Laos et du Cambodge que l'écrasement des rebelles du Viêt-minh est le prélude à leur émancipation de toute tutelle française et, à terme, la fin du rêve d'Union française, Paris poursuit une guerre pour n'en retirer aucun profit, en soumet l'issue au renoncement à l'idée maîtresse qui l'avait enclenchée, maintenir une présence française. « En continuant à nous battre seuls, conclut le général Navarre, nous retirions les marrons du feu pour les autres [1]. »

A ces buts de plus en plus inconsistants répondent des engagements de plus en plus mous. Dès octobre 1950, Mendès France avait posé l'alternative : réaliser nos objectifs par la force, ce qui implique trois fois plus de soldats et de crédits, ou négocier avec Hô Chi Minh. Cette lucidité, la droite s'en détourne au nom de sa stricte politique budgétaire, de sa soumission à Washington, de son anticommunisme et pour ne pas trop dégarnir le front déjà brûlant de l'Afrique du Nord. Passant outre aux avertissements des experts militaires, comme les généraux Blanc et Lechères, ses gouvernements s'obstinent à ne pas donner les moyens d'une victoire sur le terrain et favorisent même l'oubli public des sacrifices consentis par le corps expéditionnaire. Depuis 1948, le *Journal officiel* ne publie plus la liste des distinctions gagnées dans la boue des deltas, et la loi de juillet 1952 accordant enfin le statut d'anciens combattants aux soldats d'Indochine ne sera appliquée qu'après la défaite. Sur le terrain, l'amertume contre les civils et Paris monte avec le découragement face à un ennemi insaisissable. Perspectives brouillées, soumission à une logique d'inter-

1. Cité par A. Grosser (5), p. 286.

nationalisation qui conduit à la Conférence de Genève, inquiétude des combattants : cette faiblesse n'a plus qu'un argument, la haine d'Hô Chi Minh. Le 29 novembre 1953, la France ne daigne pas répondre aux nouvelles offres de négociation qu'il transmet au journal suédois *Expressen*. Car, le 20, les parachutistes ont été largués sur Diên Biên Phu pour « casser » définitivement le Viêt.

De Lattre avait eu la sagesse de comprendre qu'il fallait tenir les postes, verrouiller le delta du Tonkin et attendre un renforcement de l'aide politique et militaire. Après sa mort, le 11 janvier 1952, ses successeurs Salan puis Navarre en mai 1953 doivent admettre que, cette aide n'arrivant pas assez massivement, leur armée franco-vietnamienne s'enlise et que l'extension de la guerre est imminente : la chute de Sam-Neua le 13 avril 1953 a ouvert au Viêt-minh la route du Laos et, à terme, de la Thaïlande, tandis que l'aide chinoise et soviétique se fait plus régulière et plus voyante. Cette infiltration ruine le plan de Navarre, qui prévoyait de nettoyer activement les zones au sud du 18ᵉ parallèle et de les confier progressivement à la surveillance de l'armée vietnamienne de Bao-Daï, tout en restant sur la réserve au nord pour prendre le temps de reconstituer un corps de bataille qui, dans une deuxième phase, attirera le Viêt-minh en rase campagne et l'y écrasera. Sur l'heure, le gouvernement Mayer refuse l'internationalisation du conflit proposée par Dulles, mais le Laos n'est sauvé qu'avec l'aide de l'aviation américaine. A terme, le général Giap a pris l'initiative en provoquant l'adversaire aux confins du Laos, loin de ses bases du delta. Et les généraux français tombent dans le piège. Malgré les mises en garde des chefs d'état-major Ély et Blanc, malgré les objections des aviateurs, Navarre et surtout Cogny, responsable de la zone du Nord-Viêt-nam, décident de bloquer la voie d'accès au Laos en fortifiant une base d'arrêt, dans la plus pure tradition coloniale. Le site choisi le 3 décembre est Diên Biên Phu, occupé en novembre par 6 bataillons de « paras ». Curieux pari. A ceux qui estiment que cette cuvette de 9 kilomètres sur 16 des confins du pays thaï, ceinturée de montagnes où peut s'abriter l'ennemi, à plus de 300 kilomètres au nord-ouest d'Hanoi et dont tout le ravitaillement et les renforts doivent être convoyés par air, sera un gouffre à bataillons, Cogny réplique sans appel que les Viêts ne pourront pas acheminer leur matériel, que seul de petits groupes pourront contourner ce point de passage obligatoire pour de grosses unités. S'édifie alors par une noria de Dakotas un formidable camp retranché dont la défense est confiée au colonel de Castries, conçue comme un projet impeccable pour un examen de l'École de guerre, avec points d'appui, réseau moderne de transmission et déclarations tapageuses devant les correspondants de presse. Qu'importent les réserves persistantes de techniciens et de visiteurs de bon sens, les scrupules tardifs de Navarre. La bataille décisive est engagée [1].

Giap la gagne en déjouant toutes les prévisions des Français. Il fait donner ses meilleures divisions, tout en maintenant un harcèlement du delta, sentant bien qu'une victoire sera d'une portée considérable dans les négociations internationales qui commencent. Chaque nuit, dans une atmosphère de lutte finale, des milliers de soldats-coolies aidés par les civils ont, à dos d'homme ou sur leur vélo, ouvert des routes secrètes que l'aviation française ne saura pas repérer, ont tracté les pièces et leurs obus, installé sur les pentes des collines des points de tir inaccessibles aux 155 français. Dès le début de l'attaque en masse, le 15 mars 1954, tout est joué : la piste d'aviation est inutilisable, les points d'appui avancés « Béatrice » et « Gabrielle » sont investis sous un déluge de fer et une marée de fantassins galvanisés, le fier cavalier de Castries est incapable de faire donner ses réserves pour la contre-attaque. Les 10 000 hommes d'une garnison où se côtoient 17 nationalités sont cloués au fond de la cuvette. Leur héroïsme leur permet de tenir, sans renforts suffisants, au milieu des blessés et des matériels épars, prenant et reprenant chaque piton et chaque tranchée, pendant plus d'un mois infernal. Mais l'issue de leur combat ne dépend plus d'eux. Tout au long du mois d'avril, l'opération « Vautour » qui casserait les arrières de Giap et ferait taire ses canons avec l'aide massive de l'aviation américaine [2] est repoussée par nos alliés, puis définitivement abandonnée le

---

1. Voir, sur sa préparation et son échec, le rapport de la commission d'enquête présidée par le général Catroux, publié par G. Elgey (3), p. 551-622.
2. Le recours à l'arme atomique (avec quel succès sur ce périmètre ?) fut même un temps envisagé.

25 sur un net refus de Churchill, qui remet la solution du conflit aux diplomates de Genève. Diên Biên Phu tombe donc le 7 mai.

Le choc est énorme. Le Viêt-minh a perdu environ 8 000 hommes et compte 15 000 blessés ou disparus. Mais le corps expéditionnaire français abandonne 17 de ses meilleurs bataillons (soit 6 à 9 % de ses effectifs) : 1 500 morts au soir de l'assaut final, plus de 4 000 blessés graves dont beaucoup ne survivront pas, près de 12 000 soldats de l'Union française prisonniers [1]. Pour ces derniers, traînés dans de terribles camps, un martyre d'un autre genre s'annonce : plus de 7 000 n'en reviendront pas. Parmi eux, quelques centaines d'officiers français y apprendront, de « lavages de cerveau » en résistance acharnée, à mesurer la force de la guerre psychologique et l'ingratitude de la République. A travers son armée humiliée [2] et ses civils mal à l'aise, cette dernière meurt un peu déjà dans cette cuvette tragique [3].

Sur l'heure, le corps expéditionnaire engage sans moral la bataille du delta qui suit le désastre : les troupes vietnamiennes se débandent, l'artère Haiphong-Hanoi, coupée chaque nuit par l'ennemi, doit être rouverte chaque matin par les blindés, Navarre ne garantit plus de pouvoir sauver Hanoi. En France, le gouvernement Laniel est en sursis, et l'opinion, fébrilement tenue en haleine par la presse et la radio dans une sorte de lyrisme catastrophique, conforte sur l'événement sa vieille et passive

1. Il s'agit d'estimations. Les chiffres avancés par Navarre (45), Roy (43), Gras (44), Bergot (42) et Giap (46), en effet, ne concordent pas. L'ouverture des archives des Services historiques des armées devrait prochainement éclaircir ce point douloureux.

2. Le général Navarre, dans *Agonie de l'Indochine* (1953-1954) (Plon, p. 315), dégage dès 1956 la responsabilité de l'armée : « C'est de Genève et non de Diên Biên Phu que date l'abaissement de la France. C'est à ses hommes politiques et non à ses soldats qu'on doit en demander compte. » Il conclut p. 335 par un appel « au grand chirurgien ». Il persiste et signe en 1979 dans (45), chap. VII. De fait, le 14 mai 1954, des parachutistes manifestaient à l'Arc de Triomphe contre le régime plus vigoureusement encore que le 4 avril. Confronter cette attitude avec celle de J. Laniel, *le Drame indochinois*, Plon, 1957.

3. Voir J. Lacouture, « La défaite de Diên Biên Phu », *L'histoire*, n° 12, mai 1979, p. 14-23, et son film avec Ph. Devillers et J. Kanapa, *La République est morte à Diên Biên Phu*, 1974.

aspiration à la négociation ou à l'abandon[1]. A la Conférence de Genève, prévue depuis les réunions de Berlin et des Bermudes et qui s'est ouverte le 26 avril, le Viêt-minh et ses alliés russe et chinois ont forcé la chance et ont en main l'atout décisif pour dénouer la crise : Giap et ses hommes ont gagné la plus grande — à vrai dire la seule — bataille rangée de l'histoire de la décolonisation.

« *Nous sommes en 1788* ».

Ce désastre frappe des gouvernants accablés de toutes parts. Au point que leur impuissance rejaillit sur le régime lui-même et que ces années de consolidation économique voient se généraliser cette désaffection des Français dont la République périra. « Le bon peuple ne comprend plus rien, hormis qu'en 1953 il est de tous côtés et toujours berné. Ayant fait pour un temps son plein d'aventures, il répugne à se mettre franchement en colère... Qu'on ne s'étonne pas si, en attendant, il paraît préférer de plus en plus, à toutes autres lumières, les commentaires politiques de Jean Rigaux ou de Pierre Dac », observe Beuve-Méry[2]. La France est « l'homme malade de l'Europe », poursuit Reynaud. « Nous sommes en 1788 », conclut Mendès France[3]. De fait, au cours des six derniers mois de 1953, bien des mécanismes de la crise finale ont été rodés.

Le premier danger vient de l'impatience populaire que traduit l'agitation sociale de l'été et qui peut, au reste, cohabiter avec la soif de tranquille mieux-être déjà signalée. C'est que la France subit alors les effets de la stabilisation Pinay. Le déficit budgétaire s'amenuise quelque peu mais persiste[4], troublant les libéraux

1. 48 % des Français interrogés par l'IFOP en juillet 1947 souhaitaient négocier ou abandonner, contre 52 % déterminés à poursuivre la guerre et la gagner. Ils sont respectivement 52 % contre 38 % en octobre 1950, 50 % contre 15 % en mai 1953 et 60 % contre 7 % en février 1954. On notera la montée des non-réponses, signe d'une indifférence évidente.
2. *Le Monde*, 3 novembre 1953.
3. Cités par G. Elgey (3), p. 170.
4. 769 milliards en 1952, 698 en 1953, 346 en 1954, 507 en 1955.

au pouvoir. Comment l'éviter quand la guerre d'Indochine gonfle les débits et que l'injustice fiscale, consolidée par le souci de rassurer les détenteurs de capitaux, amincit les crédits ? Faute de vouloir régler ces questions de fond, les gouvernements en sont réduits aux expédients tristement classiques : seules les avances consenties par la Banque de France, toujours « exceptionnelles » en théorie, évitent la banqueroute de 1952 à 1955. Le déficit du commerce extérieur persistant épuise les réserves en devises fortes et se combine avec le découvert intérieur pour placer la France dans la dépendance des capitaux et des prêts américains. Ce double déficit maintient les risques d'inflation et gonfle stérilement la masse monétaire en circulation, tandis que la politique de restriction des crédits et des investissements ralentit encore l'économie, multiplie les risques de chômage et prolonge la pénalisation des vendeurs. Pour la première fois depuis la Libération, on frôle les 100 000 chômeurs secourus au printemps 1953, les agriculteurs subissent la chute des cours à la production, des commerçants regrettent les beaux jours de l'inflation, tandis qu'une vaste enquête de l'INSEE révèle que le quart des salariés gagne moins de 20 000 francs par mois et 60 % moins de 30 000 (le SMIG est à ce moment fixé à 20 000 francs), la fonction publique étant particulièrement défavorisée. C'est dans ce climat d'inquiétude que naît et se développe la crise.

Le 22 juillet, à Saint-Céré dans le Lot, le papetier Pierre Poujade mobilise les commerçants de sa petite ville contre les agents du fisc, ces « polyvalents » qui épluchent les comptabilités des « petits » pour mieux épargner les « gros [1] ». Tout au long de l'été, ses commandos volent au secours d'autres victimes dans les départements du Centre et du Sud-Ouest. En novembre, naît l'Union de défense des commerçants et artisans (UDCA) dont les premiers militants s'emparent, en décembre, de la chambre de commerce de Cahors contre les « notables » de la CGPME de Gingembre : le poujadisme prend son envol, avec l'appui des communistes, contre un régime de tracassin et de « pourriture ». Le 28 juillet, l'agitation endémique des viticulteurs du Midi prend

1. Voir J.-P. Rioux, « La révolte de Pierre Poujade », *L'histoire*, n° 32, mars 1981.

un tour particulièrement violent, avec barrages de routes et barricades, pour protester contre les importations de vin d'Algérie et protéger les cours. Des préfectures assiégées, les départements languedociens coupés du reste de la France par un « cordon sanitaire » de CRS : dramatique épisode, qui annonce la future révolte paysanne des temps de la « révolution silencieuse ». Le 12 octobre, 14 départements du Centre et de l'Ouest sont bloqués par des éleveurs qui ne supportent plus la chute des cours de la viande sur pied. La FNSEA est désavouée par ces minorités activistes : dès septembre, un « Comité de Guéret » les rassemble dans le Massif central, qui donnera l'ossature du MODEF. Enfin, c'est l'État-patron qui est directement mis en cause au long de ce chaud été, avec la grève généralisée du secteur public. Une France immobilisée découvre son malaise.

La grève naît dans les PTT, si calmes depuis 1946, qui doivent digérer une masse accrue de courrier et de services financiers avec des personnels insuffisants et des ressources rognées en priorité dans chaque train d'économies de la fonction publique, tandis que l'indispensable modernisation n'est qu'amorcée. Travail accru, salaires très bas : les postiers n'en peuvent plus [1]. Partie du centre de tri de Bordeaux, la grève se généralise en quelques heures le 5 août. Le 7, elle a pratiquement gagné l'ensemble des travailleurs de l'État, à la SNCF, à la RATP, à EDF-GDF, et menace les mines et la métallurgie, mobilisant plus de 2 millions de fonctionnaires. Le 15, près de 4 millions de Français sont en grève. Force ouvrière ayant été à l'origine du mouvement, la CGT s'y rallie précipitamment pour oublier ses déconfitures politiques et professionnelles de l'année précédente, un front unique syndical se constitue : c'est l'épreuve de force dès lors

---

1. Voir J.-F. Noël (36). Les 250 000 « postiers » font face à une augmentation du trafic (indice 128 en 1954 pour un indice 100 en 1948), une extension des manipulations financières (13 millions de livrets de caisse d'épargne et 3 millions de comptes-chèques en 1952), quand les emplois budgétaires passent de l'indice 100 en 1948 à 96 en 1954, et que leurs salaires ont pris un retard de 50 % sur le secteur privé depuis 1948. Sur les enjeux techniques, voir la très vivante description de C. Bertho, *Télégraphes et téléphones, de Valmy au microprocesseur*, Le Livre de poche, 1981, chap. 7.

que le gouvernement Laniel tente de réquisitionner, au mépris du Statut de la fonction publique de 1946 et, le 12, dit fermement « non à la grève ». Un mouvement spontané, comme on l'a cru sur le moment ? C'est sans doute la base de FO, fort imprégnée encore de syndicalisme révolutionnaire, qui a allumé la mèche, c'est 1936 et non 1947 qu'évoquent volontiers les grévistes : grève de la lassitude mais grève libératoire, pour prendre souffle quand tant de Français plus heureux sont sur les plages, grève populaire puisque aucun incident sérieux avec les usagers privés de transports jusqu'au fort du retour des vacances ne vient troubler son déroulement. Pas d'occupations, pas de violences ni de manifestations, tout juste un pays paralysé qui sait bien que les grévistes ne veulent pas faire la révolution et ne sont pas sensibles comme en 1947-1948 aux grandes manœuvres des communistes : sans doute l'événement a-t-il aujourd'hui largement disparu de la mémoire collective précisément parce qu'il révélait plus une crise conjoncturelle de régime qu'un vaste affrontement social.

Sa signification politique à terme n'est donc pas mince. Dans les PTT, les syndicats FO avaient sous Pinay planifié leur harcèlement contre le gouvernement et, surtout, c'est l'annonce, le 4 août, des décrets-lois de Laniel préparés par son ministre des Finances, Edgar Faure, qui a déterminé la grève. Pris le 10 août dans le cadre des pouvoirs spéciaux que l'Assemblée a accordés au nouveau gouvernement avant de partir elle aussi en vacances, ses décrets-lois font la « chasse aux économies » en prévoyant le recul de l'âge de la retraite des fonctionnaires et en réduisant les emplois de la fonction publique : sacrifice unilatéral, atteinte au Statut de 1946, insupportables, répliquent les agents de l'État. Est même distillé un antiparlementarisme teinté d'humour, chacun ayant perçu que le régime d'assemblée est le premier responsable, plus que le malheureux Laniel dont nul gréviste ne veut à tout prix la tête. Ainsi, « les postiers de la Manche considèrent la présence des députés à l'Assemblée nationale plus nécessaire que celle des grévistes à leur poste de travail. Ils demandent en conséquence que soit prise à leur endroit la même mesure de réquisition collective[1] ». Poussés par les syndicats dès le 9 août,

1. J.-F. Noël (36), p. 97-98.

socialistes et communistes demandent la convocation du Parlement, et il faut qu'Herriot use de manœuvres indignes [1] pour éviter qu'ainsi s'engage un débat public sur les vraies responsabilités de chacun. Les députés de la majorité, courageusement, diront leur mot le 6 octobre, après la fin de la grève. Entre-temps, nul ne voulant aller trop loin, le mouvement s'est achevé le 25 août. Le gouvernement a promis de ne pas appliquer les décrets dans les PTT, les syndicats ont fait cavalier seul, chaque centrale surveillant l'autre dans une course à la représentativité et à l'aptitude au dialogue qui eût été impensable quelques années plus tôt, traitements et carrières seront revalorisés : les grévistes cèdent. Leur mouvement sans lendemain a néanmoins révélé que dans la France de 1953 l'État n'est plus un arbitre comme en 1936, que le Parlement y fuit ses responsabilités. Le régime est désormais privé du soutien de ces millions de travailleurs qui ont cru le temps d'un été qu'il pouvait « changer », c'est-à-dire gérer une démocratie plus proche d'eux.

C'est donc avec un désenchantement croissant que les citoyens suivent dans le même temps quelques crises politiques qui mettent à nu la dégradation du système. La longue vacance du pouvoir en juin-juillet 1953, avec une crise ministérielle de 36 jours, la plus longue de l'histoire de la IVe République, a révélé jusqu'à la caricature l'impossibilité de dégager des majorités stables au sein de l'Assemblée élue en 1951. Le passage de la SFIO dans l'opposition, les divisions du MRP et des radicaux renforçaient la logique des urnes : la droite demeure l'épicentre parlementaire du pouvoir et sait user de cette marge de manœuvre, même si quelques élections partielles semblent déjà annoncer un retour du balancier électoral vers le centre gauche. Mais pour donner quelque ampleur et quelque durée à son succès, elle doit s'adjoindre les gaullistes, d'abord les dissidents puis, au long des mois, la grande masse des élus RPF. Or, ces hommes n'ont plus le soutien public du général

1. Le président de l'Assemblée en effet n'ouvrit plus son courrier dès que le nombre de députés demandant la convocation atteignit 209. L'opposition lui fera péniblement admettre le 15 septembre qu'il a reçu 214 demandes, ce qui suffisait pour provoquer une session extraordinaire. Voir J.-F. Noël (36), p. 120, et G. Elgey (3), p. 163.

de Gaulle qui, en mai, a tiré la leçon de l'échec de son rassemblement aux élections municipales [1] et leur a donné leur liberté. Le gaullisme en déconfiture — qui devient l'Union républicaine d'action sociale (URAS) — n'est donc plus qu'une monnaie d'appoint tandis que son chef poursuit sa « traversée du désert » : force est pour les indépendants et paysans et les modérés de s'adjoindre le MRP, les radicaux et l'UDSR. Ce n'était pas impossible en termes arithmétiques. Ça le devient dès lors que sur chaque question décisive les partis de la majorité potentielle non seulement s'opposent mais se divisent eux-mêmes.

Après que 19 semaines de pouvoir eurent suffi à user René Mayer, qui démissionne le 21 mai 1953, la crise met en piste successivement Guy Mollet, qui se récuse, puis Diethelm, qui lui aussi renonce. Vincent Auriol, très alarmé depuis longtemps, déplore alors vertement que l'opposition conjuguée des socialistes, du RPF et, dans l'ombre, des communistes rende « absolument impossible le fonctionnement du régime parlementaire » et mette en danger la République. La crise néanmoins prend ses aises, les trois partis invectivés faisant la sourde oreille. Paul Reynaud, pressenti, est trop favorable à la CED et ruine délibérément ses chances en demandant une réforme constitutionnelle dans les huit jours qui suivront son investiture. Puis Bidault échoue à une voix; le radical André Marie ne fait l'unanimité dans aucun parti, le sien compris; Pinay renonce. De guerre lasse, quand s'ouvre le second mois de crise et qu'un « conseil » des anciens présidents du Conseil et chefs de groupe de l'Assemblée a été réuni par Auriol et lui a remis un mémorandum sur l'avenir du pays d'une insigne platitude, le modeste Joseph Laniel fait l'unanimité à droite et chez les gaullistes tout en convainquant un nombre suffisant de MRP et de radicaux. Les indépendants et paysans savent que cet ancien du CNR est moins marqué que Pinay, auquel il s'opposa, qu'il est le protégé de Reynaud et non de Flandin : un nouveau visage pour la même politique. Les gaullistes se féli-

1. De 1947 à 1953, d'une municipale à l'autre, le RPF tombe de 26 à 10 % des sièges, perdant la moitié de ses voix au profit de la droite et du centre. Un an plus tard, au lendemain de Diên Biên Phu, de Gaulle ne rassemblera à l'Arc de Triomphe qu'une foule très clairsemée.

citent d'entrer enfin au gouvernement. Le MRP prend sa revanche sur Auriol, qu'il accuse d'être intervenu trop brutalement dans la crise, en votant pour un candidat auquel l'Élysée ne croit pas. Les radicaux naviguent à vue et se félicitent de placer au gouvernement Queuille, Martinaud-Déplat, Edgar Faure et Marie. A l'évidence, la crise a montré qu'un socialiste, un MRP, un radical, un gaulliste, un indépendant, ne peut pas seul atteindre la majorité, mais que la droite ne peut pas faire basculer durablement vers elle le dispositif parlementaire. Dans une angoisse non dissimulée de la classe politique devant le spectacle qu'elle donne au pays, dans la crainte même d'un coup d'État militaire, dans la grogne de certains hauts fonctionnaires, un épisode a cependant jeté un éclair de vérité. Intercalé pour mémoire entre Reynaud et Bidault, Mendès France, pressenti, a rappelé rudement à ses collègues que « gouverner c'est choisir », puis a défini une politique d'urgence qu'il ne pourra appliquer qu'en 1954. Dans une sorte de silence qui tient lieu d'aveu, seuls 119 députés dont 100 communistes refusent de l'écouter, et 202 abstentions témoignent du trouble provoqué par ce langage sans fard : avec 301 votes favorables, Mendès France échoue à 13 voix, mais c'est une investiture morale qu'il emporte, à valoir sur les urgences des lendemains.

Au vrai, cette crise exceptionnelle apporte la preuve que sur la politique économique et sociale, sur la CED, sur l'Indochine ou l'Afrique du Nord, aucune majorité ne se dégage pour désigner une personnalité capable de mener une action claire et durable. N'existe donc qu'une majorité par problème. « On trouverait, note André Siegfried, une majorité sur le dirigisme ou l'antidirigisme, sur l'orientation socialisante ou de résistance à la socialisation, sur l'école libre ou l'école laïque, sur l'armée européenne ou son refus, sur la continuation de la guerre en Indochine ou la négociation avec Hô Chi Minh, mais un accord sur tous ces points à la fois s'avère impossible [1]. » Dans cet éparpillement des projets, le régime d'assemblée se renforce, les partis plaçant leurs hommes au pouvoir, au besoin pour les y mieux surveiller, ne désignant plus un président du Conseil pour le contrôler à bon escient mais choisissant en leur sein le plus apte à recevoir leur délégation de

---

1. *L'Année politique*, 1953, p. x.

pouvoir. Bref, le pouvoir par roulement, avec dosage préalable et obligatoire des portefeuilles entre les groupes, les mœurs parlementaires introduites à la table du Conseil des ministres et, jour après jour, le harcèlement des responsables. Ce qui conduit, ajoute André Siegfried, à « énerver la décision ». « C'est à un régime de folie qu'on aboutit [1]. » Au point que les parlementaires les plus conscients en viennent à souhaiter une prochaine révision de la Constitution. Mais le juridisme suffirait-il ?

La République ne répugne pas à donner le suprême spectacle de sa laborieuse indécision lors de l'élection de son président en décembre 1953. Sous les lambris de Versailles, le Congrès n'oublie pas les problèmes de l'heure et comptabilise les déclarations des candidats sur l'Indochine, la CED, la laïcité ou le dirigisme. Récusant Laniel, qui partait gagnant [2], il refuse de balancer à droite. Rabrouant Naegelen, hostile à la CED et soutenu par les communistes, il ne veut pas davantage balancer à gauche. Dans l'expectative, après 12 tours de scrutin qui eussent pu être épargnés à la France par des négociations préalables plus sérieuses, est élu l'avant-veille de Noël le successeur de Vincent Auriol. Il est normand, vieux républicain, n'a pas pris part pour cause de maladie au vote décisif sur la CED, il est de droite sans être trop clérical, sa bonhomie et sa rigueur morale le rendront populaire, il est « indépendant » : René Coty est le meilleur visage d'une République à son automne.

---

1. *Ibid.*, p. xi.
2. De fait, une manœuvre de Le Troquer, président du Congrès, fait annuler son élection du 8e tour : des bulletins ne mentionnaient pas son prénom et pouvaient donc être attribués à son frère, le sénateur René Laniel. Joseph s'en désole dans *Jours de gloire et jours cruels (1908-1958)*, Presses de la Cité, 1971.

2

L'impossible renouveau

Le 12 juin 1954, Joseph Laniel est renversé pour n'avoir pas su éviter Diên Biên Phu ni régler les questions pendantes. Lui succède l'auteur du réquisitoire contre son gouvernement, Pierre Mendès France. Un « liquidateur », pensent ses collègues. Et, de fait, ils ne lui concéderont que la gloire d'un été. Pourtant, par-delà son échec, et à travers ce que l'on nomma sans doute un peu vite le mendésisme, est en jeu l'aptitude de la République à se rénover pour prendre en charge une France moderne. En ces mois où l'on parle enfin de l'avenir, le destin balance autour d'un homme. Jusqu'à ce que la crise algérienne fasse renouer avec la monotonie de l'impuissance.

La grâce d'un été pour Mendès France.

L'investiture de Mendès France, le 17 juin, rompt avec les habitudes. Pas de « tours de piste » préalables avec des candidats des groupes parlementaires qui fixent les enchères, mais appel direct de Coty à celui dont on n'a pas oublié le ferme discours de l'année précédente. Pas de concertation avec les caciques des partis, mais des discussions avec des fonctionnaires, des militaires, des syndicalistes, qui convainquent le président désigné d'aller vite. Pas de restrictions mentales ou d'habiletés de tribune au cours du débat, mais la sèche conclusion d'un contrat de longue durée entre un leader et l'Assemblée pour conduire une politique qui « constitue un bloc », puisque les problèmes « forment un tout » et que « leur solution est une ». Contrat signé massivement sans « exigences ni veto », par 419 voix contre 47 et 143 absten-

tions [1]. Sont résolus à tenter l'aventure les socialistes, qui ne mar-
chanderont plus leur soutien, les radicaux, plus divisés qu'il n'y
paraît, l'UDSR, les gaullistes devenus « républicains sociaux »,
les indépendants d'outre-mer et quelques élus de droite, auxquels
s'adjoignent les communistes et les progressistes, « dans l'intérêt
de la classe ouvrière, de la nation, de la paix », et qui, pour la
première fois depuis 1947, votent pour un gouvernement et se
réinsèrent ainsi dans le débat politique, mais dont l'impétrant
tient à défalquer les 99 voix de son score final pour ne pas se lier
les mains à Genève. La droite est nettement hostile, comprenant
que cette majorité nouvelle s'est soudée contre sa politique. Elle
reçoit le renfort massif du MRP réfugié dans l'abstention mais
résolu à défendre Bidault, l'Europe et les intérêts français outre-
mer : dès le premier jour, par la voix du jeune élu de Seine-Infé-
rieure, Jean Lecanuet, il instruit contre Mendès France un procès
d'intention et louvoiera entre le soutien las et l'opposition aigre.
Tout semble clair. Une opposition défend la politique d'hier.
Une majorité qui s'était reconnue dans l'hostilité à la CED
convient dans un sursaut de lucidité que les vaincus de Diên Biên
Phu ne peuvent pas représenter la France dans la négociation
finale, que les hypothèques doivent être levées et que le pays attend
un renouveau. C'est néanmoins une majorité à contre-courant
et « à saute-mouton [2] », le vieux handicap d'une majorité par
problème n'étant pas levé par miracle et l'arithmétique de 1951-
1952 pouvant rejouer. Au reste, bien des soutiens vont davantage
aux mesures d'urgence qu'aux vues d'avenir, à la cohérence d'une
politique plus qu'à la manière de la promouvoir. Cette victoire
du courage est un peu, sans le vouloir, celle de l'ambiguïté.

Ce qui a séduit, c'est assurément la précision du diagnostic
et le caractère chirurgical des solutions. Mendès France a en
effet présenté un plan de *Blitzkrieg* : règlement de l'affaire d'Indochine et plan de redressement économique avant le 20 juillet,
vote sur la CED avant l'automne. A chaque étape, confiance

1. Une investiture, rappelons-le, est acquise avec 314 voix.
2. Voir J. Chapsal, *la Vie politique en France depuis 1940*, PUF,
1979, p. 247.

sans arrière-pensée, succès ou démission. Puis, après le déblaiement, la reconstruction par une politique de progrès économique et social, de coexistence fraternelle outre-mer et le jeu d'une carte proprement française dans le concert international. La cohérence du projet, qui sait articuler court et moyen terme, a été exposée dans un « Appel à la jeunesse » publié par *l'Express* le 14 mai 1954 et on la retrouvera en 1962 dans *la République moderne* : rupture avec les funestes clivages d'antan, droite-gauche, laïcité-cléricalisme, dirigisme-libéralisme, Est-Ouest, fruits d'une période historique ouverte avec la crise des années trente et que closent le néocapitalisme des années cinquante et la détente; hommage à l'expansion maîtrisée, au dynamisme du secteur public, aux progrès de la science et de la pensée moderne [1]; oubli des politiques de circonstance imposées par les urgences depuis 1944 et construction d'une France « pure et dure » remise ensuite aux mains de sa jeunesse. Ce mélange de technocratie qui s'impatiente et de vieilles fidélités au radicalisme d'Alain est trop souple pour être reçu comme une doctrine, et le « mendésisme » se bâtira pas à pas. Sur l'heure, il introduit néanmoins de redoutables décalages entre les générations, entre le pays légal et le pays réel, et favorise des équivoques. Qu'une part de la jeunesse s'enflamme, rien de plus normal : ce pays cesserait-il de remâcher son passé et consentirait-il à actualiser sa démocratie? Par contre, une majorité parlementaire se satisfera plus aisément du déblaiement au coup par coup que de la construction volontariste et ne consentira à saluer en Mendès France que le pessimiste actif et le préposé aux purges qui, dès juin 1953, se réclamait du triple patronage de Poincaré pour la rigueur financière, de Blum pour l'ardeur sociale et de De Gaulle pour le goût de l'indépendance nationale et le sens de l'État [2].

A style nouveau, à ambitions nouvelles, des hommes décidés à faire équipe. Mendès France s'est réservé le ministère décisif,

---

1. Marqué par la création d'un secrétariat d'État à la Recherche scientifique et au Progrès technique confié au Pr Longchambon.
2. Voir le texte des deux déclarations d'investiture dans *l'Année politique*, 1953, p. 490, et 1954, p. 521.

les Affaires étrangères, et s'installe symboliquement au Quai d'Orsay [1], délaissant pour un temps Matignon. Accourent à ses côtés des fidèles distingués de longue date et dont la valeur se vérifiera par des carrières exceptionnelles sous la Ve République. Georges Boris, l'ancien directeur de *la Lumière* avant la guerre, le conseiller de Blum et l'ami de toujours, est chargé de mission. Il coordonne la confection des dossiers et dynamise les fonctionnaires qui forment l'ossature du cabinet, Philippe Baudet, Jean-Marie Soutou et Claude Cheysson pour la diplomatie, André Pelabon, Jacques Juillet, Michel Jobert et la fidèle Léone Georges-Picot pour les affaires intérieures et le secrétariat, Simon Nora, Jacques Marchandise, Jean Serisé et Jean Saint-Geours pour l'économie, Jean-Jacques Servan-Schreiber, directeur de *l'Express*, assurant le lien avec le tout-Paris de la presse et de l'intelligence amies. La composition du gouvernement, arrêtée dès le 18 juin — et Mendès ne manque pas de faire savoir à de Gaulle combien il est sensible à cette date —, reflète la même détermination. Une équipe réduite, de 16 ministres au lieu de 22, nouvelle, puisque seuls 4 ministres de Laniel sont retenus et que tous les grands noms des années précédentes sont récusés, rajeunie en particulier avec Mitterrand à l'Intérieur, Chaban-Delmas aux Travaux publics et Fouchet aux Affaires tunisiennes et marocaines. Mais qui, tout en refusant le « dosage » et en affichant le privilège du lien personnel et de la compétence sur l'appartenance de parti — que Robert Buron, en acceptant la France d'outre-mer, confirme contre l'avis des caciques du MRP —, pousse l'avantage pour la nouvelle majorité sortie du vote du 17, sans bousculer les héritages. Edgar Faure conserve les Finances [2], le radical Berthoin préserve la laïcité à l'Éducation nationale, Guy La Chambre aux États associés symbolise la continuité avec le personnel de la

1. Où il reçoit le fidèle soutien des fonctionnaires en place, Alexandre Parodi, René Massigli ou Jean Chauvel. Même attitude chez quelques autres grands noms de la fonction publique, Gabriel Ardant, Claude Gruson, François Bloch-Lainé, Paul Delouvrier, Louis Armand ou Alfred Sauvy.
2. Et sait lui aussi s'y entourer, avec des jeunes pleins d'avenir comme Jacques Duhamel et Valéry Giscard d'Estaing.

IIIe République, mais les républicains sociaux arrivent en force avec 4 ministres à des postes essentiels, dont le général Kœnig à la Défense nationale. Dans tous les cercles du pouvoir exécutif, l'intelligence et la jeunesse, l'expérience et le sens de l'État se sont donné rendez-vous pour profiter à plein de la trève de quatre semaines arrachée à l'Assemblée. Et pour convaincre l'opinion, sensibilisée dès le 19 par la première causerie radiodiffusée du président du Conseil, que désormais une politique se juge sur des actes.

Aussitôt Mendès France accourt à Genève. Avec obstination, remarquablement secondé par Chauvel[1], il démontre, en rappelant le délai impératif qu'il s'est fixé au 20 juillet, qu'un vaincu peut poser un ultimatum aux vainqueurs. Sur des bases déjà pour une part assurées avant lui par Bidault, il contraint les Alliés Eden et Dulles, puis Molotov, Chou en-Lai et Pham Van Dong, représentant du Viêt-minh, à intégrer à leurs plans l'hypothèse d'un envoi du contingent français en Indochine en cas d'échec de la conférence. Ce qui accélère le rythme des négociations[2], sans toutefois rendre plus cohérente la position de la France qui, pour ménager un espoir à Bao-Daï — représenté lui aussi à Genève et qui s'est peut-être résigné à l'idée d'un soutien américain pour le Sud[3] —, ne peut guère explorer les voies de l'unification d'un Viêt-nam librement associé à l'Union française, voulue par Pham Van Dong, qui aurait mieux préservé ses intérêts. De séances plénières en entretiens secrets, on donna donc priorité au cessez-le-feu sur le règlement politique durable, on dissocia les cas du Laos et du Cambodge et on s'entendit sur le contrôle des accords. Au terme d'une harassante course contre la montre sont réglés à temps sur pression de Molotov, d'Eden et de Chou en-Lai, les deux problèmes ultimes : le partage se fera comme en Corée sur le 17e parallèle (le Viêt-minh tient pratiquement jusqu'au 13e), et les élections libres sous contrôle international qui décideront de l'avenir du pays démembré interviendront deux ans après le cessez-le-feu. Le 21 juillet, l'armistice est signé pour le

1. Voir son récit dans (48), p. 39-89.
2. Voir le récit détaillé de J. Lacouture (40), chap. 11 et 12, et J. Lacouture et Ph. Devillers (47).
3. Voir S.M. Bao-Daï, *le Dragon d'Annam*, Plon, 1980.

Viêt-nam, le Laos et le Cambodge, leur indépendance reconnue. Quelques semaines après Diên Biên Phu, Mendès France a arraché le moins mauvais accord, qui laisse au régime du Sud-Viêtnam le temps de faire ses preuves sous la conduite de Ngo Dinh Diem et ne saigne pas à blanc un corps expéditionnaire défait. Dans quelques mois, la France aura évacué l'Indochine, à l'issue d'une « sale guerre » de plus de six ans, qui a fait 92 000 morts de France et d'Union française, a coûté plus de 3 000 milliards et a aggravé le malaise de l'armée[1]. L'opinion accueille le verdict de Genève avec soulagement et *le Figaro* lui-même doit admettre que le chef de la délégation française y fut « un bon ouvrier du pays ».

A ce premier pari tenu succède aussitôt une opération « coup de poing » préparée en secret et dont les fils avaient été tendus à Genève. Le 31 juillet, en son palais de Carthage, le bey interloqué écoute une solennelle déclaration d'un président du Conseil pressé, flanqué de Christian Fouchet et du maréchal Juin, ce dernier fort opportunément réquisitionné pour la circonstance. Deux phrases de Mendès France font le tour des agences de presse et déclenchent une vague d'enthousiasme à Tunis : « L'autonomie interne de la Tunisie est reconnue et proclamée sans arrière-pensée par le gouvernement français... Nous sommes prêts à transférer à des personnes et à des institutions tunisiennes l'exercice interne de la souveraineté. » Ce n'est pas neuf, mais les mots sonnent juste, et la démarche insolite frappe les imaginations : la France est décidée à choisir. Une nouvelle fois, l'opinion publique est sur-le-champ tenue au courant, la presse multiplie les louanges. D'autant qu'une offensive diplomatique appuie ce fracassant discours. A Genève, contact a été pris avec des amis de Bourguiba; le général Boyer de Latour[2], nommé résident général, est chargé de préparer la négociation avec les fellagha et le transfert des responsabilités à un gouvernement tunisien enfin représentatif, c'est-à-dire comprenant des destouriens; l'agitation de la très

1. Y ajouter 114 000 blessés et 28 000 prisonniers. Voir *le Monde*, 21 juillet 1954.
2. Voir ses souvenirs, *Vérités sur l'Afrique du Nord*, Plon, 1956.

colonialiste association parlementaire France-Tunisie, lancée
pour la circonstance par le sénateur Colonna et le maire de Nice
Jean Médecin, est ramenée à ses justes proportions. Le 10 août,
en dépit d'une ultime attaque de Martinaud-Déplat, cette vigoureuse politique libérale en Tunisie est massivement approuvée
par toute l'Assemblée, à l'exception de la droite et du MRP.

La paix en Indochine, le dialogue renoué en Tunisie, ne pouvaient
guère jeter les bases d'une nouvelle politique extérieure tant que
la France traînerait le boulet de la CED. Mendès France le sait
et désire, là encore, sortir rapidement de l'ornière. Avec néanmoins
comme une sorte d'hésitation. Car sa religion et celle de son entou-
rage sont ici moins éclairées. Dans cette querelle, il a tout au long
manifesté en effet une étrange sérénité, exceptionnelle dans la
classe politique, et son ouverture d'esprit face au dossier dissimule
sans doute une très inhabituelle incertitude. Est-ce pour lui problème accessoire, historique empoignade dépassée par le nouveau
contexte mondial? Dès juin 1953, il désirait gagner du temps,
comme ses prédécesseurs, pour négocier un nouveau traité de
Paris plus souple sans être pourtant détestable. Mais, en août
1954, il sait que les Alliés sont résolus à s'entendre contre la France
et pense qu'une position enfin tranchée lui permettrait demain
de parler haut au sein de l'Alliance atlantique et de relancer la
construction européenne. Il joue donc la conciliation et la sérénité.
Au sein du gouvernement, où figurent délibérément des représentants des deux camps, il charge deux des leurs, Bourgès-Maunoury,
favorable, et Kœnig, hostile, de reprendre le dossier en patriotes
de bonne volonté. En vain, malgré quelques aménagements de
détail soufflés par le président du Conseil sur les droits de veto,
les stationnements des troupes et les clauses supranationales.
Dès lors, pour reprendre l'initiative, il se tourne vers les Alliés
et leur propose la discussion de cinq nouveaux protocoles. En
vain également. Car à Bruxelles, du 19 au 23 août, les Cinq refusent
en bloc toutes ses suggestions : les États-Unis exercent des pressions directes sur les délégations, tandis qu'à Paris les partisans
de la CED ne désarment pas, Robert Schuman et André Philip
se répandant au matin même de l'ouverture de la conférence, dans
le Figaro et *Franc-Tireur*, en propos hostiles à la politique du président du Conseil.

De guerre lasse, la CED cette fois est condamnée dans l'esprit du gouvernement, qui n'engagera cependant pas sa responsabilité devant le Parlement sur un projet qui n'est pas le sien. Mesure prudente, car la houle est forte : trois ministres gaullistes, Kœnig, Chaban-Delmas et Lemaire, démissionnent le 13 août avant d'y revenir en septembre après le rejet du traité pour y remplacer les trois ministres cédistes, Bourgès-Maunoury, Claudius-Petit et Hugues, démissionnaires à leur tour le 31 août. Chassé-croisé qui révèle la fragilité de la majorité gouvernementale et qui déjà hypothèque l'avenir. Car, tous les arguments épuisés, la France mise au ban des Six, l'exécutif se dérobant, il n'y eut pas de débat parlementaire. Les 29 et 30 août, dans une atmosphère survoltée, *la Marseillaise* des vainqueurs couvrant la stupeur des cédistes, l'Assemblée par 319 voix contre 264 adopte une question préalable qui clôt médiocrement le débat sans discussion. La CED est morte. Une majorité de 40 voix favorables en février 1952, une majorité de 55 voix en sens contraire en août 1954 : cette symétrie des faibles écarts montre l'âpreté de la querelle et la fixité des attitudes, laisse soupçonner qu'elle laissera des traces durables. La division des socialistes, avec 53 pour et 50 contre, a joué un rôle déterminant. Le MRP mortifié parle aussitôt du « crime du 30 août », et la haine de quelques-uns de ses chefs contre Mendès France conflue désormais avec celle d'une droite colonialiste qui dénonce le « bradeur d'Empire ».

Pourtant, ayant réglé en quelques semaines les trois problèmes, l'Indochine, la Tunisie et la CED, qui avaient paralysé ses prédécesseurs et qui pourrissaient la République, Mendès France est au sommet de sa popularité en France et à l'étranger. Si l'on prend également en compte que lui ont été accordés le 10 août des pouvoirs spéciaux d'ordre économique, force est d'admettre que le contrat du 17 juin est rempli sans défaillance. C'est donc un exceptionnel consensus national, dépassant même celui dont avait joui Antoine Pinay, qui se manifeste en sa faveur. *L'Express* orchestre les célébrations, toute la presse anticédiste et progressiste, du *Monde* à *France-Observateur*, reprend espoir, les feuilles adverses se montrent encore *fair play*. Les Français écoutent avec une extrême attention chaque samedi soir à la radio cette voix qui, la première depuis celle du de Gaulle de 1945, semble n'avoir qu'une passion, les convaincre jour après jour pour leur rendre demain l'usage d'une démocratie régénérée. Dulles laisse échapper que ce diable de Français est « Superman ». Mendès France devient insensiblement « Mendès » tout court puis « PMF ». Mieux encore, cet hommage puise aux sources vives de la souveraineté et court-circuite les forces parlementaires et même, très largement, les partis politiques. Un sondage de la fin de l'été révèle que sont satisfaits 78 % des électeurs socialistes, 85 % des électeurs radicaux et 60 % des éleoteurs gaullistes : la majorité parlementaire a des assises populaires. Mais 63 % des électeurs modérés ou de droite, 60 % des électeurs MRP et 40 % des électeurs communistes sont tout aussi favorables : l'opposition potentielle est partisane et artificielle [1]. Libéré des hantises communistes et gaullistes, soulagé outre-mer et délivré d'une insupportable querelle intestine, la barre fermement tenue, retrouvant une audience au vif de la nation, le régime peut de nouveau courir sa chance. A condition que les Français et leurs partis sachent distinguer, dans ce flatteur consensus, la part du lâche soulagement et celle de la détermination durable.

Les couteaux qui s'aiguisent.

« Y a-t-il autre chose, une volonté cachée, celle de tenter de remettre en cause l'ensemble de notre politique internationale, et surtout de notre politique européenne grâce à une majorité de rechange qui donnerait une signification particulière aux solutions de rechange? », apostrophait Jean Lecanuet au nom du MRP dès le 17 juin. De fait, au lendemain des opérations chirurgicales de l'été, les interrogations reprennent, la confiance s'émiette, et la logique de la vitesse a des effets moins heureux. A Genève, à Carthage comme à Bruxelles semblait s'amorcer une politique de franchise : la France testait les recettes de la grandeur retrouvée sans épreuves de force, nouait des fils sur tous les théâtres. Après

1. Voir *Sondages*, 1954, n° 4. Un autre sondage qui ne tient pas compte des références partisanes donne en août 62 % d'approbations contre 7 %, ce qui constitue le record absolu de l'histoire de la IVe République.

le 30 août, certains craignent le déploiement d'une politique trop rigide face à Washington, d'autres susurrent que Georges Boris est un dangereux gaullien et que le président du Conseil prend trop vite son parti de la détente Est-Ouest pour n'être pas soupçonnable, pêle-mêle, d'anglophilie coupable et de prosoviétisme sournois. Un des premiers actes du gouvernement, le 21 juin, n'avait-il pas été de saisir le Conseil de sécurité sur l'affaire du Guatemala, la France refusant de suivre l'embargo commercial que l'United Fruit imposait au progressiste président Arbenz?

Que Mendès France soit contraint de tirer des bordées, on le voit sans tarder en Indochine. L'envoi à Hanoi de l'ancien négociateur de 1946, Jean Sainteny, n'a pas de suite, et la politique de coopération avec le Viêt-nam du Nord, voire de reconnaissance de la Chine populaire, piétine. Par contre, au Sud, il faut en passer par les volontés américaines pour ne pas davantage disloquer une alliance occidentale malmenée par le rejet de la CED. Dès la mi-août, la France annonce qu'elle adhérera au pacte du Sud-Est asiatique, l'OTASE, destiné à stopper la progression du communisme dans une région du globe que les Américains ont privilégiée pour leur politique de *containment*; toute tentative de rapprochement entre les deux Viêt-nam avec bons offices français est proscrite; Bao-Daï est négligé au profit du chef du nouveau gouvernement, Ngo Dinh Diem, ouvertement protégé par les États-Unis. Dès lors, tout se précipite. Le 8 septembre, le pacte de Manille crée l'OTASE; le 28, Diem demande le retrait accéléré des troupes françaises; le 29, des accords antiviêt-minh sont passés entre le général Ély et les « conseillers » du Pentagone à Saigon; le 3 novembre, le général Collins est nommé représentant spécial de la Maison-Blanche au Viêt-nam-Sud; le 13 décembre, les États-Unis sont officiellement associés à l'effort militaire français. Au 1er janvier 1955, l'aide américaine à la France pour l'Indochine est amputée des trois quarts, et les dernières responsabilités civiles sont transmises à Diem, tandis que le corps expéditionnaire amorce son évacuation, qui s'achèvera en avril 1956. Désormais, le fardeau indochinois est pris en charge par Washington, la France s'esquive sans gloire. L'esprit d'une Union française rénovée ou d'une politique de dialogue ininterrompu en Extrême-Orient, dont les linéaments avaient surgi à Genève, s'efface en quelques mois [1].

De même, le prestige diplomatique du président du Conseil ne sort pas aussi renforcé qu'on pouvait l'espérer de la solution rapide de la question du réarmement allemand que le rejet de la CED pouvait retarder pour longtemps. Dès le 22 août, Mendès France avait su convaincre Adenauer qu'il faisait d'un axe Paris-Bonn le point central de sa politique européenne. Si bien que, passant outre aux attaques qui fusent et aux rancunes qui s'accumulent, il saisit au bond l'initiative d'Eden de redonner quelque vie à la moribonde Union occidentale du traité de Bruxelles, mise sur pied en 1948 pour conjurer le danger allemand, en y faisant entrer l'Italie et l'Allemagne, sous couvert d'une conférence internationale réunie à Londres. Solution élégante, qui permettrait un contrôle européen sur la future armée allemande et réglerait l'épineuse question du soutien britannique à la défense commune, puisque Londres a signé l'accord de Bruxelles. Que n'y avait-on pensé plus tôt! En septembre et octobre, au cours de délicates conversations où la bonne volonté ne fut jamais absente, Eden s'engage à maintenir des troupes britanniques sur le continent, Adenauer renonce à toute fabrication d'armes atomiques sur le territoire allemand, Dulles peut sans peine se laisser convaincre que cette solution beaucoup moins supranationale que la CED ne met pas en cause la souveraineté de commandement de l'OTAN, Mendès France renoue inlassablement les fils qui pourraient rompre. L'accord est conclu à Londres le 3 octobre, puis rediscuté et signé à Paris le 23. Des nombreux documents connus sous le nom d'« accords de Paris », il ressort, outre l'aval de l'Allemagne sur la fin des zones d'occupation alliées, la canalisation de la Moselle et l'avenir européen de la Sarre sous réserve de référendum, que l'Allemagne et l'Italie entrent dans l'Union de l'Europe occi-

1. Signe complémentaire d'un désintérêt pour l'Asie, la France cède à la République indienne ses derniers comptoirs, le 21 octobre. Est-ce à dire qu'en Extrême-Orient la politique de Mendès France a été complémentaire de celle de Dulles et tout au long favorable à l'impérialisme américain? La réponse est affirmative pour A. Ruscio, « Le mendésisme et l'Indochine », *Revue d'histoire moderne et contemporaine*, avr.-juin 1982, p. 324-342.

dentale (UEO) du traité de Bruxelles; que le Conseil et l'Assemblée de l'UEO veilleront à faire progresser le désarmement et respecter les accords particuliers avec la Grande-Bretagne et l'Allemagne (stationnement des troupes et interdiction de fabriquer certaines armes); que les signataires peuvent conserver des forces distinctes outre-mer; qu'enfin, sur les principes d'intégration des unités, sur la décision suprême pour la tactique, la stratégie, la logistique et le commandement, toutes ces troupes européennes sont soumises à l'autorité du SHAPE. Comme par ailleurs l'Allemagne fédérale se voit reconnaître une souveraineté plus complète encore qu'en 1952, qu'elle adhère directement à l'Alliance atlantique et qu'en outre elle n'aura aucune troupe stationnée hors d'Europe, les accords de Paris créent donc une Bundeswehr intégrée à l'OTAN.

Ce constat pèse très lourd dans le morne débat du Palais-Bourbon du 24 au 30 décembre. Mendès France y arrache péniblement la ratification des accords, après avoir engagé l'existence de son gouvernement, par 287 voix contre 260 et 74 abstentions. Les communistes ont maintenu une hostilité cohérente à toute renaissance de l'armée allemande : ils passent avec fracas dans l'opposition. Mais tous les autres partis sont divisés, et le gouvernement perd de nombreuses voix socialistes, radicales et gaullistes, tandis que les républicains populaires persévèrent dans la négation. Débat anachronique, quand tant de parlementaires souhaitent le désarmement, la détente, une Europe fraternelle mais que, face à eux, tant d'autres persévèrent dans leur refus au nom de la Résistance? Ou plutôt chacun comprend-il qu'il est incohérent d'accepter aujourd'hui l'entrée de l'Allemagne dans l'Alliance atlantique en échange de l'abandon de la CED, alors qu'en 1951 c'est très exactement pour éviter cette situation que la France avait lancé ladite CED? En bref, le Parlement entérine la solution préconisée par Washington dès 1950. Certes, la France prouve ainsi par une longue voie détournée sa fidélité à l'Alliance atlantique. Mais dix ans après la bataille d'Alsace, quelle amertume collective[1]!

---

1. L'opinion se résigne néanmoins à l'inévitable, sans se départir de son indécision ancienne. 36 % des Français interrogés approuvent les accords de Paris, 32 % sont contre et 32 % ne répondent pas (voir tableau et graphique, p. 26-27).

Et prête à se déverser au Parlement sur ce gouvernement qui s'est acharné à débrider la plaie.

En fait, depuis septembre le climat de confiance se dégrade, et François Mauriac, dans son « Bloc-notes » de *l'Express*, résume fort bien l'exaspération de l'opinion désemparée par ce bruit de plus en plus perceptible des « couteaux qui s'aiguisent[1] ». Depuis Genève et Carthage, tous les milieux de l'anticommunisme officieux sont en ébullition, accusant Mendès de trahir la cause atlantique et de vouloir faire de la France la tête de pont occidentale du bloc soviétique. Ils partent en campagne, bien relayés par *Rivarol* et des officines de presse confidentielle, contre le « neutralisme » du « juif Mendès », contre le « progressisme » de Boris et de Nora. Ainsi éclate l'« affaire des fuites », déjà connue sous Laniel, mais dont on réserve la révélation publique au « bradeur » de Genève. D'autant que François Mitterrand vient de révoquer au début de juillet le préfet de police de la Seine Jean Baylot, vieux complice de Martinaud-Déplat dans la chasse à la subversion moscoutaire et ami de Tixier-Vignancour. Il s'avère, au vu de documents transmis à Christian Fouchet par son ancien « compagnon » du RPF, le commissaire Dides, qui aurait eu jadis ses entrées à la Gestapo, qu'une haute personnalité aurait fait transmettre au PCF, et donc à Moscou, des procès-verbaux de réunions du Comité de défense nationale. Suspecté, le secrétaire du Comité, Jean Mons, ancien résident général en Tunisie, sera innocenté deux ans plus tard[2], tandis que deux de ses collaborateurs « progressistes » impénitents, Turpin et Labrusse, seront confondus : manipulés par la toute-puissante Défense de la sécurité du territoire (DST) et son chef Jean Wybot, ils ont effectivement transmis à des agents doubles de Dides, un « journaliste » Baranès qui alimente *Libération* et un ancien policier condamné à la Libération, Charles Delarue, de faux procès-verbaux maquillés pour « mouiller » un membre du

1. F. Mauriac (73), p. 158.
2. Voir J. Mons, *Sur les routes de l'histoire*, Albatros, 1981. On manipulera avec précaution le livre par ailleurs bien enlevé de C. Clément, *l'Affaire des fuites, objectif Mitterrand*, Olivier Orban, 1980. Récit « à chaud » de J.-M. Théolleyre, *le Procès des fuites*, Calmann-Lévy, 1956. Sur la DST, voir le récit discutable de Ph. Bernert, *Roger Wybot et la bataille pour la DST*, Presses de la Cité, 1975.

gouvernement. Est-ce Edgar Faure, un instant visé par Baranès? Non pas. Plutôt Mitterrand, plus proche de Mendès France, répandent les auteurs de la machination. On peut négliger aujourd'hui bien des épisodes de cette affaire à rebondissements sur laquelle on attend néanmoins avec impatience l'ouverture des archives. Sur l'heure, les fonctions clés des provocateurs, les hautes protections qui les entourent, en disent long sur le pourrissement souterrain du régime. Baylot a ses " contacts " chez les socialistes, les radicaux et les services américains; Dides au RPF et à « Paix et liberté » du radical Jean-Paul David; Wybot accumule sur tous des dossiers compromettants. Jamais l'idée même d'un soupçon contre Mitterrand n'effleurera Mendès France, mais son ministre de l'Intérieur doit subir le 3 décembre à l'Assemblée l'assaut de l'obscur « modéré » Legendre, écho sonore des betteraviers de l'Oise, qui l'accuse pêle-mêle d'être responsable de Cao-Bang et de Diên Biên Phu, d'alimenter *France-Observateur* et de désorganiser le service « très étoffé » de renseignements anticommunistes. Une dérobade de Bidault, une attaque du gaulliste Dronne contre... les homosexuels n'ayant pas relevé le débat, Mendès France doit se dégager de cette boue avant d'obtenir une maigre confiance de 287 voix contre 240. Cette fois, la droite lui marque son mépris et 11 voix radicales font défaut. « Depuis quelque temps, peut-il encore lancer, l'opinion s'interroge. Elle voit le gouvernement grignoté, miné par des controverses sur des questions secondaires, des campagnes de couloir, des polémiques affreuses auxquelles nous avons assisté aujourd'hui. Ce qu'on appelle l'usure dans le sinistre jargon des techniciens. Je ne veux pas la subir. Il est temps de remplacer le régime de l'intoxication lente par celui de la netteté et de la franchise. »

Était-il encore temps? A bien d'autres signes, on avait constaté dès octobre que le renouveau ne passerait pas. Au congrès de son parti à Marseille, Mendès France reçoit certes l'hommage d'Herriot mais doit assister, impuissant, à l'élection de Martinaud-Déplat contre Daladier à la présidence administrative, ce qui veut dire en clair que Martinaud-Déplat conserve la maîtrise de l'appareil et de la manipulation des mandats : nombre de radicaux font la moue au mendésisme et sont prêts à se mobiliser autour de René Mayer contre sa politique nord-africaine. Dans le même temps, le

très cédiste Guy Mollet lui refuse l'accord de la cité Malesherbes
pour l'entrée de 6 ministres socialistes au gouvernement : fort
méfiant devant une personnalité qui le dépasse, disposé à faire sentir
le poids du Secrétariat sur le groupe parlementaire et sur quelques-unes des personnalités intéressées qui avaient osé ferrailler
contre lui avec la minorité [1], il oppose la résistance d'un nouvel
appareil partisan à une solution qui aurait durablement consolidé
la position du gouvernement mais qui, sur le moment, encourage
ses adversaires convaincus que la SFIO ne liera pas son avenir
majoritaire au soutien de Mendès France. De son côté, de Gaulle,
qui accepte que soit rendue publique l'annonce de leur rencontre
du 13 octobre, reconnaît « l'ardeur, la vigueur et la valeur »
du président du Conseil, tombe d'accord pour l'essentiel avec sa
politique, mais ne lui dissimule pas que « les hommes passent » et
que derrière eux « les institutions restent » : des gaullistes peuvent
librement cultiver leurs affinités patentes avec le mendésisme, mais
le Commandeur de Colombey tient à rester sur sa réserve.

Il ne faut enfin mettre aucun espoir du côté d'une réforme constitutionnelle dont l'impératif agite depuis 1950 les milieux parlementaires. Tout, dans son style de gouvernement, dans son discours
d'investiture comme dans ses réflexions solitaires depuis 1945,
portait Mendès France à préférer à la magie des textes retouchés
la mobilisation de nouvelles ardeurs et la réforme des mœurs.
Pourtant, en vaillant radical légaliste, il engage une harassante
bataille qui aboutit à la loi constitutionnelle du 7 décembre 1954
que son insignifiance fera baptiser « réformette [2] ». Tout fut aisé
dès qu'il s'agit de légaliser les mauvaises habitudes et de favoriser
l'instabilité : désormais, une majorité simple suffit pour l'investiture d'un président du Conseil, ce qui traduit assez bien la difficulté
chronique à souder des majorités; celui-ci devra présenter l'ensemble de son gouvernement avant le débat d'investiture, ce qui
donne plus de loisir pour marchander les portefeuilles. Mais n'est

---

1. Les 6 pressentis étaient Alain Savary, Albert Gazier, Robert
Lacoste, Gaston Defferre, Marcel David et Augustin Laurent.
2. Voir J. Georgel, « La réforme constitutionnelle sous la IVe République », dans (6), p. 95-109, et C. Poutier, *la Réforme de la Constitution*, Sirey, 1955.

arraché qu'à deux voix de majorité le rétablissement au profit du Conseil de la République des pouvoirs législatifs du Sénat de la IIIe République, le droit d'initiative des projets de lois et la navette. Et sur les deux points essentiels, le droit de dissolution et la réforme électorale, Mendès France doit renoncer. Sans doute, en cas de dissolution, le président du Conseil peut-il désormais assurer l'intérim, mais l'usage de ce droit ne renforcera pas l'exécutif, puisqu'il est refusé de l'assortir de ce contrat de majorité, ou même de législature, dont le discours du 17 juin posait le premier jalon. Quant au retour au scrutin d'arrondissement, que les radicaux réclament depuis la Libération, il fut promptement récusé. A l'évidence, le renouveau et le salut du « système » ne viendront pas des textes et, à vouloir les amender, le gouvernement a perdu encore un peu de son audience parlementaire.

Il n'est pas jusqu'à la politique économique et sociale, pour laquelle on créditait volontiers de quelque capacité l'ancien ministre de l'Économie nationale de 1945, qui ne renforce l'hostilité montante [1]. Sans doute le temps fit-il défaut, et ce n'est que le 20 janvier 1955, au terme d'un ultime remaniement ministériel, que Mendès France peut se décharger du Quai d'Orsay sur Edgar Faure, asseoir Robert Buron aux Finances, et se libérer ainsi pour coordonner une politique de longue haleine. Sans doute aussi les pouvoirs spéciaux accordés par routine et dans l'euphorie de Genève le 10 août 1954 n'étaient-ils dans l'esprit de la majorité parlementaire qu'un prolongement jusqu'au printemps 1955 du plan de dix-huit mois déjà avancé par Edgar Faure sous le gouvernement Laniel. L'inflation stoppée et l'expansion retrouvée ne mettaient-elles pas la classe politique à l'abri de toute inquiétude?

De fait, c'est une très moderne politique qui est expérimentée, en plein accord avec la Rue de Rivoli. La croissance étant lancée, il s'agit de l'accélérer en intervenant à bon escient sur ses articulations les plus faibles, l'aménagement du territoire, la recon-

1. C'est en ces domaines que le gouvernement réalise les plus mauvais scores dans les sondages. En décembre 1954, 32 % des Français interrogés contre 38 % pensent qu'il a une bonne politique des prix, 22 % contre 48 % une bonne politique des salaires et 22 % contre 27 % une bonne gestion budgétaire, tandis que gonfle la masse des indécis. Voir *Sondages*, 1955, n° 1.

version industrielle et la modernisation de l'agriculture. Près de 120 décrets, dont les prolongements sous la Ve République mériteraient une étude attentive, mettent en marche cette politique publique de soutien et, cette fois, peuvent être — pour un temps — accompagnés de mesures financières concrètes grâce aux crédits libérés par la fin de la guerre d'Indochine. Pour l'agriculture, des prêts plus avantageux, le soutien des cours du lait et de la viande, l'encouragement aux cultures industrielles du maïs et du colza, le lancement de la reconversion vers les fruits et le riz du Bas-Languedoc viticole. Dans l'industrie, des possibilités de restructuration pour les entreprises et l'amorce d'une politique de formation de la main-d'œuvre, sous l'aiguillon des firmes nationalisées dont, à l'exemple de Renault, le gouvernement veut faire les vitrines du dynamisme français. L'État sélectionne et accompagne, favorise délibérément l'accession du pays au plus libre jeu de l'économie de marché et l'aide à se placer au rang des producteurs les plus décidés dans la compétition internationale. « Néo-capitalisme », s'écrient les communistes, « insupportable dirigisme », répliquent la droite et certains milieux patronaux : entre Marcel Boussac et les marxistes qui protègent contre toute évidence les masses de la paupérisation absolue, la poursuite de la modernisation du pays ne peut guère en quelques mois devenir un véritable enjeu public.

Les prémices d'une politique sociale novatrice ne sont pas davantage distinguées ou saluées. Amorce d'une négociation contractuelle périodique avec les syndicats, doublement des prêts à la construction de logements sociaux pour rattraper les retards accumulés et parvenir à une vitesse de croisière de 350 000 logements neufs par an, vaste programme d'enseignement et de recherche scientifique, avec la construction de 14 000 classes et le recrutement de 12 000 professeurs en six mois, la création du 3e cycle de l'enseignement supérieur et l'accélération de la recherche atomique[1] : cette action en profondeur est dédaignée par les

---

1. Était-ce aussi l'amorce d'une recherche sur l'armement atomique, qui sera effectivement lancée par un protocole définissant un programme de cinq ans le 30 novembre 1956? Mendès France l'a toujours nié (voir *le Monde* du 29 septembre 1973), mais le général Ailleret le maintient dans *l'Aventure atomique française*, Grasset, 1968.

stratèges de couloirs au Palais-Bourbon. Par contre, que le 20 novembre soient pris des décrets restreignant les privilèges des bouilleurs de cru, qu'au nom de la santé publique on ose réduire le nombre des débits de boissons et contrôler les produits frelatés des distillations douteuses, qu'enfin *l'Express* ait la malencontreuse idée de faire campagne sur le goût du président pour le lait et sa volonté d'en faire régulièrement distribuer aux enfants des écoles, c'est l'insurrection. L'élu de Louviers n'avait-il pas trop observé depuis 1932 les ravages de l'alcoolisme dans sa circonscription pour ne pas savoir qu'il toucherait ainsi au vif des intérêts précis et des bêtises plus communes[1]? De fait, c'est aussitôt une effervescence tricolore et généralisée des bouilleurs de cru, des producteurs de betteraves et de vin, des associations spécialisées de la FNSEA, des groupes de pression et des agents électoraux, qui harcèlent les élus ruraux et brandissent leurs fonds secrets pour éviter la ruine du pays et l'atteinte à sa morale du gosier. Pierre Poujade, dont l'étoile monte, résume l'argumentation contre « Mendès-lolo », à laquelle le Parlement n'est pas toujours insensible, en ces termes choisis : « Si vous aviez une goutte de sang gaulois dans les veines, vous n'auriez jamais osé, vous, représentant de notre France producteur mondial de vin et de champagne, vous faire servir un verre de lait dans une réception internationale! C'est une gifle, monsieur Mendès, que tout Français a reçue ce jour-là, même s'il n'est pas un ivrogne. »

Cette jacquerie, si elle accroît le trouble, n'emporte pas le gouvernement. L'estocade lui est portée sur des questions autrement graves, celles de l'Afrique du Nord. Malgré la netteté du discours de Carthage, les négociations ne progressent que lentement en Tunisie, l'hostilité ouverte d'une majorité de Français et de nombreux fonctionnaires sur place se combinant avec des affrontements entre maximalistes et diplomates au sein du Destour pour tergiverser et laisser s'éteindre l'ardeur nouvelle de Paris. Au prix de multiples relances de Fouchet, de Boyer de Latour et de Mendès France lui-même, le gouvernement tunisien parvient

---

1. Sur l'ampleur du désastre, voir M. Querlin, *les Chaudières de l'enfer*, Gallimard, qui paraît en décembre 1955 et décrit la bataille. Voir *infra*, p. 171 et 218.

cependant à un accord de reddition des armes avec les fellagha le 22 novembre et en janvier 1955, malgré d'ultimes provocations, les négociations générales ont repris, ne butant plus que sur les vrais problèmes du lendemain, le contrôle de la police et le stationnement des troupes françaises en régime d'autonomie interne. Par contre, le discours de Carthage n'a pas eu l'effet d'entraînement souhaité au Maroc, où la tension s'aggrave. Les attentats se multiplient, une commission d'enquête animée par Vincent Monteil dévoile l'ampleur des sévices subis par les détenus nationalistes dans les prisons, le nouveau résident général Francis Lacoste ne parvient pas à épurer l'administration et la police noyautées par le lobby colonial. Hésitant à aborder ouvertement la question du retour de l'ancien sultan, qui eût provoqué un appel d'air aussi fort que le discours de Carthage, convaincu qu'une évolution vers l'autonomie interne ne peut qu'être plus lente dans ce pays « féodal », Mendès France à la fois mécontente ses amis de « France-Maghreb » et achève de persuader la droite et le MRP qu'en tergiversant il ruse pour mieux appliquer un plan d'abandon inscrit dans la logique de sa position sur la Tunisie.

C'est, contre toute attente, d'Algérie que vint la bourrasque. Le 1er novembre 1954 y éclatent environ 70 attentats disséminés en une trentaine de points et visiblement coordonnés, en particulier en Kabylie et dans les Aurès, faisant 8 morts, parmi lesquels un jeune instituteur français, Guy Monnerot. La police, encore peu informée, apprendra vite qu'ils sont les préliminaires d'un soulèvement armé qui sera poursuivi jusqu'à la « révolution illimitée » et l'indépendance, sous la direction d'un mouvement jusqu'alors inconnu, le Comité révolutionnaire d'unité et d'action (CRUA) qui a constitué, le 10 octobre, un Front de libération nationale (FLN). Dès le lendemain, Mendès France et Mitterrand acheminent des renforts de CRS et de parachutistes, font dissoudre le MTLD de Messali Hadj et pourchasser ses militants. Si nul ne parle encore de guerre, personne ne s'y trompe, à Alger comme à Paris : un engrenage est en action, qui atteint l'Algérie après la Tunisie et le Maroc. Toute analyse des causes profondes de l'insurrection est remise à plus tard : ce « banditisme » à la fois mobilise le gouvernement et soude la coalition décidée à l'abattre. Ici, aucun louvoiement. Dès le 12 novembre, à l'Assemblée, le président du Conseil annonce « qu'on ne transige pas lorsqu'il s'agit de défendre la paix intérieure de la nation et l'intégrité de la République ». Son ministre de l'Intérieur confirme : « L'Algérie c'est la France. Des Flandres au Congo, il y a la loi, une seule nation, un seul Parlement. C'est la Constitution et c'est notre volonté [1]. » On ne peut guère être plus ferme. Sans désemparer, le gouvernement porte de novembre à janvier les forces militaires en Algérie de 57 000 à 83 000 hommes, fait arrêter 2 000 personnes environ, tout en mettant en chantier un plan de réformes d'urgence dont la mise en œuvre permettrait une application actualisée du Statut de 1947. Le 25 janvier, tandis que l'armée lance la vaste opération « Aloès » en Kabylie, il nomme gouverneur général Jacques Soustelle, un libéral. Ses multiples qualités, son anticédisme, son rôle déterminant dans le RPF, ses mérites d'ethnologue et son brevet d'intellectuel de gauche devraient contenter les forces vives de la majorité.

En vain. Cette détermination ne suffit pas à rassurer ceux qui s'inquiètent désormais après avoir applaudi au discours de Carthage. Elle cristallise sur l'affaire algérienne toutes les haines contenues depuis Genève : en quelques semaines, voici qu'on apprend que Bidault était sur le point d'y obtenir un meilleur accord, que l'abandon de la CED était dicté par Moscou, que la torture au Maroc est une fable accréditée par les vendeurs de secrets de la Défense nationale, que la défense de la betterave et celle de l'Empire se confondent. René Mayer, élu de Constantine, n'a aucune peine à lier la gerbe des petites démissions et des fortes rancœurs : Mitterrand, fait-il dire le 19 janvier par son collègue Billères, n'ose-t-il pas envisager de transformer en Algérie des communes mixtes en arrondissements, modifiant ainsi d'un coup l'élection des présidents de conseils municipaux dont les mani-

---

1. *L'Année politique*, 1954, p. 277. Ces affirmations, qui seront ensuite reprochées aux deux hommes, ne choquent alors qu'une infime partie de l'opinion. Seule la pratique de la torture dans quelques commissariats et prisons amorce une campagne de dénonciation : le 13 janvier 1955, Claude Bourdet titre un article de *France-Observateur* : « Votre Gestapo en Algérie ».

pulations avaient assuré la grandeur française[1]? Le 5 février 1955 au soir, à l'issue du débat sur l'Afrique du Nord, le gouvernement est renversé par 319 voix contre 273 et 22 abstentions. Ont couru à la curée le MRP, la droite et les modérés, renforcés par les communistes, 17 républicains sociaux et 20 radicaux menés par Mayer. Sont restés fidèles les socialistes, l'UDSR en quasi-totalité, les deux tiers des radicaux et des gaullistes et quelques modérés. Disparaît un 6 février le gouvernement qui avait un 18 juin incarné un si vif désir de changement. Instant pathétique pour le régime, que Mendès France, remontant à la tribune après la proclamation du scrutin, tient à souligner. La voix couverte par les huées des communistes, du MRP et de la droite, il peut souffler aux sténographes : « Les hommes passent, les nécessités nationales demeurent. » 53 % des Français conviennent, eux, que son équipe a fait « un meilleur travail que les autres gouvernements[2] ».

L'œil de la tempête.

Depuis 230 jours, concluait Mendès France, « quelque chose a tressailli, a vibré, quelque chose qui procède de la volonté et de la foi et qui est le moteur de l'action ». Quand « le devoir interdit tout abandon », comment l'œuvre amorcée pourrait-elle être interrompue? L'avertissement du 6 février résonne dans le pays : il faudra faire du mendésisme sans Mendès. C'est dire que l'espoir de renouveau n'est pas tout à fait mort. Tandis que, des circonstances économiques exceptionnelles aidant, le « système » peut encore, pour un temps, renouer sans risque majeur avec les délices de ses jeux parlementaires.

1. Mostefa Benahmed, député SFIO de Constantine, dénonce en termes émouvants cette hystérie et fait un terrible tableau des exactions françaises en Algérie. Voir *l'Année politique*, 1955, p. 12, et F.-O. Giesbert, *François Mitterrand*, Éd. du Seuil, 1977, p. 142-143.
2. *Sondages*, 1955, n° 1. 3 % seulement pensent qu'il fut fait « un moins bon travail » et 30 % « à peu près le même travail ». Pour 79 %, le meilleur du travail demeure la paix en Indochine. Sur toutes les autres questions, la popularité de Mendès France est en baisse mais demeure exceptionnelle : s'il rentre dans le rang, son image et sa personnalité politiques ont néanmoins un avenir. A preuve les quelque 10 000 lettres d'encouragement qu'il reçoit après son échec.

Et sans plus tarder au cours de la longue crise ministérielle
le février 1955. René Coty sait bien que les radicaux divisés en
détiennent seuls sa solution et il pense fort logiquement à l'habile
Edgar Faure pour assurer la continuité de la précédente politique
tout en exerçant le pouvoir sans provoquer l'Assemblée. Il laisse
néanmoins s'aligner tous les *outsiders*, les partis brûlant d'exhiber
leurs meilleurs produits. Les candidats désignés n'étant plus
contraints de réunir les 314 voix de la majorité absolue depuis la
« réformette », leur défilé pose avec plus de brutalité encore le
problème de majorité autour duquel cette Assemblée tourne depuis
1951 et démontre combien le soutien à Mendès France fut une
parenthèse dans l'histoire de la législature. S'épuisent donc successivement Antoine Pinay, récusé par le MRP, la SFIO et les
radicaux mendésistes; Pierre Pflimlin, trop MRP et trop cédiste
pour convaincre les socialistes et les gaullistes; le socialiste
Christian Pineau enfin, dont la tentative de centre gauche rajeuni
irrite la droite et des gaullistes. De guerre lasse s'impose donc la
solution prévue. Après de minutieuses négociations avec les
groupes, chaque parti disputant ses portefeuilles et les confiant à
ses vedettes, Edgar Faure fait rendre les armes à tous ses amis
radicaux et est investi le 23 février par 369 voix contre 210. L'emporte une formule de juste milieu déguisée en union nationale,
tous les partis s'y ralliant, à l'exception des communistes et des
socialistes, et sans préjuger d'une reprise des hostilités au sein
des radicaux. Le MRP savoure les fruits de son combat contre
Mendès France, plaçant Pflimlin aux Finances, Schuman à
la Justice, Teitgen à l'Outre-Mer et Bacon au Travail; les républicains sociaux ont symétriquement 4 portefeuilles, dont celui
de la Défense laissé à Kœnig; les radicaux, 4 encore, dont l'Intérieur confié à Bourgès-Maunoury; la droite enfin en a 5, dont les
Affaires étrangères qui reviennent à Pinay. « Dosage » porté à
son point de perfection par un subtil maître des cérémonies. Mais
solution heureuse, qui confie le pouvoir à l'homme le mieux placé
depuis deux ans pour comprendre les aspirations du pays réel à
la tranquillité et assez souple pour couler sur elles une politique
qui préférera au « choix entre les idéaux » « le choix entre les
moyens ». Comme Mendès France, Edgar Faure sait que les
Français souhaitent en priorité digérer l'expansion et la moder-

nisation du pays, hausser leur niveau de vie, jouir d'équipements collectifs décents. Que l'Alliance atlantique, l'Europe, l'Allemagne et les guerres coloniales sont des questions à leurs yeux moins brûlantes et qu'à l'avenir il faudrait bâtir une politique de détente et de paix, de coopération et d'échanges. Contre son prédécesseur il prend le risque de convaincre pragmatiquement, par petites touches, la classe politique de dédramatiser ses vieilles querelles.

Ce gouvernement classique et son chef, si soucieux des usages, ont la chance d'exercer leurs responsabilités à l'heure où, malgré les archaïsmes et les blocages, la France perçoit qu'elle change de visage et que sa modernisation engage son avenir. Pêle-mêle en quelques mois, l'actualité reflète ce changement en profondeur; le barrage de Donzère-Mondragon fonctionne, le pétrole de Parentis est commercialisé, Paris est relié par oléoduc à son poumon de la basse Seine, la locomotive BB 9004 arrache le record du monde de vitesse, Pierre Dreyfus et Louis Armand galvanisent Renault et la SNCF, les sidérurgistes se modernisent, l'énergie atomique s'annonce, la recherche scientifique est relancée et les premières promotions d'énarques vont tenter de dérouiller quelques rouages de la machine administrative. Le flot de la croissance grossit de 5 % l'an, le revenu national a progressé de 25 % entre 1952 et 1955. Les échanges s'intensifient, et au profit des secteurs dynamiques : pour la première fois depuis la guerre, la balance commerciale a exceptionnellement un solde positif en 1955. Une demande mieux satisfaite, en retour, relance la production ; des rentrées de devises parent un moment au déséquilibre budgétaire et rendent moins humiliante la quête des aides extérieures en prêts ou avances. Même s'il fait des victimes, qu'à sa manière Poujade rassemble, le progrès désormais ne passe plus inaperçu.

En se faisant renouveler des pouvoirs spéciaux, le gouvernement Faure sait encourager cet envol par une politique d'accompagnement qui reprend celle de Mendès France[1]. Le second Plan présenté par Étienne Hirsch, qui a succédé à Jean Monnet, est voté le 27 mai. Couvrant les années 1954-1957, plus souple que le premier et à financements plus diversifiés, il traduit bien l'évolution générale en donnant priorité aux sources d'énergie, à l'amé-

1. Voir *infra*, p. 195-198.

aagement du territoire et aux équipements sanitaires, scolaires
t sociaux. Dans sa logique, est voté un programme de développement des télécommunications, de la marine marchande et de
'électrification du rail, tandis qu'est mise à l'étude la canalisation
le la Moselle. Les aides à l'agriculture sont maintenues et est
nstitué en mai un Fonds de garantie mutuelle destiné à organiser
es marchés et à régulariser les exportations. Aux entreprises,
dont les concentrations sont encouragées, le nouveau Fonds
pour le développement économique et social (FDES) assurera
une meilleure sélection des prêts. Une politique de l'habitat définie
par Roger Duchet hisse enfin la production de logements neufs
. 240 000 en 1955 et amorce les grands aménagements urbains
les années suivantes. Cimentant l'ensemble de ces mesures, une
éforme fiscale est amorcée qui, si elle ne règle pas les vieux problèmes de l'injustice et de la fraude, favorise par décret, le 17 sep-
embre, les sociétés qui investissent à bon escient et tente de ras-
urer les commerçants en multipliant les forfaits et en réduisant,
n juin, à 3 les taxes sur le chiffre d'affaires, celle sur les presta-
ons de service, la taxe locale et la taxe à la valeur ajoutée (TVA).
Cette politique multiforme a de solides effets internationaux.
Un accord franco-allemand en août accélère la tendance à la
éduction des contingentements et à la liberté des échanges amor-
ée depuis janvier en Europe de l'Ouest, tandis que l'Union euro-
éenne des paiements s'élargit en juillet. A la Conférence de
Messine en juin, la France a figure avenante au milieu de ses par-
enaires de la CECA qui décident, à l'invitation des pays du Bene-
ux, de préparer activement une large union économique : le
Marché commun se profile à l'horizon, et le patronat français
'en repousse plus l'éventualité. En bref, l'État favorise l'épa-
ouissement national et international d'un capitalisme régénéré,
uns volontarisme mais sans laxisme trop choquant, le secteur
ationalisé conservant un rôle d'incitation et le Plan veillant au
rain.

Et les effets sociaux de ce dynamisme se font bientôt sentir.
ans doute une reprise de l'inflation par la demande s'observe-
elle déjà. Sans doute aussi les inégalités et les retards subsistent-ils.
es très violents conflits de l'été en Loire-Inférieure en apportent
  preuve douloureuse. Salaires bloqués depuis longtemps, diffi-

cultés de la construction navale, fusion des chantiers de la Loire
et de Penhoët, avivent l'inquiétude dans la métallurgie de Saint-
Nazaire et de Nantes, où s'est développé un puissant mouvement
syndical qui n'a pas oublié ses héritages révolutionnaires et que
coiffent la CGT et FO, mais où la CFTC sait aussi entrer en action.
Après un tournoiement de grèves perlées, d'émeutes durement
réprimées par les CRS, de conciliations avortées et de raidisse-
ments patronaux, la région ne s'apaise qu'au début d'octobre
après plus de six semaines de tensions qui laisseront une trace
indélébile dans la mémoire ouvrière[1], avec une majoration de
salaires de 22 % à Saint-Nazaire et de 12 à 15 % à Nantes. Cette
lutte de classe demeure cependant sectorisée, incapable de rejoin-
dre d'autres impatiences en cette période dans l'ensemble favorable aux salariés.

Car les bataillons de la fonction publique font défaut. L'alerte
de 1953 a en effet imposé une large remise en ordre de son pouvoir d'achat, appliquée en juillet 1955, sur une base de 14 % de
hausse pour les traitements et de 18 % pour les retraites, hausse
rendue possible par l'apaisement des alarmes dans la trésorerie
publique. Et surtout, l'accord signé le 15 septembre chez Renault
laisse espérer qu'une page pourrait être tournée dans l'histoire
des conflits sociaux et des négociations salariales, une entreprise
nationale donnant ici encore l'exemple de l'ouverture et du bon
sens. Cet accord, pour la première fois dans un pays où les « partenaires sociaux » ont eu tant de difficultés à se reconnaître et à
se rencontrer, est contractuel : pendant deux années, les parties
épuiseront tous les moyens de conciliation avant de recourir à
la grève ou au lock-out, moyennant la promesse d'une hausse
régulière des salaires de 4 % par an et la confirmation des avantages sociaux déjà acquis (trois semaines de congés payés annuels,
retraite complémentaire, indemnisation maladie et paiement des
jours fériés). Bien accepté par les syndicats, à l'exception de la
CGT qui refuse ce « contre-feux » destiné à émasculer les ardeurs
de la classe ouvrière, délibérément négocié par les technocrates
du secteur public, examiné avec intérêt par les patrons les moins

1. Voir L. Oury (139), vif récit du conflit et tableau de la condition
ouvrière dans la région.

obtus du CNPF, béni par le gouvernement, ce contrat d'avant-garde est appelé à s'étendre dans de nombreuses branches industrielles du secteur privé. La paix sociale serait-elle enfin négociable?

Ces heureux effets économiques et sociaux de la croissance font ainsi flotter sur l'année 1955 un parfum de détente et d'espoir, après les affrontements de 1953 et les opérations d'urgence de 1954. Et le gouvernement paraît même capable d'en profiter pour éclaircir d'autres horizons plus nuageux. La traduction politique de la bonne santé des économies européennes ne se fait pas attendre. Depuis Messine, les experts d'un Comité intergouvernemental présidé par Paul-Henri Spaak explorent avec détermination les règles d'un Marché commun général et d'une Communauté européenne de l'atome pacifique, sans que la France fasse mine de reprendre sur le plan théorique la querelle des attributions supranationales de leurs futures institutions : leurs travaux nourriront la positive conférence de Venise en mai 1956, dernière étape avant la conclusion du traité de Rome l'année suivante. Parallèlement, les relations franco-allemandes s'adoucissent. Le Conseil de la République est convaincu par Edgar Faure et Pinay de ratifier sans broncher le 30 mars les accords de Paris, la France prend son parti des réticences de Bonn à adopter le nouveau statut de la Sarre et chacun admet que la division des deux Allemagnes sera durable et, à tout prendre, constitue un facteur d'équilibre entre les deux blocs. Au plan général, tandis qu'est signée la paix avec l'Autriche en mai, d'autres signes rendent crédible la détente : Eisenhower et Boulganine font assaut d'amitié à la Conférence des Quatre à Genève en juillet, Khrouchtchev se réconcilie avec Tito, l'Union soviétique multiplie les propositions de désarmement général et apaise des inquiétudes américaines en Extrême-Orient. Que se dressent les pays afro-asiatiques à la conférence de Bandoeng en avril, marquant l'entrée en force du Tiers Monde dans le concert international, qu'en Indochine le gouvernement Diem dénonce les accords de Genève, tergiverse sur la date des élections et se plie à toutes les exigences américaines, ces mouvements de fond achèvent de convaincre la diplomatie française que la page est définitivement tournée : elle ne s'agite guère quand Bao-Daï est destitué en juin et ne voit d'autre avenir que le développement de la coopération et de la coexistence pacifique.

Elle donne même de sérieux gages de sa détermination en Tunisie et au Maroc, aboutissant enfin aux solutions les moins coûteuses et les plus chargées d'espoir. Edgar Faure a su, il est vrai, brusquer les choses en un style très mendésien : un entretien direct avec Bourguiba à Matignon le 21 avril sauve des négociations qui pouvaient de nouveau s'enliser. Le 3 juin, il signe avec le chef du gouvernement tunisien, Tahar Ben Ammar, une série de conventions qui consacrent l'autonomie interne du pays, garantissent un statut aux ressortissants français, maintiennent une présence militaire de la métropole à Bizerte et son droit de regard sur toute question de diplomatie et de défense, sans bloquer l'accès, déjà prévisible, à l'indépendance. En quelques semaines, Bourguiba rentre en triomphateur à Tunis, le Parlement français ratifie massivement les accords, les groupes de pression se résignent à l'inévitable et chacun reconnaît des vertus à cette décolonisation en douceur : la logique du discours de Carthage s'épanouit en entente cordiale [1].

Elle ne pouvait manquer de s'appliquer, avec quelques cahots, à la crise marocaine. S'attachant à ne pas heurter les conservateurs sur la défensive, et au sein même du cabinet, confiant des missions à Georges Izard, l'avocat du sultan et membre actif de « France-Maghreb », Edgar Faure, très hostile à Arafa, sait louvoyer. Il laisse passer l'orage de juin, quand plus de 800 attentats ensanglantent le pays et qu'est assassiné le libéral Lemaigre-Dubreuil, industriel et patron de presse; il en profite pour nommer le 20 à la résidence Gilbert Grandval, énergique et sûr. Et ce dernier, pour la première fois, taille au vif en plein accord avec Matignon : boycottage du Glaoui, suspension de fonctionnaires compromis, expulsion d'agitateurs de « Présence française », épuration d'une police qui, dans les manifestations, ne tire volontiers que sur les Marocains. Le 1er août, ayant résisté aux agres-

1. Parallèlement, un accord du 10 août 1955 avec la Libye retire du Fezzan les troupes françaises qui y étaient entrées en 1942 avec Leclerc, tout en conservant à la France un droit de regard sur cette zone stratégique.

sions dont il est victime, il rend son verdict : seul le rappel du sultan, et dans les plus brefs délais, ramènera le calme. Le président du Conseil, subissant les assauts contradictoires de ses ministres divisés, des militaires français au Maroc, de Juin et de « France-Maghreb », reste ferme tout en modérant Grandval. Une solution d'experts est négociée en secret sous la direction de Jacques Duhamel, tandis qu'à la veille du 20 août, date anniversaire de la déposition du sultan, les villes et, pour la première fois, le bled s'enflamment, plus de 50 Européens étant massacrés. Peu importe ensuite qu'il doive débarquer Grandval et le remplacer par Boyer de Latour, conseillé par Juin et bientôt circonvenu par les Européens de Rabat : ses émissaires savent convaincre Arafa d'abdiquer et de laisser s'installer un Conseil du Trône; ses ministres rebelles, Raymond Triboulet et le général Kœnig, quittent le gouvernement le 6 octobre sans que les jusqu'au-boutistes du Maroc colonial puissent tenter d'enrayer le processus en renversant le gouvernement, par crainte de provoquer de nouveaux massacres. Tandis que les Nations unies s'inquiètent ouvertement du développement de la violence, la solution progresse à petites touches. Le 25 octobre, le Glaoui fait humble allégeance à Ben Youssef.

Ce dernier signe le 6 novembre à Paris une déclaration commune qui établit les futurs rapports du Maroc et de la France sur la base de « l'indépendance dans l'interdépendance », formule aussi habile que mystérieuse, et qui contente les deux parties. C'est en souverain que Mohammed V, l'exilé de Madagascar, rentre le 16 novembre dans sa capitale, Rabat. Le 2 mars 1956, sous le gouvernement Guy Mollet, une ultime déclaration reconnaîtra l'indépendance du Maroc. Le 15 juin suivant, une convention du même type sera conclue entre la France et la Tunisie. En novembre, la France parrainera l'entrée à l'ONU des deux jeunes États et amorcera avec eux une politique de coopération.

L'issue était dans la logique de l'évolution du monde. Encore, pour l'imposer, fallut-il à Mendès France et à Edgar Faure de la détermination et de l'habileté. Car la majorité de ce dernier n'a pas davantage résisté à l'épreuve que celle du premier. C'est sur un ordre du jour socialiste que le gouvernement est sauvé, le 9 octobre, au cours d'un difficile débat sur le Maroc : la droite et les gaullistes l'abandonnent, tandis que les communistes et socialistes approuvent sa politique marocaine. Cette majorité de rechange pourrait devenir, pour peu que le vent se lève, la majorité tout court. Or, précisément, en Algérie comme en métropole, divers signes annoncent que l'éclaircie est temporaire et que le renouveau n'a pas passé l'été.

Mendésisme ou poujadisme.

Cette pause des premiers mois du gouvernement Faure, quand s'engrangent les succès politiques et que se décrispe quelque peu la société, a permis de mieux cerner l'enjeu national, qu'on peut fixer, en grossissant à peine le trait, dans la formule : mendésisme ou poujadisme. C'est lui, au plus profond, qui règle le sort du renouveau, la guerre d'Algérie ne faisant qu'obscurcir le débat jusqu'à l'asphyxie.

Encore faut-il entendre « mendésisme » au sens le plus large. Est-ce fidélité aux idées de Mendès France ? Sans aucun doute. Et à la plus forte d'entre elles : inoculer à la vie politique quelques-unes des vertus de cette modernité qui brasse en profondeur l'économie et la société. D'autant qu'en mai 1955 Mendès France devient vice-président, derrière le vieil Herriot, d'un parti radical qui fait mine de vouloir se rajeunir lui aussi sur ces bases-là. Mais cet espoir est multiforme et il peut déborder le cadre du parlementarisme strict et des fidélités radicales dans lesquels tient à se carrer l'ancien président du Conseil. N'oublions ni la fougue parfois un brin désordonnée de ses zélateurs, leur jeunesse, leur impatience, ni l'ardeur de l'équipe de *l'Express*, son aptitude à forcer la touche dans l'imitation du journalisme américain. En fait, le mendésisme enveloppe peu à peu Mendès, au point que celui-ci s'en irrite à plusieurs reprises publiquement, il outrepasse les propositions de l'ancien « jeune-Turc » du parti radical, du technicien des finances et du professeur à l'ENA ; il ne s'agit pas d'une doctrine aussi méticuleusement articulée que les discours de son inventeur. Ses postérités si riches dans l'appareil politique, administratif et économique de la Ve République comme dans les rangs de la gauche rénovée des clubs ou du PSU dans les années soixante contribueront à le rendre moins rigide encore. Comme force politique organisée, il n'est rien : pas davantage de mendésisme sans Mendès que de gaullisme sans de Gaulle. Mais, jusque dans ses boursouflures et ses contradictions, il est au cœur de « l'air du temps », signe commode de ralliement des Modernes contre les Anciens. On peut comme Edgar Faure en faire sans y paraître, on peut aussi s'en nourrir puis le rejeter au profit de fidélités mieux installées dans le paysage politique. Nul doute cependant qu'il ait marqué une génération et apuré ses choix. Dans ce mélange de technocratie et de République du citoyen, d'hommages au secteur public et à l'investissement libéré, d'abandon de la lutte de classe et de respect du peuple, de refus des vieux clivages idéologiques et d'émotion quasi quarante-huitarde, quelques-unes des élites nationales ont vu le signe d'une nouvelle Résistance contre l'immobilisme, et les élites du lendemain ont mordu à belles dents. Il faudra un jour détailler tous ses cercles, ses entrelacs de générations, distinguer le haut commis de la Rue de Rivoli du notaire ou du professeur de province, l'étudiant catholique issu de la JEC et de l'ENA du jeune agriculteur breton ou alpin. On le dessinera alors avec précision, plus urbain que rural, plus tertiaire qu'ouvrier, mieux diffusé dans les couches moyennes qui profitent de l'expansion que dans celles qui en pâtissent, plus lié aux mouvements de jeunesse confessionnels qu'au laïcisme de son fondateur, complexe, mouvant, et bien vite plus capable d'appréhender des problèmes que de fonder ou de rajeunir la force politique qui les réglerait[1]. Il suffit, pour l'heure, de rappeler les thèmes qu'il popularise dans quelques zones dynamiques de la société et qui sont les vrais enjeux du renouveau : l'aspiration à un État moderne et juste, le respect de la démocratie gouvernante, le renforcement de l'exécutif et le primat de l'opinion sur les partis, le refus du communisme, le soutien à la lutte des peuples colonisés, l'appel à la coopération internationale et, bien entendu, le retour de Mendès au pouvoir. Et de se résigner à le définir en creux, dans cette haine persistante de ses adversaires si divers, chantres de la France d'antan, marxistes stricts, libéraux sur le retour, anciens « BOF » de la Libé-

---

1. Voir un premier essai de description, « Le mendésisme », *Pouvoirs*, n° 27, 1983.

ration, défenseurs de l'Empire, pourfendeurs de progressistes et, obsédés et féroces, antisémites du fond des âges.

Car cette modernité qui n'atteint pas encore toutes les œuvres vives de la nation, qui semblerait même pouvoir encore se glisser dans le jeu des partis sous la houlette d'Edgar Faure, suscite des oppositions spectaculaires, mobilise des foules ou des agitations désordonnées. Ce front disparate du refus ne traduit pas la franche haine du progrès mais bien davantage le souci de conserver les avantages acquis et de prendre des gages sur l'avenir. Les dynamismes économiques et sociaux le refoulent vers les zones les plus bloquées de la société et le privent d'avenir politique, le contraignant à saisir au bond tout thème mobilisateur, de l'antiparlementarisme à la lutte contre le fisc, de la haine des technocrates parisiens à la défense de l'Algérie française. L'analyse du poujadisme, très vite étudié [1] et mieux connu que d'autres agitations plus souterraines, permet, à elle seule, de cerner l'essentiel de cette résistance.

En deux années, de raids contre les perceptions en meetings chaleureux, par un mélange habile d'activisme et de grignotage des organisations professionnelles, le mouvement né à Saint-Céré à l'été 1953 a en effet pris racine [2]. Poujade, plébéien madré, bon orateur, l'a modelé à son image d'ancien de la « communale », fidèle à une République du bon sens mais ne dédaignant pas les ressources de l'agitation de rue des vieux ligueurs. Dans son ombre grouillent des communistes sensibles à la colère populaire — le PCF ne condamnera le mouvement qu'à l'automne 1955 —, quelques bandes d'extrême droite qui resurgissent et exercent leurs maigres forces, des militants gaullistes déçus par les compromissions parlementaires du RPF, des partisans de l'Algérie française et surtout, formant les gros bataillons et emplissant les salles de réunion, sans doute près de trois millions de Français des professions indépendantes, commerçants, artisans, agricul-

1. Voir S. Hoffmann (37), dont l'enquête démarre dès février 1955. Les premières publications ont été recensées et commentées par J. Touchard, « Bibliographie et chronologie du poujadisme », *Revue française de science politique*, janv.-mars 1956.

2. Voir *supra*, p. 41, et A. Prost, « Géographie du poujadisme », *les Cahiers de la République*, n⁰ 1, 1956, p. 69-77.

teurs et intermédiaires variés. Leur révolte naît de la croissance. Jusqu'aux années cinquante, la force de la demande par temps de pénurie avait artificiellement gonflé les secteurs de services, le commerce de détail plus particulièrement, qui a vu naître 100 000 boutiques par an depuis 1940, pour en arriver en 1954 à 1 300 000 établissements employant 2 240 000 personnes dont 1 250 000 salariés. Ces très petites entreprises souvent familiales écoulaient peu mais vendaient cher, tenues à flot par le rythme élevé de l'inflation qui leur permettait d'anticiper sur les prix et leur évitait les embarras de trésorerie. Quelques-unes s'étaient même hissées ainsi à une coquette aisance. Vers 1952, avec la fin des restrictions, l'abondance de produits jetés sur un marché où la demande de consommation n'est pas encore débridée tout à fait, avec une poussée en amont des forces de la production moderne qui concentrent déjà les formes de la distribution en aval et annoncent le supermarché, avec surtout la fin de l'inflation, c'est le drame pour les plus vulnérables parmi ces vendeurs pléthoriques. Le client ne peut guère encore acheter en masse, mais il peut désormais choisir son détaillant; les prix de vente stagnants ne permettent plus de compenser les pertes. Paraît alors insupportable le poids de l'impôt : cette révolte aux origines économiques aura des manifestations antifiscales, retrouvant les thèmes du vieux combat de la Ligue des contribuables des années trente, voire de toutes les émeutes des « petits » contre les « gros » ou des provinciaux contre l'administration parisienne qui ont périodiquement traversé l'histoire française. Une maladresse du gouvernement Mendès France, faisant adopter le 14 août 1954 dans la loi spéciale de finances un « amendement Dorey » qui permet d'emprisonner tout citoyen qui s'opposerait à un contrôle fiscal, a renforcé la détermination de tous ceux qui, depuis des mois, ne peuvent plus supporter les contrôles souvent brutaux des agents « polyvalents » du Trésor, les révisions des forfaits à la hausse, la chasse à la fraude et qui sont incapables de régler leurs arriérés ou leurs majorations d'impôts. La crise de la modernité se lit enfin sur les livres de comptes : la rébellion peut s'étendre.

Elle sera passagère. Dès qu'est insufflé à l'économie en 1956, puis plus fortement en 1957, l'oxygène de l'inflation, cette fois par la demande, tous les vendeurs pourront largement répercuter de nouveau sur leurs prix de détail le poids des impôts et oublier la très réelle injustice fiscale dont ils sont à l'occasion victimes. Et leur sagesse retrouvée sonnera le glas, malgré les tentatives d'Edgar Faure, de tout espoir de réforme fiscale en profondeur sous la IV⁰ République. Elle a néanmoins trahi le désarroi de la France retardataire, celle du « cocorico » qui refuse le « Cocacola », la France de ceux, note joliment André Siegfried, « qui se débattent bruyamment, avec les gestes désordonnés de gens qui se noient [1] », et que Poujade jette dans l'action. Le « poujadisme » — seul le papetier de Saint-Céré est capable d'imposer son néologisme, tandis que le « mendésisme », on l'a vu, reste un terme flottant à surface sociale plus incertaine — s'installe au sud de la ligne Saint-Malo/Genève, prolifère dans le « désert français », se nourrit de l'exode rural et de la langueur des petites bourgades, touche l'échoppe, la boutique, l'entreprise familiale et s'oppose symétriquement à la France du Nord, aux dynamismes des grandes concentrations urbaines, à la grande entreprise « apatride », aux fonctionnaires et aux cadres technocratisés du tertiaire « utile ». Il naît de l'impuissance à détourner le cours de la modernité, il invoque pêle-mêle les Croquants, Vercingétorix et les Poilus de Verdun, réactive l'imagerie nationaliste de l'école primaire d'avant 1914 ou retrouve les mots de Vichy pour exalter les sociabilités d'antan, les paisibles communautés bousculées par les « polytechniciens tarés », les « polyvoleurs » et tous les politiciens à leur solde.

Ce passéisme aux idées courtes, cette mobilisation des exclus et des rejetés de la croissance, ne manquent pas de cœur et pourraient, rétrospectivement, s'attacher des sympathies aussi écologiques que conviviales. Sur le moment, Poujade a cependant fort effrayé la classe politique et contribué à révéler les défauts du « système ». « Poujadolf », titrera *l'Express* sous une caricature, « un fasciste », grogneront les intellectuels progressistes de Paris : de fait, « Pierrot » distille la haine des « métèques » et des « pédérastes », et sait être vigoureusement antisémite dans sa haine de Mendès France. Autour de lui, des activismes s'affairent et n'hé-

---

1. A. Siegfried (74), p. 235.

sitent plus à s'opposer au besoin par la violence au régime des « bradeurs d'Empire ». Sa force, pourtant, il ne la tire pas d'une propension au fascisme, lui qui hait les idéologies, il l'entretient par un mélange d'antiparlementarisme, de confiance naïve dans une République maternelle et d'apostrophe directe face à tous les « vendus ». Le 24 janvier 1955 il fait converger « à l'assaut de la liberté » plus de 100 000 provinciaux vers la porte de Versailles, en février il fait pleurer un Vel' d'Hiv' archicomble, le 18 mars il plastronne dans les tribunes du Palais-Bourbon, y tombe la veste, dépêche ses émissaires et tente de contraindre les députés à abandonner l'amendement Dorey. Mais il n'a pas l'ambition d'un putschiste, quoi qu'en disent ses adversaires. A l'automne 1955, son programme est aussi populaire qu'imprécis : convoquer des « États généraux », abattre les partis diviseurs du pays, rassembler toutes les catégories sociales dans une « fraternité française » cimentée par les travailleurs indépendants.

Avec ses outrances, le poujadisme martèle ainsi les inquiétudes du pays et entretient un dangereux appel du vide [1]. Mais il rappelle les vrais enjeux : la République des partis fonctionne mal, la modernisation ne s'impose pas sans drames, seule une démocratie nouvelle rétablirait la confiance. A terme, un verdict des tiroirs-caisses condamnera la révolte de Poujade à végéter. Sur l'heure, ses chahuts et ses coups de gueule ne débouchent sur rien, car le régime, depuis 1947, sait se défendre de la rue. Ce qui lui donne un second souffle, lui gagne des concours en dehors de ses zones sociales privilégiées de recrutement, cimente sa protestation et le fait passer pour prêt à tout, c'est qu'en s'emparant depuis son Congrès d'Alger en novembre 1954 de la cause de « l'Algérie française », il touche au vif de l'inquiétude nationale et contribue à balayer tout espoir d'examiner sereinement la question du renouveau. Qui pourrait dire dans l'état actuel de nos sources et de nos recherches que la France, en cette fin d'année 1955, était capable ou non de restabiliser son système politique tout en digérant sans convulsions sa modernisation ? Par contre, le drame algérien réinstallant au cœur de sa vie politique cette pression des urgences dont elle avait cru être libérée depuis Genève, toutes les contradictions se renforcent,

1. Voir P.-H. Simon, « L'appel du vide », *le Monde*, 25 janvier 1956.

tous les activismes réveillent l'impuissance du moindre mal, et le renouveau est remis à plus tard. Que faire en Algérie? Cette question éclipse désormais toutes les autres.

Car la situation y empire. Une recrudescence du terrorisme en mars y a imposé « l'état d'urgence » le 3 avril, qui renforce les mesures de police et transfère aux militaires bien des pouvoirs civils dans les zones troublées. Sans doute la rébellion a-t-elle néanmoins des difficultés à s'étendre. Mais cette « passivité » du peuple renforce la détermination du FLN à enclencher sans délai le cycle du terrorisme et de la répression, en stricte application des règles de la guérilla révolutionnaire, le conduit à une meilleure sélection politique de ses cadres et lui fait refuser de poursuivre les contacts amorcés avec les émissaires de Soustelle, comme Germaine Tillion ou Vincent Monteil, qui renoncent. Malgré des renforts massifs, qui portent à plus de 100 000 hommes les forces de l'ordre dès l'été 1955, les unités motorisées trop lourdes ne peuvent que tenir les routes ou les nœuds stratégiques, et ne quadrillent pas encore le bled. Temps suspendu de l'été 1955! La politique officielle d'intégration, qui postule la totale appartenance de l'Algérie à la France et l'originalité linguistique, culturelle et religieuse des Algériens, se traduit le 1er juin par un plan qui ne manque pas d'allure. Les Européens ne sont pas encore mobilisés par le désespoir, même s'ils refusent la politique de Soustelle; bien des musulmans conservent avec eux quelque fraternité : cette guerre n'est pas encore tout à fait politique, religieuse et populaire. Mais, qu'elle soit inévitable et inexpiable, il faut s'en convaincre le 20 août. Ce jour-là, entre Constantine, Philippeville et Guelma, l'insurrection générale éclate. A El-Halia et à Aïn-Abid, dans une excitation populaire soigneusement entretenue par les commandos du FLN de la wilaya du Nord-Constantinois, 123 Européens, hommes, femmes et enfants, sont abattus avec une sauvagerie dont le souvenir contribuera plus que d'autres à briser les liens entre les deux communautés. Le « massacre de Philippeville » sera très lourdement vengé, sur l'heure, avec 1 273 « rebelles abattus » selon les sources françaises, 12 000 selon le FLN. Bouleversé, le libéral Soustelle bascule d'un coup dans le camp de la répression à outrance, ayant compris que le FLN vient de remporter sa première victoire : pour les uns, tout musulman est à jamais un rebelle en puissance, pour les autres, les combattants de l'Armée de Libération nationale mènent la guerre sainte des *moudjahidin*. La parole est aux armes.

Le cercle tragique est désormais bouclé. Les réformes sont prêtes et la plus simple, chacun en est convaincu à Paris, aurait été d'appliquer au plus tôt un Statut de 1947 aménagé. Le gouvernement réaffirme en septembre sa détermination à conserver l'Algérie à la France et persévère dans sa quête de l'intégration. Mais il n'est plus temps d'octroyer des réformes, il faut les négocier. Or les interlocuteurs s'évanouissent. Le 26 septembre, 61 élus musulmans de l'Assemblée algérienne refusent l'intégration, Ferhat 'Abbās va se rallier au FLN, les nationalistes algériens saisissent l'ONU. Tandis que Camus appelle en vain à une « trêve du sang » dans *l'Express*, les premières unités de parachutistes font leur apprentissage de la guérilla efficace dans les Aurès, on resserre encore le quadrillage des forces de l'ordre, on prolonge l'état d'urgence et on l'étend à toute l'Algérie, on rappelle des réservistes, dans le refus horrifié d'avoir à négocier avec les égorgeurs de Philippeville. L'impasse est totale. L'Assemblée discute à perte de vue en octobre des avantages respectifs de la sécession, exclue, de l'assimilation, dangereuse, et de l'intégration, inapplicable. Chez les responsables, à Paris comme à Alger, en quelques semaines une évidence s'est imposée : « pacification » d'abord, réformes ensuite.

Cette atmosphère d'angoisse et d'impuissance détermine la fin du gouvernement d'Edgar Faure. Les tâches d'avenir sont trop graves pour qu'une Assemblée, au terme de son mandat, trouve désormais en elle-même la force d'innover et de trancher. Le président du Conseil en est convaincu. Le 20 octobre, il propose donc d'avancer les élections législatives prévues pour juin 1956. S'ensuit une très confuse mêlée qui montre combien la rechute du « système » est grave. Les stratèges des partis, pris à contre-pied, n'ont pas eu le loisir de chauffer leurs troupes, les plus habiles associent à la demande d'élections anticipées celle d'une réforme électorale, l'opposition des socialistes et des communistes n'est pas assez forte pour faire couper court au tapage. Dans une sorte de frénésie contemplée avec stupeur par les Français, on voit en quelques jours Mendès France s'opposer à Edgar Faure pour la maîtrise du parti radical, le gouvernement ferrailler à l'Assemblée sur la proportionnelle intégrale, l'Assemblée voter puis repousser le scrutin d'arrondissement, les discussions sur les découpages des circonscriptions devenir féroces, les navettes entre les deux assemblées se multiplier. Affolée à la perspective de revoir ses électeurs, une majorité de députés accepte enfin d'avancer les élections mais est prête à renverser le gouvernement sur le moindre prétexte avant le vote d'une loi électorale. Ce qui est fait le 29 novembre, par un vote « mal ajusté » tant forte était la presse. Edgar Faure étant battu par 318 voix contre 218, il peut faire jouer l'article 51 de la Constitution qui prévoit la dissolution de l'Assemblée si deux gouvernements ont été renversés à la majorité absolue dans l'espace de 18 mois. Le 2 décembre, l'Assemblée est dissoute, pour la première fois depuis le 16 mai 1877. Cette hâte à imiter de Broglie vaut à Edgar Faure d'être exclu de son parti et la haine des républicains de tradition.

Cette assemblée avait-elle tant de titres à exhiber pour prétendre prolonger sa gloire ? Depuis plus de cinq ans elle s'est épuisée à rechercher d'introuvables majorités. En renonçant à une CED qu'elle avait acceptée, elle a signé le plus grave échec diplomatique du régime. Bousculée par l'événement outre-mer, elle a reculé en désordre. Elle n'a pas su enfin adapter le parlementarisme aux exigences d'une France qui bouge et, dans sa méfiance face aux leaders populaires, Pinay et Mendès France, a accentué le dérèglement d'un système bâti quand trois partis massifs rassemblaient la plus large majorité et qui ne pouvait tolérer que l'opinion se dressât contre son arithmétique d'hémicycle. En rameutant précipitamment les électeurs, l'habile Edgar Faure croit prendre de vitesse Mendès France et Poujade, espère faciliter la reconduction de la majorité de droite élargie au centre qui avait finalement arbitré toutes les querelles et couvert tous les errements. Les Français, eux, s'ils approuvent cette dissolution qui leur donne enfin la parole, ne peuvent pas être insensibles au slogan que lance aussitôt Poujade : « Sortez les sortants[1] ! » Ainsi, à défaut de saluer

1. Un sondage publié par *l'Express* le 10 décembre révèle que 66 % des Français sont mécontents du travail effectué par l'Assemblée dissoute.

n renouveau décidément impossible, ils pourront exprimer onjointement leurs inquiétudes devant tant d'artifices érigés en néthode de gouvernement et leur désir de régler au plus vite 'affaire algérienne.

3

Le lacet algérien

Voici donc les Français consultés. La brièveté de la campagn
électorale — moins de trois semaines au cœur d'un fort hiver —
fixe les candidats dans leurs départements : la discussion n'en ser
que plus vive, mais sans incidents graves, et très politique. Pou
la première fois, plus que la presse écrite — à l'exception d
l'Express —, ce sont les médias plus modernes qui donnent l
rythme national de la campagne : radios d'État et postes péri
phériques rivalisent d'ardeur, et on voit même, à la télévision
des candidats se détacher de leur texte et regarder l'électeur dan
les yeux[1].

Cette belle empoignade traduit la conscience des enjeux et l
soif de débat direct qui traverse le pays et, en ce sens, augur
bien de sa santé démocratique. Néanmoins, saute aux yeux l
difficulté qu'éprouvent les partis à encadrer la consultation e
leur impuissance à approvisionner la discussion en argument
forts.

Les élections du 2 janvier 1956.

Toutes les grandes formations qui ont régenté la vie politiqu
depuis la Libération vont en effet à la bataille en état de faibless
Le PCF, à peine sorti de sa longue torpeur de la guerre froid
a sans doute fait rejouer ses meilleurs réflexes parlementaires e
se risquant à voter l'investiture de Mendès France et en contr
buant à liquider la CED. Il amorce un large renouvellement d
ses cadres en éliminant la génération de la Résistance des postes d

---

1. Voir B. Blin, « La radiodiffusion et la télévision », dans (35
p. 165-181.

mmande après l'affaire Marty-Tillon puis l'exclusion de Lecœur
avril 1954. Il retrouve même « Maurice », qui reprend la barre
décembre 1955 après son retour d'URSS et de longs mois
convalescence en France. Il a enfin stoppé depuis 1954
éclaircissement de ses rangs, trouvant un étiage inespéré à environ
0 000 adhérents réels, dont 38 % sont des ouvriers, encadrés
ns 19 000 cellules aux activités fort inégales. S'il peut espérer
aintenir son audience, ses propositions risquent par contre de
ire long feu. Thorez, désorienté par la situation nouvelle au
remlin et la politique de détente, joue Molotov contre Khrouch-
hev et s'enferre, imperturbable, dans une analyse de la situation
onomique et sociale de la France directement inspirée par les
rniers écrits de Staline. Contre Mendès France, contre Ramadier
contre le bon sens, il publie au printemps 1955 et défend tout
long de l'été une étude apocalyptique sur « la paupérisation
lative et absolue du prolétariat ». Son pouvoir d'achat aurait
issé de 40 % sur l'avant-guerre, la durée du travail aurait aug-
enté de 15 % et le travailleur achèterait moins de viande, de
arbon et de coton qu'en... 1900 [1]. Ce catastrophisme, docile-
ent répercuté et encore simplifié dans les rangs du Parti et de
CGT, ne contribue pas à rassurer l'opinion sur les capacités
éoriques des communistes et sur leur aptitude à maîtriser le
el au lendemain des élections. Par ailleurs, leur antiamérica-
sme resté virulent à l'heure de Genève, leur excitation contre
réarmement allemand, les dispensent encore de mettre au tout
emier plan le drame algérien. Sur ce point, si l'analyse est plus
gumentée que dans d'autres partis, si les pouvoirs spéciaux
la répression sont clairement dénoncés et des négociations
imédiates souhaitées, le rôle du parti communiste algérien est
ès valorisé, le FLN quasi ignoré et l'attachement à l'Union
ançaise solennellement rappelé. Si bien que le PCF ne peut que
xtaposer des propositions incertaines et tenter d'activer sa réin-

1. Sa brochure sur *la Situation économique de la France* est d'abord
bliée dans *les Cahiers du communisme* de mars 1955. Voir Ph.
obrieux (9), p. 368-369. Un vigoureux débat suit cette publication.
participent Ramadier et Mendès France, des universitaires et des
urnalistes (voir *le Monde* du 30 juin 1958).

sertion dans le jeu national en reprenant le slogan d'un nouvea
Front populaire ou d'un « Front unique », sur le modèle de 193
rectifié par les autocritiques de 1947.

Ce que refuse aussitôt la SFIO, peu soucieuse de s'allier ave
le « Parti de l'Est » et elle aussi affaiblie et inquiète. Sa crise de
effectifs en effet se prolonge, 110 000 adhérents maintenant
parti à son niveau de 1935, sans plus. Fonctionnaires et classe
moyennes d'âge mûr (70 % des adhérents auraient plus de 40 an
en forment plus que jamais l'ossature, flanqués de bastions enco
très ouvriers ou agricoles dans le Nord et le Midi. Les Jeunesse
ont pratiquement disparu, le recrutement se tarit, les association
périphériques déclinent, les relais syndicaux, malgré les amiti
cultivées à Force ouvrière, sont trop faibles : la SFIO est incapab
de rivaliser avec les puissants partis sociaux-démocrates d'A
lemagne fédérale ou des pays scandinaves et ne peut guère capte
les fraîches énergies du mendésisme[1]. Dans un lugubre dése
de la pensée théorique, *la Revue socialiste* dirigée par l'historie
Ernest Labrousse pratiquant un aimable éclectisme et maintena
tout juste à flot le patrimoine hérité de Jaurès et de Blum, le par
se complaît dans les batailles de motions entre majorité et min
rité, querelles de vieux ménage qu'apaise le tout-puissant secr
taire général Guy Mollet, symbole déchiré de fidélités qui morde
moins sur le réel[2]. Néanmoins, les bataillons d'élus sont toujou
solides et serviables, hésitant entre grappiller un apparenteme
et courir le risque du langage rénové. Après « six ans d'impui
sance réactionnaire », ils sont prêts à dénoncer le communism
à proposer une ambitieuse politique sociale et à s'opposer e
Algérie à ce que Guy Mollet nomme « une guerre imbécile
sans issue » en n'écartant pas l'hypothèse de la reconnaissanc
d'une « personnalité algérienne ».

Sur leur droite, le MRP est plus atteint encore. A peine 50 00
adhérents, parmi lesquels décline le nombre des ouvriers, de
paysans et des artisans et s'affirment les fonctionnaires, les pr

---

1. P. Rimbert avait dressé cet amer constat pour 1951 dans *la Rev*
socialiste dès févr.-mars 1952. Il le confirme en 1955 dans (15), p. 19
207. Voir L. Bodin, « L'âge mûr de la SFIO », *Esprit*, mai 1956.
   2. Voir R. Quilliot (11), chap. 33,

fessions libérales, les cadres et les « sans-profession » : le mouvement n'est plus populaire que de nom[1]. Ses maigres Jeunesses se rebellent, ses militants syndicalistes sont séduits par le mendésisme, ses notables et ses élus ont trop longtemps pactisé avec les modérés, d'anciens ministres ont fait sécession : le verdict des urnes peut être rude pour un parti qui n'est plus, note cruellement Mauriac, que « le tramway nommé pouvoir ». C'est dire qu'il a grand-mal à convaincre ses électeurs que son glissement à droite a freiné la marche triomphante de la réaction, que le gouvernement de « Mendès-Wehrmacht » fut le plus conservateur de la législature et que toutes les relances ne peuvent venir que de la majorité sortante. Communistes en équilibre instable, socialistes vieillis, républicains populaires déliquescents, en dix ans s'est évanoui l'espoir qui rassemblait les pères de la IVe République, structurer et rénover la démocratie avec trois partis puissants, homogènes et immergés dans la société civile.

Décombres aussi au-delà des frontières de l'ancien tripartisme. Après avoir fait trembler la République, le RPF a pris congé en catimini. Depuis mai 1953, il a cessé toute action parlementaire et électorale, le système étant « trop liquéfié et l'ambiance trop basse pour qu'on puisse faire quelque chose de positif», constate son chef. Sa presse devient très confidentielle, la rue de Solferino est désertée, les directives venues de Colombey sont souvent contradictoires, sur la décolonisation en particulier, quand Grandval est soutenu tandis qu'on encourage Kœnig. Le général préfère rédiger ses *Mémoires de guerre* et voyager à travers l'Union française. En juillet 1955, il affirme se désintéresser des affaires politiques et le 14 septembre met le RPF en sommeil sans le dissoudre, conservant quelques réseaux d'informateurs et d'hommes de main. Les républicains sociaux surnagent dès lors très péniblement, condamnant mécaniquement un système auquel ils participent, souhaitant une réforme profonde d'un État que quelques-uns rêvent toujours d'abattre. Les radicaux, eux, sont bien présents, mais irrémédiablement divisés par le mendésisme.

---

1. Voir É.-F. Callot (13), p. 226. De 1950 à 1955, les adhérents ouvriers et employés régressent de 20 à 14 %, les étudiants de 3 % à 0,3 %, mais les sans-profession et les retraités passent de 24 à 31 %.

Edgar Faure conduit la fraction qui lui est hostile sous l'étiquette du Rassemblement des gauches républicaines (RGR), fait donner les préfets et tous les moyens officieux à la disposition d'un pouvoir d'intérim pour tenter de rendre claire la trop brillante formule qui orne sa campagne : « Changer, en persévérant. » Face au RGR à Paris, mais prêts à toutes les souplesses en province, les adhérents et les élus du parti radical maintenu par Mendès France hument le vent, activant mécaniquement leurs derniers comités électoraux au sein desquels débarquent parfois comme des Hurons quelques jeunes enthousiastes lecteurs de *l'Express*. A droite enfin, l'Union des indépendants et des paysans qui rassemble les amis de Pinay et de Laniel sous la houlette de Roger Duchet et dont les efforts sont suivis avec attention par René Coty et largement financés par le CNPF ou les lobbies agricoles et coloniaux, regroupe paisiblement ses clientèles stables en agitant l'épouvantail communiste, en accablant Mendès et en glorifiant la stabilisation de Pinay. Mais cette droite modérée est désemparée par l'activisme des poujadistes et la résurgence d'une extrême droite musclée qui a fait de l'Algérie française son cheval de bataille et que Tixier-Vignancour tente de fédérer. Ainsi, toutes les formations qui avaient insensiblement arrimé à droite la Troisième Force sont, elles aussi, impuissantes à trouver la formule neuve et l'élan.

Le dynamisme ne peut donc surgir que des marges sensibles aux motivations réelles de l'opinion publique, puisque les partis classiques se contentent de gérer la consultation sans la passionner. Poujade, très entouré au long d'une campagne active, soigne son image d'homme dangereux pour un régime « de gabegie et de trahison », fustige pêle-mêle les bonzes de la SFIO, Mendès le liquidateur, les Judas du MRP, les asticots du gaullisme qui grouillent sur le cadavre, les « tamanoirs électoraux » du RGR et « Pinay-laHonte », tous ces « contorsionnistes échappés du ballet classique ». Son antiparlementarisme est certes ambigu, qui demande à la fois de nouveaux pouvoirs dans une République « propre » et prétend défendre le citoyen contre leurs excès, mais son « apolitisme » abrite tous les thèmes activistes que la droite d'assemblée répugne à populariser, la xénophobie, le nationalisme virulent de l'Algérie française, la défense des petits contre le capital

•njuivé. Les candidats des listes « Union et Fraternité française »
·ie promettent donc rien, sinon de se battre « contre les trusts
·patrides et le gang des charognards ». C'est bref, mais suffisant
·our « sortir » bien des sortants.

En face, Mendès France, poussé par Jean-Jacques Servan-
'chreiber et *l'Express* inventeurs de la formule, lance un « Front
épublicain » improvisé. En quelques jours, il séduit la SFIO de
Guy Mollet à la recherche de sang neuf, François Mitterrand qui
· entraîne les membres de l'UDSR hostiles à son rival Pleven et
acques Chaban-Delmas qui y trouve une planche de salut pour
es moins découragés des gaullistes. Hâtivement coiffés d'un
ymbolique bonnet phrygien, surveillés de près par un *Express*
·evenu quotidien pour la circonstance et qui suit attentivement
es sondages, ses candidats forment un ensemble disparate mais
ont capables de s'apparenter sur un programme minimal de paix
·égociée en Algérie, de progrès social et de modernisation du
·ays contre « la majorité de Diên Biên Phu ». A l'actif de ce Front
épublicain, sa capacité à mobiliser des jeunes, ses amitiés de presse,
on sens de la formule et sa popularisation des thèmes essentiels
·u mendésisme ou de la « nouvelle gauche ». Et surtout, le soutien
·e l'opinion, majoritairement favorable à cette conjugaison
·'une gauche sans communistes réveillée et confiante dans son
·hef naturel, Mendès France. A la fin de la campagne, 37 % des
·lecteurs souhaitent sa victoire contre 24 % pour la coalition
·ouvernementale sortante et 13 % pour une nouvelle mouture
·'un Front populaire; 27 % veulent que Mendès France soit
·résident du Conseil, contre 8 % pour Pinay, 6% pour Edgar
·aure, 3 % pour Thorez et 2 % pour Guy Mollet et Poujade[1].
·u passif, le flou de son bref programme et son incapacité à
·naîtriser les partis qu'il abrite pour un temps mais dont les appareils
ont décidés à jouer leur propre jeu en cas de victoire.

Se déroule en fait une campagne plus complexe qu'il n'y paraît.
·étrospectivement, on serait tenté de la revivre tout entière domi-
·ée par le drame algérien : ce n'est pas toujours évident au fond
·es circonscriptions et si 25 % des Français font de l'Afrique du
·ord le problème majeur à régler d'urgence, 15 % tiennent à

1. Voir *Sondages*, 1955, n° 4.

placer en tête de leurs préoccupations celui maintes fois rappelé
on l'a vu depuis 1952, des salaires et du pouvoir d'achat, 9 %
souhaitent que soit élargi le rapprochement entre l'Est et l'Ouest
5 % cherchent un logement et 5 % rêvent de stabilité monétaire [1]
Cet éclectisme des priorités est dès lors mieux pris en charge pa
divers groupes de pression catégoriels, favorise un désintérê
pour les fausses hiérarchies fixées par les états-majors de partis e
conduit à singulièrement relativiser les appels solennels au redres
sement français et aux vertus du génie national qu'on lit dan
la presse. A ces objectifs assez flous correspond donc u
combat mêlé et passible de plusieurs lectures. Sur la défensive
la coalition gouvernementale sortante semble ne s'opposer qu'a
Front républicain. Mais, dans l'enlisement des partis, une autr
bataille oppose les forces qui parlent à l'opinion, mendésism
contre poujadisme. Le maintien des apparentements, puisque l
loi électorale de 1951 n'a pas été abrogée, complique encor
l'équation : moins nombreux qu'à la précédente consultation
44 penchant à gauche et 58 à droite, mal maîtrisés par les états
majors du Front républicain et du poujadisme, ceux-ci renforcen
cependant en théorie la position des partis de gouvernemen
contre les forces qui passent pour extra-parlementaires, les com
munistes et les poujadistes. Sur un échiquier aussi brouillé, un
opinion déchirée et consciente qu'on ne la consulte que pou
la recenser ou l'enrôler dans des combinaisons compliquée
s'exprime moins nettement qu'on pouvait l'espérer.

De fait, sort des urnes le 2 janvier 1956 un verdict bégayan
(voir le tableau). Non pas que les électeurs aient boudé la consul
tation : la participation au vote est forte et le corps électora
donne quelques signes de rajeunissement, avec 500 000 jeunes e
renfort, et même d'impatience à trancher, puisque 1 500 00
citoyens négligents se sont fait inscrire en hâte sur les listes élec

1. Enquête nationale de l'IFOP publiée par *l'Express* le 16 décem
bre 1955. La question est : « Quel est, selon vous, le problème d'intérê
national le plus important qui devra être traité par le nouveau gouver
nement après les élections? » L'expansion économique, la stabilité
gouvernementale et la réforme de la Constitution, la retraite des vieux
la question scolaire ou le problème européen ne sont prioritaires qu
pour 2 à 3 % des personnes interrogées.

LES ÉLECTIONS DU 2 JANVIER 1956

inscrits	26 770 895			
exprimés	21 303 102	(79,6 %)		
abstentions				
blancs et nuls	5 467 793	(20,4 %)		

	suffrages exprimés		sièges	
PCF	5 503 491	(25,8 %)	146	(+ 51)
SFIO	3 366 371	(15,8 %)	89	(— 6)
radicaux	3 049 503	(14,3 %)	70	(— 7)
MRP	2 407 197	(11,3 %)	71	(— 13)
indépendants	3 572 565	(16,8 %)	100	(+ 13)
et modérés				
poujadistes	2 476 038	(11,6 %)	51	
gaullistes	927 937	(4,4 %)	17	(— 89)

Source : C. Leleu, *Géographie des élections françaises depuis 1936*, PUF, 1971, p. 79.

torales. C'est l'enchevêtrement des combinaisons auxquelles leur vote donne légitimité qui entretient le trouble : aucune majorité indiscutable ne sort des urnes. En chiffres absolus, la droite avec 10 900 000 suffrages l'emporte de 500 000 voix sur la gauche : utile enseignement sociologique pour l'avenir. Mais les majorités ne se forgent plus autant sur ce clivage, chaque parti comptant d'abord sur lui-même et chaque coalition sur le bon vouloir de ses membres. La plus grande surprise vient de la percée spectaculaire du mouvement Poujade, qui rafle 2 500 000 voix et fait camper 51 élus au Palais-Bourbon où ils pourront jouer les trublions, les utilités ou les renforts pour quelque coalition de droite. Bien installé dans la France stagnante et inquiète du sud de la ligne Saint-Malo/Genève, il n'est pas assez fort pour désorganiser le travail parlementaire, son chef répugne à conclure sur-le-champ des alliances, et son activisme sans projet pourrait bien s'éteindre pour peu que s'installe un pouvoir fort qui satisferait les partisans de l'Algérie française et saurait redorer la République aux yeux des « petits » : sa force est d'appoint, mais elle inquiète, puisqu'un électeur sur 10 a voulu balayer les sortants et peut-être le régime [1]. Autre isolé, le PCF se maintient bien, séduisant un électeur sur 4, récupérant l'électorat qui l'avait abandonné pour le RPF en 1951 et ayant condamné assez fort le poujadisme pour ne pas en être inquiété : il demeure la première force du pays, souffre beaucoup moins des apparentements puisqu'il n'est plus la cible privilégiée des autres partis, retrouvant avec un nombre égal de suffrages les 50 parlementaires supplémentaires que la loi électorale lui avait volés en 1951 et qui défendront, loin des débats idéologiques et des crises du parti dont ne se soucient guère leurs électeurs, la cause des déshérités et des exclus.

La seconde vraie surprise est que le *rush* poujadiste a privé la coalition sortante de centre droit des bienfaits des apparentements et, de fait, c'est une proportionnelle presque intégrale qui a joué. Bien des modérés échouent à quelques voix, dépassés par un mendésiste ou un poujadiste, l'absence de nombreux élus sûrs d'outre-mer se fait sentir puisqu'il a fallu renoncer à faire voter en Algérie, mais les « sortants » ne sont pas écrasés : avec le suffrage d'un électeur sur 3 et 200 élus, ils dépassent de plus d'un million de voix le Front républicain et pourraient prétendre au pouvoir si l'arithmétique des sièges, cette fois, ne jouait pas contre eux. Car la coalition des indépendants, du MRP, de quelques gaullistes et radicaux ne peut plus faire une majorité, les poujadistes ayant planté leur tente; le MRP a accentué son recul sur une situation déjà alarmante en 1951, perdant 13 % de son électorat qui s'est dispersé sur le Front républicain, le poujadisme ou la droite; le gaullisme, comme il était prévisible, devient fantomatique, séduisant à peine un électeur sur 20, éparpillant aux quatre vents

1. « Nous n'avons pas l'intention de jouer les saboteurs », déclare néanmoins Pierre Poujade. En principe, ces élus, où figurent plus de 60 % d'artisans et commerçants, doivent « défendre la République, celle des petits, des humbles, des laborieux ».

80 % de son électorat de 1951. Force est donc de conclure que le Front républicain représente le seul regroupement à peu près cohérent capable de constituer une majorité de gouvernement.

Est-ce un triomphe ? *L'Express* n'hésite pas à l'afficher, annonçant un New Deal, les électeurs les moins avertis des usages parlementaires le croient. Certes, le mendésisme est en ascension, faisant gagner plus d'un million de suffrages aux listes radicales, surtout dans la région parisienne et les zones dynamiques du Nord et de l'Est, tandis que le radicalisme rural est malmené par le poujadisme. A cette poussée, de nombreux catholiques ont contribué [1]. Sans doute aussi, à l'UDSR et chez les républicains sociaux de Chaban-Delmas, la référence à Mendès France a-t-elle été fructueuse. Mais ce mendésisme ne serait rien sans le renfort décisif de la SFIO, qui a maintenu ses positions et même amorcé un léger redressement partout où ses candidats ont été plus fidèles au Front républicain qu'à la « vieille maison ». La coalition qui devait porter Mendès France au pouvoir ne réunissant que 28 % des suffrages et 170 élus, toute solution de Front populaire avec les communistes étant non seulement exclue mais arithmétiquement impossible puisqu'il faut près de 300 voix de députés pour faire un gouvernement, une fois encore le vote des Français n'a pas dégagé une majorité incontestée et remet aux combinaisons d'appareil le soin d'en fabriquer une. Lourd enseignement pour le « système ». Ces élections ferment la parenthèse du mendésisme en remettant la composition du gouvernement au bon vouloir des partis. Déçue, une partie de l'opinion ne l'oubliera pas en 1958 [2].

Pourtant, il y eut bien un heureux tressaillement à gauche, et les 89 parlementaires socialistes sont les arbitres de cette situation confuse. En vieux tacticien parlementaire, René Coty en tire la conclusion que seul Guy Mollet peut devenir le premier président

---

1. Outre Mauriac, des intellectuels catholiques comme R. Rémond, G. Suffert, R. Barrat, P.-H. Simon et H. Marrou ont tenu à rappeler pendant la campagne que des catholiques « peuvent voter à gauche ».

2. Ainsi, protestant contre ce détournement de la volonté des Français par la classe politique, Maurice Duverger donne aussitôt au *Monde*, du 12 avril au 12 juin 1956, une série d'articles plaidant pour l'élection directe du chef de l'exécutif, qui eut un grand écho.

Les suffrages poujadistes

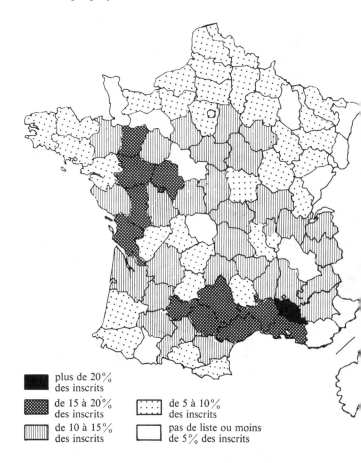

plus de 20%
des inscrits

de 15 à 20%
des inscrits

de 10 à 15%
des inscrits

de 5 à 10%
des inscrits

pas de liste ou moins
de 5% des inscrits

Source : *L'histoire*, n° 32, mars 1981, p. 13.

ution du pourcentage des suffrages favorables
familles politiques rassemblées dans
ront républicain de 1951 à 1956 inclus.

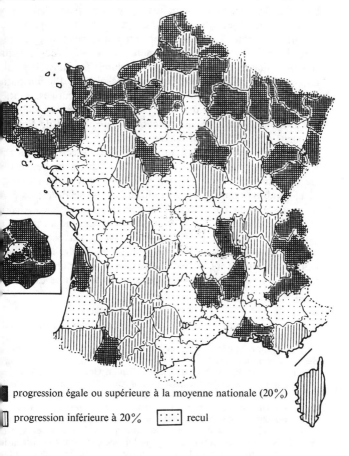

■ progression égale ou supérieure à la moyenne nationale (20%)

▥ progression inférieure à 20%   ▦ recul

Source : F. Goguel, *Chroniques électorales. La Quatrième République*,
Presses de la FNSP, 1981, p. 163.

du Conseil de la législature, sans préjuger d'un avenir où le
poujadistes arbitreraient en sens inverse. Le 26 janvier, acte décis
d'un président de la République dans un régime où on l'imagin
trop volontiers préposé aux seules inaugurations de chrysanthè
mes, il le désigne. La classe politique s'y est préparée depuis tro
semaines, de déjeuners discrets en réunions de congrès [1]. L
majorité sortante à dû constater son impuissance à gouverne
mais Edgar Faure et le MRP marchandent déjà leur éventue
soutien à une majorité nouvelle qui exclurait poujadistes et com
munistes. Les radicaux ont écarté toute solution d'union natio
nale ou de Front populaire. Mendès France, curieusement,
trop redouté la haine des anciens cédistes pour bousculer le
usages en revendiquant une fonction à laquelle tant de França
l'avaient désigné. A la SFIO, réunie au Congrès de Puteaux,
patriotisme de parti a poussé vers le pouvoir son secrétaire généra
Le gouvernement de Guy Mollet, laborieusement constitué
est donc triomphalement investi le 5 février par 420 voix cont
71 et 83 abstentions. Outre les radicaux et les socialistes, les com
munistes ont voté contre le prolongement de la guerre en Algéri
une majorité de MRP et de gaullistes a été sensible au rappel d
« l'union indissoluble entre l'Algérie et la France » dans le di
cours d'investiture, seuls les poujadistes [3] et la droite s'abstie
nent massivement ou votent contre. Un « homme de bon
volonté » reçoit pour première mission de chasser le cauchem
algérien.

1. Sur les tractations et la décision finale, voir J. Lacouture (4
p. 411-416.
2. Afin d'obtenir le soutien du MRP qui est nécessaire pour se pass
des voix communistes mais qui rompt le pacte tacite du Front rép
blicain, Guy Mollet a en effet refusé le Quai d'Orsay à Mendès Fran
et l'a confié au socialiste Christian Pineau, très européen. « PMF
refuse aussitôt sèchement l'Économie qui revient à Lacoste et se conte
d'un honorifique ministère d'État. Mitterrand est garde des Sceaux
Chaban-Delmas ministre d'État chargé des Anciens Combattan
3. Ceux-ci inquiètent. Dans une atmosphère houleuse et sur d
motifs discutables de non-respect de la loi électorale dans la conclusi
de leurs apparentements, 11 élus poujadistes sont invalidés tout
long du mois de février et derechef remplacés par leurs adversai
battus.

Les tomates d'Alger.

Alger aussitôt se charge de lui rappeler sa conception de l'avenir. Non pas que Guy Mollet ait tenu des propos particulièrement inquiétants pour les Européens. Comment aurait-il pu trancher au vif, quand toutes les formations politiques avaient au cours de la campagne entretenu un savant flou artistique? La majorité sortante comme le Front républicain se sont refusé à envisager à terme une quelconque indépendance pour l'Algérie et récusent toute idée de négociation directe avec les rebelles. L'intégration n'est défendue que du bout des lèvres, on brode avec plus ou moins de hardiesse sur les chances d'une « fédération », les communistes soutenant seuls qu'il faudra bien un jour entrer en pourparlers avec des « représentants qualifiés » du peuple algérien. A cette imprécision des projets a répondu l'indécision des urnes : le nouveau gouvernement est investi d'une charge écrasante à défaut d'un mandat impératif. Or l'originalité du Front républicain avait cependant consisté à promettre des élections libres au collège unique, une modernisation des structures économiques et une réforme agraire en Algérie, le futur président du Conseil s'engageant personnellement à surveiller l'application de ces réformes qui éteindront la guerre. Guy Mollet reprend partiellement ces thèmes mendésistes, mais il innove en désignant un ministre à part entière délégué sur place pour imposer la volonté de Paris. Son choix est prometteur : le général Catroux, ancien gouverneur général en 1943-1944, bon exécutant de la politique de détente au Maroc, disciple de Lyautey et républicain très sûr, peut être l'homme de la situation. Le président du Conseil décide de se rendre à Alger, le 6 février, pour consulter et annoncer l'installation de Catroux.

Là-bas, le coup de force est délibérément préparé. Le 2 février, les Européens ont fait une conduite triomphale à Soustelle regagnant Paris. Que Mendès France, le « bradeur », devienne le deuxième personnage du gouvernement, que Mitterrand puisse satisfaire à la Justice les mauvais penchants qu'il avait manifestés jadis à la France d'Outre-Mer, que des élections soient promises et qu'on prétende les surveiller, qu'on tienne enfin pour acquis que Mollet négocie en sous-main avec les tueurs du FLN, ç'en

est trop aux yeux de tous les activistes : Catroux ne passera pas
et Alger imposera sa loi à Paris. Un Comité d'entente des anciens
combattants prend la tête de la mobilisation populaire : parmi
eux, peu de gaullistes ou d'anciens de la 2e DB, mais la vague
des anciens des campagnes d'Afrique et d'Italie, des soldats de
la Ire Armée française et des vétérans de 1914, dans un parfum
très giraudiste et parfois vichyssois. Peu de musulmans — toute
« fraternisation » est encore exclue — mais le peuple des petits
Pieds-Noirs, ouvriers, artisans, commerçants et fonctionnaires,
qui jadis votaient souvent à gauche : dès le 5 février, ils s'assem-
blent pour crier leur amour de cette terre, leur haine des bradeurs
et leur angoisse. Cette foule est une masse de manœuvre idéale
pour ceux qui voient plus loin, et qui le montreront vingt-sept
mois plus tard : les maires défenseurs des grands intérêts qui
suivent Amédée Froger, quelques professeurs de droit et d'économie comme Lambert et Bousquet, un Comité d'action universitaire où Pierre Lagaillarde harangue les étudiants en droit, la
minuscule Union française nord-africaine (UFNA) dévouée à
un exalté du Christ-Roi, Robert Martel, les petits chefs du poujadisme local, le cafetier Joseph Ortiz et le restaurateur Roger
Goutalier, sans oublier quelques gaullistes musclés groupés autour
de l'avocat Biaggi. Ce petit monde forme un Comité de défense
de l'Algérie française, rêve de coup d'État et, sur l'heure, manipule assez bien les anciens combattants et leur piétaille. Pour la
première fois, l'extrême droite métropolitaine a trouvé des troupes
fraîches en Algérie.

Tout se joue en quelques heures le 6. De l'aéroport de Maison-
Blanche à Alger, le cortège officiel qui conduit Guy Mollet glisse
dans un lourd silence musulman. En ville, puis au monument
aux morts où est déposée une gerbe, c'est en revanche l'émeute
européenne. Cris hostiles, service d'ordre débordé, jets d'œufs
pourris, de mottes de terre et de tomates mûres : le président du
Conseil fait courageusement front, regagne péniblement sa voiture et se fait conduire au palais d'Été. Là, bouleversé par cette
haine des humbles, soucieux d'éviter une guerre civile, pressé
surtout par Lambert, préfet d'Oran, et Cuttoli, secrétaire général
du Gouvernement général, il capitule. En quelques coups de
téléphone avec Paris, il est acquis que Catroux doit céder à la

« raison d'État » et donner sa démission. Ce qui est fait : le gouvernement a subi la loi de l'émeute, la guerre est relancée, la République est prisonnière d'Alger. Le soir même, au fort de la liesse des manifestants vainqueurs, une poignée de fidèles de Martel tente de donner l'assaut au palais et d'y saisir l'infortuné président du Conseil. Les paras, cette fois, ne sont pas au rendez-vous. Les hommes de Château-Jobert, impassibles, nettoient les jardins.

Les conséquences de cette reculade sont promptement tirées. A Catroux, après que Savary et Defferre se sont récusés, succède Robert Lacoste, un ancien fonctionnaire entré en politique par le syndicalisme et la Résistance, un socialiste de Dordogne qui ne sait rien de l'Algérie mais n'est pas insensible aux gloires passées de l'Empire, rond, madré, coriace, un « réaliste » qui ne s'embarrasse pas d'idéologie et de scrupules moraux. Sur place, il cajole les militaires et s'entoure de conseillers du cru, à l'exception du préfet Chaussade, père spirituel du plan de Constantine que tentera d'appliquer la Ve République. Véritable proconsul, il affiche une louable détermination de lutter sur deux fronts : gagner la guerre en serrant les poings jusqu'au « dernier quart d'heure » et briser les féodalités sociales et économiques d'un grand colonat oppresseur des indigènes et méprisant pour le petit peuple européen. Guy Mollet, bien décidé à ne plus reparaître en Algérie, lui laisse carte blanche pour appliquer une politique gouvernementale péniblement rectifiée le 16 février devant l'Assemblée. Cette « douloureuse manifestation », dit-on, a exprimé des sentiments profonds et respectables, l'attachement à la France et l'angoisse d'être abandonné : l'indépendance est exclue, le « fait national algérien » ne peut avoir ni réalité historique, ni base ethnique, ni quelconque vertu, 8 millions de musulmans ne pouvant imposer leur loi à 1,5 million d'Européens dans cette province française. Il existe sans doute une spécificité algérienne, mais l'idée d'un État algérien est à rejeter « absolument », les liens entre la France et l'Algérie étant indissolubles : position moyenne, qui sait jouer de l'indécision de l'opinion mais rappelle étrangement la défunte politique d'intégration. Néanmoins, si l'avenir est toujours aussi vague, les étapes du moyen terme sont assez clairement indiquées. « Cessez-le-feu, élections, négociations » : la formule est bien frappée, on va désormais s'y raccrocher. Elle devrait satisfaire la gauche, puisque Paris n'imposera pas de solution définitive, celle-ci devant jaillir d'une négociation menée avec les « personnalités » et « représentants authentiques » de toutes les populations d'Algérie désignées par un vote loyal mais pour lequel la notion de collège unique n'est plus mentionnée. Lesdites élections ne pouvant se dérouler librement que dans une atmosphère pacifiée, aucun calendrier n'étant fixé, tous les partisans de l'Algérie française respirent : dans l'attente d'un avenir démocratique, ce gouvernement fera la guerre pour l'Algérie et tentera de la moderniser [1].

En quelques semaines, les électeurs qui avaient trop cru aux promesses des candidats du Front républicain devront donc se rendre à l'évidence : la paix n'est plus au programme. Fut-ce impuissance, lâcheté, trahison ? Tous ces mots ont été prononcés par d'actives minorités, par nombre de jeunes en particulier, prompts à flétrir ce qu'on nommera le « national-molletisme ». Il faut néanmoins convenir que l'immense majorité des Français se refusa alors à les jeter à la face de ses dirigeants et que toutes les forces politiques du pays applaudirent. On le vit bien du 8 au 12 mars lorsque l'Assemblée remit au gouvernement de terribles pouvoirs spéciaux qui mettaient potentiellement fin à toute vie démocratique en Algérie. Par 455 voix contre 76, les députés — à l'exception des poujadistes et de quelques modérés, dont Paul Reynaud — se dessaisissent là-bas de leur pouvoir législatif, autorisent Mollet et Lacoste à prendre tout décret et « toute mesure exceptionnelle en vue du rétablissement de l'ordre ». Sans doute le rapporteur du projet, le probe socialiste Montalat, tint-il à rappeler qu'il s'agissait encore et toujours de rétablir un climat paisible pour une future discussion courtoise entre honnêtes gens : nul n'y prend vraiment garde. Soustelle souligne que combattre le fanatisme du FLN restaure la puissance de la France et évitera la honte d'un nouveau Sedan, le président du Conseil évoque l'ombre de Léon Blum pour cautionner cette « loi-cadre ». Les communistes eux-mêmes, avec Guyot, se ral-

_____

1. Voir le plaidoyer de G. Mollet sur l'ensemble de sa politique, *Bilan et perspectives socialistes*, Plon, 1958.

lient tout en dénonçant[1] : ils ont certes fermement dénoncé le « complot fasciste » du 6 février et souhaitent désormais des pourparlers « avec les représentants des mouvements algériens et avec ceux qui se battent », mais, au nom de très petites considérations tactiques et, semble-t-il, sur arbitrage de Thorez[2], ils refusent de rompre avec leur espoir tenace d'une éventuelle majorité de Front populaire en condamnant au grand jour ce qu'ils n'approuvent plus.

Toutefois, fort de cet unanimisme aux sous-entendus variés, mais indiscutable, le gouvernement n'entend pas se cantonner dans la répression. Il croit pouvoir construire. En métropole, l'hostilité de plus en plus nette des communistes ne le dessert pas, car elle accrédite sa thèse d'une rébellion manœuvrée par le communisme international et le progressisme tiers-mondiste. Que Mendès France, jugeant inapplicable et inefficace la nouvelle politique algérienne, démissionne de ses fonctions de ministre d'État le 23 mai est sans grand effet : les ministres radicaux demeurent en place, le mendésisme piétine, son parti lui échappe et glisse vers des positions plus favorables à l'Algérie française. Seuls désormais Defferre, Savary et Mitterrand élèveront çà et là quelques objections en Conseil des ministres. Au sein de la SFIO, l'opposition qu'animent Daniel Mayer, Oreste Rosenfeld puis André Philip ou Roger Quilliot ne peut qu'imposer au Congrès de Lille en juillet la thèse d'une lutte sur un « double front », les rebelles et les ultras, à laquelle de son côté se rallie le MRP. Les modérés, la droite et une extrême droite réveillée observent avec une neutralité attendrie ces efforts pour enrayer dans les djebels la décadence française. En Algérie, Lacoste expulse quelques trublions et expédie des étudiants en droit trop nerveux s'assagir dans quelques postes isolés, fait même mine de s'attaquer à Blachette, le « roi de l'alfa ». Mais sans pousser l'avantage et développer la lutte sur ce front. Car il veut accréditer ses réformes, dont la plupart ne font que reprendre les ambitions du Statut de 1947.

1. Voir les textes « officiels », en particulier celui de J. Duclos, dans *le Parti communiste français dans la lutte contre le colonialisme*, Éditions sociales, 1962, p. 119-121, présentés par M. Lafon.
2. Voir Ph. Robrieux (9), p. 439.

Est ainsi favorisée l'accession des musulmans à la petite fonction publique et mis en place un nouveau statut communal par « délégations spéciales », sont acquis relèvements de salaires et programmes de construction de logements et d'écoles, sont créés 8 nouveaux départements : il s'agit de faire lever une élite musulmane, une « troisième force » avec laquelle on pourrait demain négocier. Malheureusement ces efforts butent comme par le passé sur les grands intérêts aveugles. L'ambitieuse réforme agraire prévue par les décrets du 26 mars et du 25 avril, qui visait à exproprier et redistribuer des domaines de plus de 50 hectares, échoue piteusement, tandis que l'agriculture européenne, malgré les troubles, accentue son avance sur les productions indigènes. Grands colons ou notables aux ordres font toujours la loi, et le FLN ne manque pas de souligner cette pérennité du fait colonial et l'impuissance des socialistes de métropole à en desserrer l'étau.

Insensiblement, le gouvernement et son proconsul d'Alger s'enferment donc dans la guerre à outrance. Sans doute Christian Pineau a-t-il tenté de sonder directement Nasser au Caire, et Guy Mollet ne néglige-t-il pas de se rendre à Moscou pour obtenir la neutralité de Khrouchtchev [1]. Sans doute aussi ne refusent-ils pas de faire prendre langue d'avril à septembre en Yougoslavie et en Italie avec des émissaires du FLN : ces contacts sont loin d'être négatifs mais achoppent toujours sur la nature du cessez-le-feu, préalable aux élections pour la France, reconnaissance de la représentativité du FLN et première étape vers l'indépendance pour les Algériens. Mais la logique de l'engagement militaire l'emporte. Les renforts affluent, à la vive satisfaction des militaires placés sous l'autorité de Salan et fort inquiets de voir partout le FLN à l'offensive, l'insécurité gagner l'Oranais et les attentats se multiplier. Depuis août 1955, par rappel ou maintien sous les drapeaux d'une partie des classes 1952 et 1953, les effectifs s'étaient hissés à 200 000 hommes. En six mois d'un effort exceptionnel, prenant à la fois le risque politique et l'engagement moral de jeter la nation tout entière dans la guerre à travers ses enfants du contingent, le gouvernement les double, avec 400 000 hommes en juillet et 450 000 environ à l'été 1957, par rappel

1. Voir *infra*, p. 117-118.

partiel des classes 1951 à 1954 et allongement du service militaire de 18 à 27 mois. Jamais la France n'avait consenti un tel déploiement de forces hors de ses frontières depuis 1830. Ces nouvelles troupes complètent les unités d'active et permettent la mise en place d'un quadrillage enfin systématique du territoire qui, pense-t-on, doit permettre de stabiliser les bandes rebelles, les isoler de la population et les amener à se rendre. En France cette mobilisation de la jeunesse ne va pas sans incidents, vigoureusement attisés par des communistes, quelques militants d'extrême gauche ou des pacifistes chrétiens. A l'automne 1955 déjà, à Rouen ou dans les Landes, quelques rappelés avaient refusé de partir, condamnant à vrai dire moins vigoureusement la guerre que les conditions déplorables de leur encasernement en métropole. D'avril à juin 1956, des manifestations ont lieu aux quatre coins du pays dans les centres de transit et dans les gares. Le parti communiste faisant donner ses relais associatifs ou syndicaux, souvent les accompagnent des pétitions, des débrayages, des protestations de femmes qui vont jusqu'à se coucher sur les rails pour stopper les convois. Feu de paille : la résignation et l'apathie du contingent, bien visibles dès l'été 1956, épousent celles de l'opinion [1]. La guerre est là, il faut la faire.

D'autant plus qu'au long de l'année 1956 le FLN marque des points en fédérant à son profit de nouvelles forces nationales et internationales. Le 22 avril, un même avion conduit au Caire les leaders de l'UDMA, Ferhat ʿAbbās et Ahmed Francis, et ceux des Oulémas : utiles ralliements à sa cause d'élites religieuses, morales et bourgeoises où figurent hommes politiques et diplomates expérimentés. Le 1er juillet, le parti communiste algérien comprend enfin l'inanité de son combat solitaire, conserve ses structures mais invite ses combattants à gagner individuellement

---

1. Les sondages révèlent une ventilation en trois blocs à équilibre à peu près stable en métropole. Entre avril 1956, juillet 1956 et mars 1957, la mobilisation de l'opinion n'est qu'en très légère progression : à la question « Avez-vous confiance dans le gouvernement pour régler les difficultés en Algérie ? », les indécis ne passent que de 36 à 32 et 31 %. L'hostilité se stabilise de 27 à 30, puis 30 %. En revanche, la confiance dans la politique de Guy Mollet ne fléchit pas, bien au contraire : 37, 38 et 39 %. Voir le graphique, p. 147.

les rangs de l'ALN, où ils seront au reste accueillis avec grande
méfiance, malgré l'exploit de l'aspirant Maillot qui a déserté en
avril avec un convoi d'armes, ou l'exemplarité de la résistance
de ses torturés, un Henri Alleg ou, bientôt, un Maurice
Audin. Face au MNA de Messali Hadj, la vieille lutte longtemps
indécise tourne aussi à l'avantage du FLN sur le terrain, Krim
et Amirouche traquant ses dernières bandes armées ou les
dénonçant aux autorités coloniales, quelques-unes vivotant
ensuite sous la protection de l'armée française (celle de Bellounis,
forte de 3 000 hommes, sera longtemps et puissamment aidée
avant d'être liquidée par les paras de Trinquier en juillet 1958).
Cette haine fratricide connaîtra le 28 mai 1957 son horreur suprême,
quand une unité du FLN massacrera 300 hommes du douar
de Melouza soupçonnés de complicité avec le MNA tandis qu'en
métropole, où les partisans de Messali sont mieux implantés chez
les travailleurs algériens, les règlements de comptes entre collec-
teurs de fonds et propagandistes deviennent impitoyables dans
toutes les grandes villes, faisant jusqu'en 1958 sans doute plusieurs
milliers de morts. Ces crimes, vivement exploités par la propagande
française, renforcent en fait, dans une terreur inséparable de la
guerre sainte et de la révolution en marche, l'emprise que prend
peu à peu l'ALN sur les populations algériennes. A preuve l'acharnement que les unités françaises doivent mettre dans la quête
du renseignement sur les agissements des « fells » : le recours
à la torture pour l'obtenir devient indispensable, sinon justifié.
Mieux encore, le FLN démultiplie ses activités. Face aux messa-
listes et aux communistes, il étoffe sa centrale ouvrière, l'Union
générale des travailleurs algériens (UGTA), capable désormais
de conduire des grèves spectaculaires dans les villes, lance l'UGCA
chez les commerçants et l'UGEMA chez les étudiants. S'accélère
donc ainsi le ralliement des populations urbaines, tandis que les
campagnes demeurent parfois incertaines et que l'Algérois et
l'Oranais sont en retard sur le Constantinois, la Kabylie et le Sud.

Le mouvement national trouve alors la force de se doter enfin
d'un programme plus élaboré [1], à l'issue de la réunion clandestine
de tous ses chefs de l'intérieur en août 1956 dans la vallée de la

1. Texte dans M. Harbi (56), p. 160 *sq.*

Soummam. Les hommes de terrain, sous l'influence d'Abbane Ramdane, y affirment leur prépondérance sur les chefs du Caire, posent le principe d'une direction collégiale du mouvement, le laïcisent, lui donnent un ton et un vocabulaire plus révolutionnaire et plus tiers-mondiste, remodèlent l'organisation politico-militaire en wilayas et lui fixent pour objectif prioritaire la construction d'un État algérien. Assurément, cette victoire des intellectuels sur les paysans-soldats, des Kabyles sur les Arabes et des combattants sur les diplomates sera contestée, par Ben Bella et Krim Belkacem en particulier : Ramdane sera exécuté au Maroc au début de 1958, les « colonels » de djebel apprendront à se méfier des théoriciens et ne répugneront pas à faire alliance avec les « révolutionnaires de palaces ». Mais la collégialité de la plate-forme de la Soummam et les buts qui y ont été fixés ne seront plus remis en cause. Cette ardeur politique, cette nouvelle cohérence ne tardent pas au reste à porter leurs fruits au plan international [1]. Malgré la prudence de Moscou, mais forts des réserves que l'administration de Washington et l'opinion américaine émettent de plus en plus haut sur la politique de la France, les diplomates du FLN parviennent à faire inscrire la question algérienne à l'ordre du jour de la XIe session de l'ONU en novembre. A Brioni, en juillet, ils ont obtenu de Nasser, de Tito et de Nehru une affirmation sans fard du droit de leur pays à l'indépendance. Enfin, la solidarité de la Tunisie et du Maroc se fait plus offensive encore : l'ALN peut s'y instruire et s'y reposer, les armes souvent achetées dans les démocraties populaires y transiter. A l'arrière-plan, l'Égypte de Nasser ambitionne le leadership de l'éveil arabe sur les pourtours de la Méditerranée et ne ménage donc pas son hospitalité aux dirigeants de la révolution algérienne, malgré son hostilité aux héros du congrès de la Soummam et d'interminables conflits avec ses hôtes du Caire.

1. La force du FLN est d'avoir alors posé que cette guerre était interétatique, internationale et que la guerre civile dérivait de cette réalité. Les dirigeants français ne l'ont jamais compris. Sur ces problèmes de définition, voir l'excellente analyse de G. Pervillé, « Guerre étrangère et guerre civile en Algérie (1954-1962) », *Relations internationales*, 1978, no 14, p. 171-196. Et le livre très officiel de K. Mameri, *les Nations unies face à la question algérienne*, Alger, SNED, 1969.

Dans ce contexte renouvelé et si peu favorable, la guerre française ne peut que faire alterner manœuvres à long terme et c oups de hasard. L'armée transpose désormais sur l'Algérie ses gloires et ses rancœurs accumulées depuis juin 1940, met son honneur à y défendre la présence d'une France de justice et d'ordre, acceptant, sans que quelques-uns de ses chefs fassent mine d'être dupes, les hommages que lui rend à cet effet le pouvoir républicain. Mais elle sait actualiser sa mission, aidée par un général Chassin ou un colonel Lacheroy, grands lecteurs de Giap. A l'heure de la détente, disent-ils, le communisme agit par la bande, pousse ses pions hors des blocs, attise la révolution des colonisés et la marxise : hier en Indochine, aujourd'hui en Algérie, l'armée française défend le monde libre contre cette subversion implacable et subtile. Il lui faut donc isoler ces « fells », qu'on nomme encore les « viets », en les privant de tout contact avec la population qu'ils veulent se rallier par la terreur et l'endoctrinement. Aux unités d'élite, galvanisées, surentraînées, héliportées, le soin d'anéantir les bandes repérées, par quelques raids pugnaces dans un secteur préalablement cerné et pilonné à la demande par l'aviation. Les parachutistes y réussissent à merveille, gavés d'une morale simple où saint Michel terrasse le dragon et où le boy-scoutisme s'étoffe à la lecture de Saint-Exupéry, adulés dans les bars d'Alger et toujours efficaces au combat. Les autres besognes, qui engagent tout autant l'avenir, reviennent aux unités du tout venant, omniprésentes et gonflées par les hommes du contingent. Au prix d'accrochages sévères, elles tiennent les axes de circulation, assurent la logistique du quotidien, « crapahutent » pour repérer l'ennemi, participent à son bouclage. Au jour le jour, garnisons constituées ou postes isolés ont aussi la charge de contrôler la population, « ratissant » douars et mechtas, vérifiant les identités, cherchant le renseignement, fouillant brutalement les gourbis. Besognes monotones et brutales, qui implacablement détachent de la France tant de villages où, la nuit venue, les « frères » de l'ALN viennent lever l'impôt, soutenir les volontés et faire des exemples sanglants.

Au point qu'il fallut faire preuve d'imagination. L'action psychologique du 5e Bureau, affinée par Lacheroy, multiplie les causeries, les tracts, les films et les bandes dessinées anti-FLN, sans grand succès. On en vint à vider les campagnes, à déplacer des villages entiers vers des camps de regroupement sans plus de résultats. Seule, en fait, une présence quotidienne où la guerre pouvait être par instants oubliée eut quelques effets positifs. L'action des Sections administratives spécialisées (SAS) en zone rurale, celle plus limitée des Sections administratives urbaines (SAU), en furent la meilleure démonstration [1]. Le plus souvent bien commandées par des officiers venus des Affaires indigènes, tirant le meilleur parti des qualifications des jeunes du contingent, artisans, agriculteurs, instituteurs ou infirmiers, elles œuvrent dans la plus pure tradition coloniale d'assistance paternaliste, ouvrant des écoles et des dispensaires, rendant la justice, aidant à rédiger les lettres et les formulaires administratifs et surtout gardant le contact avec la population de leur douar et tentant d'y montrer un autre visage de la France : le FLN ne s'y trompa pas, qui convint avoir eu mille peines à circonvenir ces îlots d'apaisement.

C'était sans compter avec les hasards qui enracinent une guerre. Le 16 octobre 1956, la marine arraisonne l'*Athos*, un cargo chargé d'armes venant d'Égypte : enfin une preuve tangible de la complicité de Nasser! La semaine suivante, le 22, le DC 3 marocain à équipage français qui transportait quatre chefs historiques de l'insurrection, Ben Bella, Boudiaf, Aït Ahmed et Khider, de Rabat à Tunis où ils devaient assister à une importante conférence de solidarité maghrébine avec Bourguiba et Mohammed V, est détourné depuis Majorque sur Alger, où ses passagers sont arrêtés. Le commandant de l'avion a cédé aux injonctions de militaires français aux ordres du général de l'Air Frandon, lequel s'est couvert auprès de Max Lejeune, secrétaire d'État aux Forces armées chargé des affaires algériennes, seul membre du gouvernement qu'on ait pu joindre en toute hâte au téléphone pendant ce week-end. Guy Mollet, averti quant tout est consommé, entérine cet acte de piraterie : cette fois, ce sont les militaires d'Alger qui ont forcé la main au gouvernement. Qu'importent la démission sur-le-champ d'Alain Savary et de l'ambassadeur à Tunis, Pierre de Leusse, les protestations du sultan et le massacre d'une trentaine

---

1. Elles ont été lancées par Soustelle, qui souligne leur filiation avec les « bureaux arabes ». Voir son article dans *Combat* le 28 avril 1955.

d'Européens qu'il laisse perpétrer en représailles à Meknès, ou que les emprisonnés laissent le terrain libre aux « durs » du FLN de l'intérieur, que tout espoir de négociation soit ruiné : la rébellion, croit-on, est décapitée et ses amis du Caire doivent apprendre à trembler devant la fermeté française.

Suez et Budapest.

Or, avec l'affaire de Suez, l'occasion semble propice pour liquider le Raïs et atteindre le FLN dans son centre nerveux du Caire. Au moment même où l'avion de Ben Bella est détourné, une réunion secrète franco-britannique se tient à Sèvres du 22 au 24 octobre, en présence de Ben Gourion, et met au point le scénario de l'intervention militaire des trois puissances amies contre l'Égypte. Un gouvernement à direction socialiste peaufine le dernier acte de la politique de la canonnière au Proche-Orient, des patriotes issus de la Seconde Internationale y assurent en toute naïveté la relève des impérialismes [1].

Tout avait commencé le 26 juillet quand Nasser, devant une foule délirante, avait annoncé à Alexandrie la nationalisation du canal de Suez. Le jeune officier panarabe installé au pouvoir depuis février 1954 avait négocié habilement le retrait des garnisons britanniques d'Égypte, affiché sa brutale hostilité au « sionisme » et conclu des achats d'armes en septembre 1955 avec la Tchécoslovaquie et l'URSS. En dédaignant l'aide des Soviétiques pour leur maintien du *statu quo* au Moyen-Orient, solennellement garanti en mai 1950, les Occidentaux lui ont donné l'occasion de relancer la tension. Que les États-Unis non seulement tentent d'y fédérer les « modérés » au sein du pacte de Bagdad en décembre 1955 mais refusent, le 19 juillet suivant, de s'associer avec l'URSS, la Grande-Bretagne et la Banque mondiale au financement du gigantesque barrage que Nasser veut faire construire à Assouan sur le Haut-Nil, parachève l'évolution des dirigeants du Caire

---

1. Voir P. Milza, « La relève des impérialismes au Proche-Orient », *L'histoire*, n° 38, octobre 1981, et l'ensemble du dossier qui y est consacré à Suez. Analyse critique des témoignages par J.-Cl. Allain dans *Relations internationales*, n° 20, hiver 1979, p. 511-516. La dimension planétaire de l'événement est bien analysée par M. Ferro, *Suez*, Complexe, 1982.

vers un « neutralisme » actif : ils répliquent en s'appropriant les revenus du trafic du canal pour financer l'indépendance et la modernisation du pays.

Tandis que Dulles, malade, et Eisenhower, en pleine campagne électorale pour sa réélection à la présidence, se contentent de surveiller Moscou et de faire alterner vagues encouragements et pieuse indignation morale, le canal n'ayant qu'un faible intérêt stratégique et économique pour leur pays, ce sont la Grande-Bretagne et la France qui clament aussitôt leur indignation, poussées en sous-main par Israël. Eden, le conservateur, et Mollet, le socialiste, prennent la défense des très capitalistes porteurs d'actions de la Compagnie du canal auxquels, du reste, Nasser a promis une juste indemnité. La Grande-Bretagne entend défendre ainsi les derniers vestiges de sa puissance au Proche-Orient. La France, elle, entrelace justifications historiques et urgences algériennes. Non pas que son gouvernement ait été, semble-t-il, unanime. Pineau a cherché à s'affirmer auprès des leaders du Tiers Monde, n'a pas si mauvaise opinion de Nasser et a cru devoir soutenir *a posteriori* que les priorités algériennes ne l'avaient pas alors guidé [1]. Par contre, Bourgès-Maunoury, ministre de la Défense nationale, et son directeur de cabinet, Abel Thomas [2], bien soutenus par Robert Lacoste, Max Lejeune et les militaires, voient en Nasser un fourrier du communisme, un complice du FLN et un néo-nazi antisémite. Guy Mollet, ancien professeur d'anglais, étale une anglophilie à toute épreuve et tranche en faveur des faucons. A petites touches sont ainsi rassemblés tous les arguments de circonstance et toutes les réminiscences favorables à une équipée vengeresse. Ces démocrates sincères rêvent d'une Égypte modérée et laïque, où Neguib, par exemple, pourrait succéder à Nasser, d'une Ligue arabe rendue aux arguments d'un nationalisme assagi et dépourvu de tout fanatisme musulman. Ces résistants qui n'ont pas oublié les camps débordent de sympathie pour un État hébreu qui semble vouloir persévérer dans la voie d'un socia-

1. Voir son plaidoyer, 1956, *Suez*, Laffont, 1976, p. 76. Certaines de ses déclarations de l'époque contredisent tout à fait ces affirmations.
2. Voir les souvenirs très pro-israéliens de ce dernier, *Comment Israël fut sauvé*, Albin Michel, 1978.

lisme concret dans ses kibboutz. Ces hommes, obsédés par la reculade de Munich qui avait brisé la SFIO et livré leur pays, n'entendent pas reculer devant un nouvel Hitler. Qu'on ait pu lire dans *l'Express* un condensé de la très courte *Philosophie de la Révolution* du Bikbachi, que d'anciens nazis se soient effectivement installés en Égypte et y disposent de quelque influence, suffit à les persuader que ce nationalisme agressif pourrait brandir un *Mein Kampf* et préparer un nouvel Anschluss. A l'exception de la presse communiste ou proche du PCF, tous les grands organes d'information, *le Monde* compris, dénoncent le bluff totalitaire de Nasser[1]. Ils avalisent l'ultime argument des politiques, résumé en force par Lacoste : « Une division française en Égypte vaut quatre divisions en Algérie. »

Lever le préalable égyptien pour accélérer la solution du drame algérien, ruiner le prestige du Raïs pour protéger nos gars du contingent, sauver donc la France sur les bords d'un canal confisqué, la hisser même au rang de grande puissance capable d'étaler sa détermination, voilà l'ambition. Dès le 28 juillet, un état-major mixte franco-britannique a préparé un plan de débarquement sur Port-Saïd et Alexandrie au fond du tunnel sous la Tamise où avaient été minutés les plans du débarquement du 6 juin 1944. Cette opération « Mousquetaire » sera doublée en secret par les Français de la livraison accélérée d'armes à Israël et de la mise au point d'une guerre éclair sur le Sinaï qui, lancée et menée de concert, mettra l'État juif au large, tandis que les usagers du canal font tapage et que le Conseil de sécurité de l'ONU tergiverse, bloqué par le veto soviétique et l'attentisme américain. En octobre, on l'a vu, une petite équipe décidée, enrégimentée par les Français, coordonne à Sèvres le *timing*. Sous couvert d'un très machiavélique ultimatum d'avoir à camper sur leurs positions de départ lancé le 30 à l'Égypte comme à Israël, et qui sera évidemment rejeté par Nasser, les Britanniques se laissent convaincre de bombarder le 1er novembre les aérodromes égyptiens, et le 5, six

1. Dans *le Figaro*, Thierry Maulnier croit devoir décrire ainsi le colonel, « le pas martial, la mâchoire forte, les dents longues, le rire féroce et des aboiements en réserve au fond de la gorge ». Sur ce registre, le florilège de presse est inépuisable, à gauche en particulier.

jours après la date prévue tant est médiocre la coordination interalliée de l'offensive, les paras français et anglais sautent avec succès sur Port-Fouad et Port-Saïd, après que les flottes ont bombardé du large les objectifs stratégiques. Moins de quarante-huit heures plus tard, en vue d'Ismaïlia, ces unités sont stoppées, à leur vif dépit [1], sur ordre de leur gouvernement. La « seconde campagne d'Égypte » s'achève lamentablement, alors que l'armée israélienne a, elle aussi, balayé les troupes de Nasser.

A l'origine de ce cuisant échec, bien évidemment, un réveil des Grands. Tandis que l'ONU prévoit un arbitrage, le 5 au soir Boulganine, maniant utilement le bluff, a menacé Londres et Paris de représailles avec de « terribles moyens de destruction moderne », en clair les nouvelles fusées soviétiques à tête nucléaire. Un instant décontenancé par la brutalité du raid allié, Eisenhower, au même instant réélu à la Maison-Blanche, n'entend pas laisser les États-Unis s'enferrer trop loin dans cette guerre mal engagée et ménage leur avenir sur ce point chaud du globe désormais soumis aux convoitises de Moscou. Le 5 également, il laisse prévoir que le pétrole américain ne sera pas livré à l'Europe pour compenser le blocus du canal par lequel transitait le pétrole du golfe Arabique : à l'heure où les ravitaillements en essence doivent être sévèrement contingentés et où les ménagères dévalisent les épiceries, la menace n'est pas mince. Et surtout, il laisse se développer une offensive en règle contre la livre sterling, atteignant la coalition à son maillon faible. Ce double chantage emporte la décision : Eden, très chahuté par l'opposition travailliste, cède le 6 et démissionnera bientôt; les responsables français, convaincus par téléphone de Londres, ne peuvent qu'à leur tour capituler quelques heures plus tard. Le lendemain, l'ONU décide d'expédier ses « casques bleus » sur le canal pendant que reprendront des négociations sous l'arbitrage de Dag Hammarskjöld. Israël, vainqueur dans le Sinaï, est consolidé mais a joint son sort aux impérialismes occidentaux et durablement humilié le progressisme arabe. Le lion britannique sort bien vieilli de l'aventure,

---

1. Les paras français furent acclamés en vainqueurs à Alger à leur retour. Nombre d'officiers s'estimeront trahis par « un gouvernement de lâches ». Voir le général Beaufre, *l'Expédition de Suez*, Grasset, 1967.

le coq français bien déplumé : Américains et Soviétiques prennent leur relève au Proche-Orient. En France, le gouvernement n'est pas loin de croire que ce fiasco est un demi-succès, le demi-échec étant imputé aux Américains. Le 20 décembre, par 325 voix contre 210, l'Assemblée en lui renouvelant sa confiance croit avoir lavé la honte de Munich, préservé l'avenir en Algérie et sauvé à jamais Israël.

C'était à peu près reconnaître les sentiments du pays. Car les Français furent moins mobilisés et moins versatiles que les Britanniques en cette affaire, encore que 58 % d'entre eux aient donné tort à Nasser en août lors de la nationalisation du canal. Mais, l'excitation des médias et le contrôle gouvernemental de l'information aidant, on a pu croire à une guerre populaire [1], dans une floraison d'invectives et de formules bravaches que seuls les communistes désapprouvèrent. Néanmoins, à bien lire les enquêtes de l'IFOP [2], on s'aperçoit rétrospectivement que des solutions diplomatiques sont vivement et continûment souhaitées, que le 3 novembre 44 % seulement de Parisiens contre 37 % approuvent le raid et que cette relative sagesse est confirmée dans un sondage national de mars 1957. Ni jingoïsme, ni « national-molletisme » trop débridé, tout juste un nationalisme de ressentiment sans grand avenir : Suez n'est qu'un sursaut dans le long processus d'indécision et de découragement des Français face aux dures réalités internationales et à la guerre d'Algérie. Mais la classe politique aurait dû lire plus avant les sondages : la popularité de Guy Mollet, qui avait grimpé à 37 % de satisfaits en mars 1956, descend à 30 % en juillet et trouvera son étiage à 20 % un an plus tard [3].

Outre le socialisme expéditionnaire, il fallut connaître en cette fin agitée de l'année 1956 le communisme des blindés. Indubitablement, Français et Britanniques avaient cru pouvoir jouer des

---

1. Voir A. Grosser (5), p. 367 *sq.* Ch. R. Ageron, « L'opinion publique française pendant la crise de Suez », *Cahiers de l'Institut d'histoire de la presse et de l'opinion*, n° 5, Tours, Université François-Rabelais, et J.-P. Rioux, « L'opinion publique dans l'affaire de Suez », *L'histoire*, n° 38, octobre 1981, p. 35-37, donnent une analyse plus nuancée.
2. Voir *Sondages*, 1956, n° 4, et 1957, n° 3.
3. Voir *Sondages*, 1958, n° 4.

convulsions en cours dans les démocraties populaires pour neu-
traliser l'URSS dans l'affaire de Suez. Mauvais calcul : Khrouchtchev ne cédera pas, tandis que des relents de guerre froide compli-
quent la situation intérieure en France. Quelques heures après
l'arrêt de l'expédition d'Égypte, le 7 novembre au soir, des milliers de Parisiens manifestent très violemment devant le siège du
parti communiste rue Le Peletier, tentent de mettre à sac les locaux
de *l'Humanité*, se heurtent à la police et à une contre-manifestation
des communistes, Raymond Guyot et Jeannette Vermeersch à
leur tête. Assurément des éléments d'extrême droite ont attisé le
feu, mais le gros des manifestants qui font connaître à la rue
parisienne une nuit de guerre civile entendaient d'abord protester
de rage impuissante après l'écrasement de la révolte de Budapest,
le 4 novembre, par les chars de l'Armée rouge. Jamais le prestige
de l'Union soviétique n'a été plus bas, jamais en conséquence
le parti communiste français n'a été plus haï et isolé [1]. Il paie ainsi
très durement sa soumission aux aléas de la politique de Moscou :
alors qu'en Pologne les Soviétiques laissent de mauvaise grâce
l'ancien « titiste » Gomulka reprendre la direction du Parti et
canaliser une révolution des conseils très avancée, en Hongrie,
où l'équipe de Rakosi n'a pas su du temps de Staline faire les
réformes nécessaires, ils imposent Kadar et interviennent militairement, noyant dans le sang une révolte qui avait secoué tout
un peuple et porté au pouvoir un communiste libéral, Imre
Nagy [2]. Les dirigeants français saluant sans une hésitation cette
victoire du léninisme, les médias et tout particulièrement les radios
périphériques — très frustrées au même moment par la censure
militaire à Suez — ayant particulièrement bien « couvert » le
drame, la crise éclate aussitôt : mauvaises reprises de carte au

1. 65 % des Français interrogés par l'IFOP en décembre 1956 ont
une mauvaise ou très mauvaise opinion de l'U.R.S.S., contre 13 % une
opinion moyenne et 5 % une bonne ou très bonne. Un an auparavant
les chiffres étaient respectivement de 36, 27 et 13 %. Un an plus tard,
on retrouve pratiquement la même ventilation avec 39, 26 et 11 %. Voir
Sondages, 1958, n° 1, p. 46-47.
2. Voir *1956, Varsovie-Budapest*, textes réunis par P. Kende et
K. Pomian, Éd. du Seuil, 1978. En particulier ceux d'A. Kriegel,
M. Winock et G. Martinet sur les répercussions au sein de la gauche en
France.

début de 1957, protestation ou départ de nombreux intellectuels
du Parti, immense perte de prestige chez tous les compagnons
de route et dans les secteurs de l'opinion sensibles depuis 1944 à
l'audience morale du « parti des fusillés ». L'éclatante rupture
de Sartre avec le Mouvement de la Paix donne de cette désaffection
un illustre exemple [1]. Pour la première fois depuis la Libération,
les anciens communistes deviennent une donnée tangible de la vie
politique : bien des engagements pour la paix en Algérie s'en trouveront ainsi renforcés. Sur la faillite du « progressisme », une nouvelle gauche intellectuelle entreprend de bâtir un autre socialisme.

En fait, le PCF paie d'un coup l'arriéré de son impuissance à
admettre la mort de Staline. On a vu sa très médiocre appréhension
de la réalité économique et sociale du monde ouvrier au cours de
la campagne électorale. Il faudrait la compléter par une large
myopie face à l'évolution des mœurs, étalée à l'occasion de la
campagne hostile au contrôle des naissances passionnément animée
par l'épouse de son secrétaire général. Ce n'est rien cependant
face à la ténacité inquiète de sa direction à nier le processus de
déstalinisation que Khrouchtchev a amorcé, au prix de mille
difficultés à venir, dans son rapport secret au XXe Congrès du
parti soviétique le 25 février et où il dénonçait les crimes de Staline [2]. Des communistes comme Togliatti en font état très tôt,
le Monde en amorce la publication le 6 juin. Thorez, Duclos,
Cogniot et Doize, qui composaient la délégation française à laquelle
le texte fut communiqué pendant quelques heures, persistent à
nier dans un premier temps son authenticité, puis ne consentent à
confirmer son existence « attribuée au camarade Khrouchtchev »
que le 19 juin devant le Bureau politique, mais ne soumettent aux
militants que les termes très édulcorés de la « version » publiée
par la *Pravda* le 12 juillet [3] : à l'évidence, Thorez joue toujours

1. Voir *infra*, p. 322.
2. Voir B. Lazitch, *le Rapport Khrouchtchev et son histoire*, Éd. du
Seuil, 1976, et les textes réunis par R. Martelli, *1956, le Choc du XXe Congrès du PCUS*, Éditions sociales, 1982.
3. Voir Ph. Robrieux, *Maurice Thorez*, Fayard, 1975, chap. VIII.
Le parti français ne sera informé des crimes cités dans le rapport qu'en
octobre 1961 et la communication de son texte à sa délégation ne sera
avouée publiquement dans *l'Humanité* que le 13 janvier 1977, au cours
d'une campagne de presse vigoureusement lancée par J. Elleinstein.

Molotov contre Khrouchtchev et s'angoisse à l'idée d'étaler tant d'erreurs soviétiques qu'il a si docilement avalisées depuis 1930. Budapest parachève donc une évolution à rebours : sur la défensive, le parti communiste perd le bénéfice de sa réinsertion partielle dans le jeu national, ruine ses espoirs d'une majorité de front unique ou populaire dans l'Assemblée nouvelle, accepte délibérément d'être amoindri et isolé. Avec une SFIO majoritairement favorable à la politique de Guy Mollet, il contribue à disqualifier les forces de la gauche « classique » aux yeux de nombreux Français.

Grandeur et décadence du « molletisme ».

Il faut toutefois porter au crédit du gouvernement sa volonté de ne pas succomber à l'obsession de l'Algérie et d'avoir tenté de mettre en œuvre une politique qui étale la panoplie du progrès dans sa version socialiste. Dès les premières semaines, l'inévitable bataille laïque avait été opportunément réactivée pour rameuter en terrain sûr les énergies : campagne de presse et meetings agitent le « scandale » de la loi Marie-Barangé, on reparle d'une nationalisation de l'enseignement ou, pour le moins, de réserver les fonds publics à l'école publique [1]. L'offensive fait long feu, sur réticences de l'UDSR et surtout, bien évidemment, du MRP, puis est définitivement abandonnée dans la bourrasque de Suez et de Budapest : le rapport Cartier demandant l'abrogation de la loi cléricale, dont l'examen est demandé à l'Assemblée le 25 octobre, est ignoré le 8 novembre sur question préalable du MRP. Parallèlement, dans un mélange d'anticommunisme à conforter et de tenace nostalgie de l'unité organique du mouvement ouvrier, une délégation de la SFIO a, pour la première fois depuis le congrès de Tours, franchi officiellement en mai le rideau de fer et subi à Moscou une offensive idéologique de charme de Khrouchtchev :

1. On lance aussi une négociation avec les évêques et le Vatican. Elle explore fort avant jusqu'en mai 1957 l'éventualité d'un nouveau Concordat où l'Église accepterait un examen de ses privilèges de fait sur l'enseignement, les aumôneries militaires, les congrégations, l'Opus Dei et les particularismes en Alsace-Lorraine. Voir R. Lecourt, *Entre l'Église et l'État. Concorde sans concordat* (1952-1957), Hachette, 1978.

Mollet et Pineau lui succèdent en ce même mois de mai, bavardent sur le désarmement sans obtenir le moindre engagement mais reçoivent un précieux *satisfecit* sur «l'esprit libéral» avec lequel ils envisagent une solution du problème algérien. Ouverture et fidélité : un souffle socialo-gaullien passerait-il sur la politique française?

Les plus tangibles résultats furent acquis sur le front européen. La SFIO est convaincue que, l'hypothèque de la CED étant levée, une communauté européenne en se développant activera l'internationalisme et favorisera l'équilibre mondial : Guy Mollet s'est très officiellement associé au Comité d'action pour les États-Unis d'Europe de Jean Monnet. L'Europe politique étant sur l'heure impossible, la Grande-Bretagne restant sourde à toutes les avances des Six depuis 1953 et les socialistes français, dont on a déjà observé l'anglophilie à propos de Suez, ne voulant rien faire avancer sans elle, les progrès ne peuvent venir que d'une extension des échanges économiques et scientifiques. Dans la foulée de l'heureux développement de la CECA, c'est une organisation commune de l'énergie atomique pacifique qui vient en discussion, sous l'impulsion de Spaak et de Pineau : l'Assemblée accepte le projet d'Euratom en juillet 1956. Cette coopérative nucléaire ouverte à tous — c'est-à-dire, un jour, à Londres — n'interdit pas à la France de vouloir l'arme atomique, même si Paris s'est interdit sa fabrication jusqu'en 1961: tandis que le général Blanc, chef d'état-major, met sur pied la brigade «Javelot» qui préfigure les divisions modernes dotées d'armes nucléaires, le Commissariat à l'énergie atomique est chargé le 30 novembre de fournir le plutonium, le général Ailleret élabore le programme de fabrication et choisit en juillet 1957 le site de Reggane au Sahara. La France aura sa bombe : incontestable héritage, dont la Ve République se gardera de faire trop expressément état. Puis, le contentieux de la Sarre étant réglé par l'accord franco-allemand signé à Luxembourg le 5 juin 1956 qui facilite le retour officiel de celle-ci à l'Allemagne fédérale au 1er janvier 1957, le gouvernement sait passer outre aux cris conjugués des communistes, des gaullistes, d'une partie même des socialistes et des industriels libéraux en retard d'une bataille. Révélant une bonne appréciation des nouvelles donnes de la concurrence mondiale, il prend le risque calculé de relancer la discussion à la conférence de Venise de mai 1956 puis de signer à Rome le 25 mars 1957 les traités qui instaurent l'Euratom et la Communauté économique européenne (CEE), plus connue sous le nom de Marché commun. L'accord de Rome sera ratifié sans grand problème le 10 juillet suivant à l'Assemblée [1]. Sans doute ce traité d'union douanière, qui prévoit pour le 1er janvier 1958 une libre circulation progressive des marchandises et des hommes entre les Six, heurte-t-il les dirigistes, y compris au sein de la SFIO ; sans doute aussi faudra-t-il solidement protéger nos agriculteurs, intégrer les territoires d'outre-mer et laisser la porte ouverte aux Britanniques. Mais ses tendances à la supranationalité et à la libre activité des trusts ne sont-elles pas corrigées par la latitude laissée aux politiques nationales ? Cette Europe reprenant sa marche n'est-elle pas la meilleure solution pour éviter une balkanisation du vieux continent et l'attirance de l'Allemagne vers l'Est ; sa neutralité active face aux Grands ne laisse-t-elle pas une chance, demain, à un socialisme raisonné ? Ces paris d'avenir sont pris en toute lucidité.

Avec la même opportunité, le gouvernement aurait pu racheter partiellement par sa politique de l'Union française ses faiblesses algéroises. Dans la suite logique de l'action de Mendès France et d'Edgar Faure et sous l'impulsion d'Alain Savary, des négociations relativement détendues et un accord reconnaissent le 28 mai 1956 au Maroc ses prérogatives d'État souverain, nonobstant l'irritante question de l'Algérie qui les rendra bien vite très conflictuellement applicables. De même, Bourguiba ayant été reçu avec les honneurs d'un chef d'État dès le 2 février, l'indépendance de la Tunisie est acquise le 20 mars, à charge de régler plus tard la question du stationnement des troupes françaises à Bizerte et de la protection des frontières avec l'Algérie. Avec doigté et conviction, les négociateurs, Savary toujours à leur tête, naviguent bien et préservent quelques chances de coopération future. Dans le même esprit, qui ne manque pas de jouer son rôle positif dans les instances internationales saisies de l'affaire algérienne, la loi-cadre rondement élaborée par Gaston Defferre, l'actif maire de

1. Par 342 voix contre 239. On y voit Mendès France arguer de la mauvaise santé de l'économie française pour voter contre le traité.

Marseille qui s'est distingué par son ouverture et son désir de négociation en Indochine et qu'on a utilement installé à la France d'Outre-Mer, promulguée le 23 juin, instaure partout ce suffrage universel direct et ce collège unique qu'on hésite dans le même temps à promouvoir en Algérie : dans le calme, de solides élites politiques, souvent familières du Palais-Bourbon et même du gouvernement depuis la Libération, assurant une bonne transition, le Togo sous tutelle s'émancipe, Madagascar se prépare à l'indépendance, une université africaine est créée à Dakar, une Organisation commune des régions sahariennes tente d'aplanir quelques problèmes de frontières et de préserver au bénéfice de la France leur avenir pétrolier[1]. L'évolution sans heurts insurmontables de l'Afrique noire vers l'indépendance, qu'accélérera sans l'avoir amorcée la Communauté instaurée avec la Ve République, est acquise. L'idée d'un Commonwealth noir à la française n'est plus tout à fait à exclure.

Il était enfin dans la logique des ambitions socialistes qu'une active politique économique et sociale soit développée. Un grand ministère des Affaires économiques, grossi de 8 secrétariats d'État et confié d'abord à Lacoste puis, lorsque celui-ci s'envola pour Alger, à Ramadier, devait accompagner la croissance et stimuler l'investissement, galvaniser le secteur public et le Plan, dans une euphorie keynésienne qui ne se préoccupait pas outre mesure des compétences des responsables ni des stricts équilibres financiers et budgétaires. Un ancien syndicaliste, Albert Gazier, couvrait, lui, le Travail et la Santé, avec mission d'étendre aux plus humbles les bienfaits de l'État-Providence. L'héritage d'Edgar Faure n'est pourtant pas de tout repos, avec un déficit creusé, une reprise de l'inflation, des menaces prévisibles sur le franc et un retour au déséquilibre des échanges extérieurs. Mais, une bonne conjoncture aidant, la production industrielle s'accroissant de 10 % en 1956 et de 9 % l'année suivante, c'est sans trop de risques que le gouvernement peut agir. Dès le 28 février 1956, dans un élan de fidélité au Front populaire et sur le modèle de la politique sociale de la

---

1. Le pétrole vient en effet de jaillir à Hassi-Messaoud. Voir J.-L. Quermonne, *l'Organisation commune des régions sahariennes*, Librairie générale de droit et de jurisprudence (LGDJ), 1957.

Régie Renault, une troisième semaine de congés payés annuels est accordée aux salariés : elle relance le tourisme populaire, développe le caravaning et amorce la faim des voyages exotiques chez les plus aisés. Sont ensuite réduits d'un tiers les abattements de zone des salaires, utile accompagnement de la décentralisation industrielle et tentative de réduction des écarts croissants de niveau de vie entre Paris et la province. Et surtout, le lancement d'un Fonds national de solidarité amorce la révolution du droit à la vieillesse dans une France qui rejette désormais par trop cyniquement ses anciens improductifs. Géré par la Caisse des dépôts, financé par une augmentation de 10 % de l'impôt sur le revenu, par divers prélèvements sur les spéculations boursières et les ressources foncières, par une taxe sur les automobiles surtout, cette « vignette » appelée à un bel avenir fiscal, ce Fonds doit verser environ 32 000 francs par an aux vieillards nécessiteux, aux infirmes, aux grands malades et aux invalides. C'est peu, mais le mouvement est lancé, malgré la majorité de droite du Conseil de la République, qui fait entamer au projet la guérilla du portefeuille avec une interminable navette et 7 questions de confiance qui retardent son adoption jusqu'en juin : l'égoïsme social a toujours un avenir, tandis que des contribuables grognent [1].

Au grand effroi de ses adversaires, des indépendants en particulier, alertés par cette vague de socialisation et d'étatisation, le gouvernement dépose en outre nombre de projets et instruit des dossiers d'avenir. A un rythme parlementaire très vif, se succèdent : une loi-cadre de Bernard Chochoy sur le logement, qui fait lancer 320 000 constructions en 1956, tente d'industrialiser et d'assainir les professions du bâtiment, facilite la construction de groupe et donne priorité aux HLM et au logement social sur les appartements de luxe et l'accession à la propriété, sans oublier l'amélioration de l'habitat rural ; puis un projet de loi-cadre agricole qui surveille les prix, aide à la vulgarisation du progrès technique, lance les coopératives d'utilisation du matériel (CUMA) et active l'aide sociale ; le 18 mai, un « plan breton » d'aide au développement, qui doit servir de modèle aux politiques d'aménagement du territoire,

1. Voir *infra*, p. 221-222.

tandis que sont lancés l'usine marémotrice de la Rance, la centrale
nucléaire d'Avoine et le projet de canalisation de la Moselle;
enfin, à l'Éducation nationale, René Billères aide l'enseignement
technique et amorce sa réforme avec allongement de la scolarité,
« tronc commun » qui facilite l'orientation et esquisse d'assou-
plissement des méthodes pédagogiques. Dans bien d'autres
domaines, les projets auraient pu aboutir, comme l'amorce d'une
réforme fiscale avec la taxe locale, la réforme constitutionnelle
sur l'Union française, l'arbitrage obligatoire des conflits du travail,
les nouveaux droits pour les comités d'entreprise et l'extension
du remboursement des frais médicaux. Ce train de réformes doit
être bientôt abandonné, faute de crédits suffisants. Mais sous son
apparent désordre transparaît une assez belle volonté de modernisation économique et de justice sociale dont la Ve République
saura recevoir l'héritage sans le reconnaître.

Une fois encore, le verdict fut financier, et cette fois encore à
l'étonnement vertueusement indigné de la gauche au pouvoir.
Le terrible gel de l'hiver 1956 a menacé les cours des produits
agricoles, mais le jeu économique métropolitain n'aurait sans
doute pas davantage que sous Pinay ou Edgar Faure déséquilibré
le budget public : les recettes fiscales couvrent à 75 % environ
les dépenses comme par le passé, le budget de 1957 présenté par
Ramadier pourrait réduire le déficit, les salaires sont contenus,
avec recours il est vrai à de très douteuses manipulations des
indices pour ne pas faire jouer les mécanismes de réajustement
automatique de l'échelle mobile, les prix de gros ne passent que
de l'indice 141 à l'indice 143 de janvier 1956 à avril 1957, les
emprunts lancés par Ramadier en juin et en septembre 1956 sont
couverts. C'est la guerre d'Algérie qui fait tout échouer, son
boulet qui ruine les projets à long terme, ses échecs qui déteignent
sur l'ensemble de la politique de Guy Mollet. L'envoi du contingent a en effet privé l'économie en 1956 de 200 000 producteurs
jeunes et souvent dynamiques. Dès lors, la demande non satisfaite
s'alourdit tandis que l'offre s'amenuise : le manque à gagner
représente environ 1,5 % du PIB, l'inflation de déséquilibre
reprend et s'étalera en 1957 et 1958. S'enclenche désormais le
cercle qui élargit le déficit : la demande est satisfaite par de nouvelles importations qui accroissent le déficit commercial (413 mil-

liards en 1956) et touchent la balance des comptes. 300 milliards supplémentaires de dépenses militaires rendent insupportables les 350 milliards de nouvelles dépenses civiles qu'on pouvait estimer nécessaires pour financer la politique économique et sociale. Malgré la résistance pied à pied de Ramadier, le déficit budgétaire se hausse à 925 milliards en 1956 et dépassera 1 100 milliards en 1957 contre 650 milliards en moyenne de 1952 à 1956. Les réserves monétaires fondent, le franc est menacé dès qu'il faut faire face à de nouvelles importations, à des approvisionnements de pétrole coûteux pendant la crise de Suez et à des achats de matériel de guerre. La production progresse sur sa lancée, mais les caisses publiques se vident inexorablement. En s'entêtant en Algérie, le gouvernement ruine sa politique sociale de mieux-être.

Du même coup, il disloque la majorité qui le soutenait. Dans la perplexité des Français et l'indécision des groupes, sa politique algérienne lui assurait le confortable soutien négatif de tous ceux qui refusaient l'indépendance et même la négociation. Qu'elle ruine le franc et le budget, que ce cabinet très homogène persévère dans ses ambitions de réformes sociales coûteuses, qu'il prétende même s'attaquer à quelques privilèges, favorise la conjonction des intérêts et de l'immobilisme. On l'avait bien vu lors d'une élection partielle à Paris en janvier, où un indépendant très « Algérie française » est triomphalement élu tandis que les candidats de gauche se déchirent et que le mendésiste et Pierre Poujade lui-même mordent la poussière. Le même phénomène se reproduit lors d'une autre partielle à Lyon en mai. Le printemps 1957 additionne donc les mécontentements, capitalisés par les modérés et la droite, contre le peuplement socialiste de l'État, contre les projets fiscaux de Ramadier, contre une réforme de la profession médicale préconisée par Gazier, contre Mollet lui-même, menacé en outre à l'intérieur de son parti. Une coalition des communistes, des poujadistes et de 75 modérés ou radicaux, le renverse le 21 mai 1957 sur ses projets financiers. Nul n'est dupe. Le plus long gouvernement de la IVe République meurt d'épuisement pour n'avoir pas levé l'incertitude coupable qu'il avait entretenue depuis le 6 février 1956 : élu pour tenter la paix, il a étendu la guerre non seulement en Algérie mais dans la nation tout entière ; impuissant à imposer à Alger une honorable et réaliste négociation, il n'a pas davantage su convaincre les jusqu'au-boutistes qui le suivent depuis longtemps d'organiser une économie de guerre. Il est perdant sur tous les tableaux, toujours à la merci de l'événement et à la traîne de ses erreurs. Pis, sa défaite outrepasse les limites du politique : des Français l'ont condamné au nom de la morale.

C'est en effet sur ce terrain qu'il faut, pour conclure, circonscrire l'inévitable retour à l'Algérie. Les bienfaits potentiels du quadrillage n'étant pas immédiatement perceptibles, la fin de 1956, Suez aidant, y est difficile. A partir d'octobre on y vit au rythme de 3 000 attentats mensuels, les embuscades persistent, les ratissages se font en retour plus durs. Et surtout, le terrorisme du FLN s'étant davantage concentré dans les villes, la haine et la douleur y appellent contre-terrorisme et bataille rangée [1]. Dans l'esprit d'Abbane Ramdane, fixer avec une particulière intensité le combat en Alger montrerait l'emprise du mouvement national sur toute la population et ouvrirait la phase finale de l'insurrection libératrice. Sont en conséquence mises sur pied de guerre les forces qui y avaient été patiemment mises en place par Yacef Saadi et ses commandos, lesquels ont su nettoyer la Casbah de sa pègre, résister à une vaste opération de police le 26 mai 1956 et surveiller le bon fonctionnement des structures parallèles. Leur intervention dans les quartiers européens dès août, en réplique à l'attentat de la rue de Thèbes perpétué par des activistes et en application des directives du congrès de la Soummam, se systématise en septembre. Le 30, leurs bombes explosent au *Milk Bar* et à la *Cafétéria*, deux établissements très fréquentés du centre, laissant 4 morts et 52 blessés, parmi lesquels de nombreux enfants. Une grève scolaire puis une grève générale accompagnant en novembre et décembre une multiplication des attentats, la population européenne réagit par une terrible ratonnade le 29 décembre, jour des obsèques d'Amédée Froger tué la veille par Ali la Pointe. Pour

1. A la fin de 1956, Paul Teitgen n'a aucun mal à faire déjouer par la police le complot du général Faure. Plus étrange est « l'affaire du bazooka », où les responsables algérois et métropolitains d'un attentat meurtrier contre l'état-major de Salan en janvier 1957 ne furent guère pourchassés. Voir le témoignage de R. Salan lui-même, *Mémoires*, Presses de la Cité, 1974, t. 3, p. 115-134.

briser la psychose et saboter la grève générale illimitée des musulmans qui se prépare, Lacoste confie le 7 janvier 1957 à la 10e division parachutiste qui rentre d'Égypte et à son chef, le général Massu, le soin de rétablir l'ordre, avec tous les pouvoirs [1]. La bataille d'Alger commence.

Elle se terminera victorieusement pour les Français en octobre, après l'arrestation ou l'exécution de tous les chefs locaux du FLN, le démantèlement de ses réseaux et le ralliement de quelques musulmans à la « fraternisation » avec les forces de l'ordre. Massu a habilement quadrillé la ville, isolé les quartiers musulmans et fait massivement ficher leur population. Dans l'éclat des bombes qui progressivement s'espace, ses paras perquisitionnent, regroupent, arrêtent, usant d'un matériel moderne, tissant des complicités, soudés en petits groupes efficaces et fort appliqués à la tâche. Et interrogent. De fait, la bataille n'est gagnée que par un recours conscient et systématique à la torture des suspects [2], dans des centres de triage ou de transit et à la villa Susini, pour arracher le renseignement indispensable et isoler les combattants du FLN. Ces méthodes, couvertes par les autorités de la République et que Paul Teitgen, secrétaire général de la Police à Alger, sera un des rares à dénoncer en donnant sa démission [3], jettent les premiers doutes sérieux sur la légitimité de cette guerre dans l'esprit de Français jusqu'alors peu accessibles aux cris isolés de protestations qui s'étaient élevés. Tandis que le gouvernement mul-

1. Par le canal du Dispositif de protection urbaine (DPU) créé le 4 mars 1957, elle recevra l'aide, avec la bénédiction de Lacoste, des milices contre-terroristes européennes, qui organisent leur centre de torture privé à la villa des Sources.
2. Voir le « franc » plaidoyer de J. Massu, *la Vraie Bataille d'Alger* (Plon, 1971), qui justifie l'usage de la « gégène », et la réplique indignée de J. Roy, *J'accuse le général Massu*, Éd. du Seuil, 1972.
3. Le 12 septembre 1957, après qu'une première lettre de démission a été refusée le 24 mars. Paul Teitgen a couvert 24 000 assignations à résidence : selon lui, 3 000 personnes devaient ensuite disparaître, torturées, exécutées ou disparues. Voir Y. Courrière (50), t. 2, p. 289. De même, ayant publiquement désavoué les méthodes de Massu, le général de Bollardière est condamné à 60 jours de forteresse. Voir son témoignage, *Bataille d'Alger, bataille de l'homme*, Desclée de Brouwer, 1972.

tiplie les saisies de presse, surveille et fait censurer très cyniquement les journalistes de la radio nationale et jette en pâture aux protestataires la création *in extremis* en avril d'une « Commission permanente de sauvegarde des droits et libertés individuelles [1] », une poignée d'intellectuels vomis par Lacoste a remporté sa première victoire dans cette nouvelle affaire Dreyfus. Henri Marrou, professeur à la Sorbonne, inquiété pour « France, ma patrie... », son libre propos du *Monde* le 5 avril 1956, l'ancien routier Jean Muller, tué au combat dont les *Cahiers du « Témoignage chrétien »* publient le 15 février 1957 le terrible dossier accusateur, le « Comité de résistance spirituelle » qui fait paraître en mars la brochure *Des appelés témoignent*, René Capitant protestant publiquement contre la mort, sous les tortures, de son ancien étudiant Ali Boumendjel, tant d'autres [2], témoins au sens le plus

---

1. En fait, depuis le rapport Mairey sur l'extension des tortures pratiquées par la police fait à Edgar Faure en mars 1955, repris et complété en décembre 1956, les responsables politiques sont avertis. Et refusent de laisser divulguer ces rapports accusateurs. La Commission de sauvegarde n'a donc pas pour objet de renseigner le gouvernement mais de calmer les « chers professeurs ».

2. Étonnant printemps 1957 ! Fin février paraît la lettre à René Coty de 52 officiers algériens de l'armée française qui lui font part de leur angoisse et seront incarcérés (voir A. Rahmani, *l'Affaire des officiers algériens*, Éd. du Seuil, 1959). S'impose en mars l'appel de P.-H. Simon, *Contre la torture*, qu'entend H. Beuve-Méry dans *le Monde* du 13 : « Dès maintenant, les Français doivent savoir qu'ils n'ont plus tout à fait le droit de condamner dans les mêmes termes qu'il y a dix ans les destructions d'Oradour et les tortionnaires de la Gestapo. » En avril, *Esprit* publie « La paix des Nementchas », terrible texte d'un jeune agrégé d'histoire, Robert Bonnaud, qui rentre horrifié de sa zone opérationnelle. Des universitaires se mobilisent, un Comité pour la Défense des libertés et la paix en Algérie sensibilise les enseignants du second degré et porte à sa tête quatre femmes : Bianca Lamblin, Madeleine Rebérioux, Andrée Tournès et Geneviève Tremouille. Le général de Bollardière félicite le 27 mars J.-J. Servan-Schreiber pour son *Lieutenant en Algérie* publié en articles dans *l'Express*. Et Vercors, l'homme du *Silence de la mer,* entreprend dans *Sur ce rivage* de décrire un ancien déporté devenu à son tour tortionnaire : cercle tragique de la mémoire collective. Pour une typologie des oppositions à la guerre, voir P. Vidal-Naquet, « Une fidélité têtue. La Résistance française à la guerre d'Algérie », *Vingtième siècle. Revue d'histoire,* n° 10, avr.-juin 1986, p. 3-18.

haut, ont posé la seule question d'avenir : que vaut une République baptisée dans la Résistance qui renie ainsi ses principes, de quel poids peut peser un gouvernement à direction socialiste qui la laisse ainsi gangrener ? La blessure est au cœur. Mais à leur cri qui sauve l'honneur a déjà répondu celui de la foule européenne aux obsèques de Froger : « L'armée au pouvoir ! »

4

La chute

Le 9 octobre 1957, rompant un silence de dix ans, Félix Gouin s'inquiète : « Ce qui frappe, c'est l'atonie, l'indifférence presque totale de l'opinion publique. C'est le signe d'une grave désaffection pour le régime parlementaire. Si demain celui-ci se trouvait en danger, il risquerait de ne pas trouver plus de défenseur que n'en avait trouvé la IIe République lors du coup d'État de 1851. » Hier la hantise de Munich, demain celle d'un Bonaparte : à défaut de pouvoir avancer un projet, la République cultive le ressentiment historique. Que pourrait-elle faire d'autre, quand l'Assemblée et les partis sont incapables de traduire le suffrage universel en majorité, quand les Français boudent et que les vents mauvais se lèvent ? Empêtrée dans son impuissance, elle s'écroule, minée autant qu'abattue. Le 9 décembre 1957, un grand commis de l'Empire, membre démissionnaire de la Commission de sauvegarde installée par le gouvernement Mollet, Robert Delavignette, prophétise : « Ce qui m'a paru le plus grave, ce n'est pas seulement les atrocités, mais le fait que l'État se détruit lui-même. Nous assistons en Algérie à une décomposition de l'État et cette gangrène menace le pays même[1]. » Le lacet algérien se resserre.

La question.

Une majorité de rencontre, sans cohésion et sans programme, a remercié le 21 mai 1957 une coalition minoritaire installée depuis plus d'un an et qui n'avait pas tenu ses engagements électoraux : point de non-retour, où la volonté populaire est dilapidée, où l'événement n'est plus maîtrisé. Car l'arithmétique parlemen-

---

1. Cité par P. Vidal-Naquet (61), p. 89.

taire incertaine des urnes de 1956 joue à plein, comme au temps de la Troisième Force déclinante. Les extrêmes étant réputés inassimilables, 200 parlementaires environ sont exclus du jeu, communistes, poujadistes et activistes variés. Un peu moins de 400 autres dansent un ballet d'ombres à la recherche d'une impossible majorité, puisqu'on ne peut pas gouverner sans les socialistes et pas davantage contre les indépendants et les paysans. Or les indépendants viennent précisément d'abattre le gouvernement Mollet. Pis encore, ces agrégats instables sont eux-mêmes sans cohérence : l'Algérie disloque les groupes, trouble les consciences et brouille les vieux signes de reconnaissance. « La moindre dissidence renversera l'équilibre », observe André Siegfried [1]. A supposer qu'un équilibre potentiel existe, puisque les coalitions ne peuvent plus être négatives et que le jeu du balancier est raccourci.

Une solution de gauche est moins que jamais possible. Les communistes, encore sous le choc de Budapest, colmatent les brèches, refont péniblement surface mais doivent renoncer à leurs espoirs de Front unique avec une SFIO qui condamne tous les bourreaux de la Hongrie. Les socialistes campent donc, incontournables, dans leur situation stratégique de flanc gauche et de force majeure de toute autre solution parlementaire s'étalant vers les marais du centre. Leur secrétaire général joue au sage du régime, conseille volontiers René Coty, attend son heure, tout en reprenant brutalement en main l'appareil de la cité Malesherbes : avec l'exclusion d'André Philip le 25 janvier 1958, l'opposition de gauche y est contrainte à préparer discrètement sa dissidence. Rien ne se fera donc désormais sans l'aval de Guy Mollet, et la crise du 13 mai confirmera cette règle. Le MRP aurait-il néanmoins sa chance en forçant la main aux socialistes et en amadouant les modérés ? L'échec de Pflimlin pressenti le 29 mai 1957, la confusion de son congrès de juin, mettent à nu la faiblesse d'une formation qui ne peut se raccrocher qu'à la construction européenne pour conserver une cohérence minimale : la SFIO dénonce invariablement son cléricalisme, la droite son idéalisme catholique perni-

---

1. Préface à *l'Année politique*, 1957, p. ix. Le non-dit trahit partout l'angoisse : Siegfried, pourtant si averti, bâtit tout son texte sans faire une seule allusion substantielle à la situation en Algérie !

cieux qui pourrait mettre en péril l'Algérie française. Le centre gauche laïc tout autant est devenu une molle nébuleuse où s'affrontent particularismes locaux et leaders sans troupes fraîches. L'UDSR épuise ses dernières forces à suivre les passes savantes de l'inépuisable duel entre Pleven et Mitterrand, ce dernier gardant sur l'Algérie le silence prudent du jeune outsider dans la course à Matignon. De congrès conflictuels en mainmises sur les grosses fédérations du Sud-Ouest et sur *la Dépêche de Toulouse* de Jean Baylet plus que sur *L'Express*, les radicaux rejettent la greffe du mendésisme et se divisent en féodalités : les décisions du parti ne sont guère suivies par les parlementaires, moins encore par les ministres; Edgar Faure maîtrise les élus du RGR; André Morice et Henri Queuille conduisent une petite cohorte de nouveaux dissidents qui ont rompu avec Mendès France dès le congrès d'octobre 1956; Maurice Faure, Bourgès-Maunoury et Félix Gaillard grignotent dans l'appareil de la rue de Valois les positions mendésistes et font refuser au groupe toute discipline de vote; Mendès France, très isolé avec une douzaine de parlementaires fidèles, abandonne pratiquement la partie en juin 1957. Si l'on ajoute que les derniers républicains sociaux sont livrés à eux-mêmes, que les indépendants en ascension sont divisés sur l'Algérie et que le poujadisme reflue, qu'une solution de droite est donc tout aussi impossible que celles de gauche ou du centre, on mesure l'étendue des décombres à l'Assemblée.

Malgré ces faiblesses, le système parlementaire a toutefois révélé en 1957 sa vieille capacité à digérer les nouveautés qui menacent ses habitudes. Rétrospectivement, tout en sachant que sur l'heure le phénomène ne fut pas décisif, comment en effet ne pas être frappé par l'échec si prompt et si parallèle du mendésisme et du poujadisme? Le débat sur la France moderne, amorcé en 1953 et 1954, n'a pas eu de traduction parlementaire : le régime semble incapable d'assumer la nouveauté dont il a facilité l'émergence. C'est que, dans leur dérive, les forces politiques sont plus que jamais avides de capter des intérêts catégoriels, de satisfaire des particularismes dont l'addition conforte les électorats fidèles : si l'élan ne dépasse plus le clocher, il est du moins utilement contrôlé. Cette marqueterie de petites satisfactions et de bonnes grosses pressions organisées s'enjolive et résiste, décourageant les rassemblements inédits et les initiatives à long terme[1]. Ainsi, avec le retour de l'inflation, le poujadisme perd sa substance sociale, ses adhérents et ses électeurs retrouvant au fond de leur tiroir-caisse la sérénité politique et les tropismes hérités : les partis modérés ou la droite les récupèrent en douceur, les derniers activistes de l'UDCA se saisissent avidement du thème de l'Algérie française pour tenir les meetings et lancer des actions de commando avec l'extrême droite. Pierre Poujade lui-même, on l'a vu, a été battu à Paris en janvier 1957, ses imprécations et ses violences deviennent peu à peu simples munitions dans le combat plus large de l'Algérie française : sa « République des petits » a regagné les rives connues de la résignation ou de la politique à l'ancienne. La même évolution est observable pour le mendésisme. Son leader, dans un réflexe viscéral de vieux républicain, a obstinément refusé de lancer un mouvement autonome : la politique, croit-il, ne se fait pas autour d'un homme, fût-il porteur d'idées neuves. On vient de noter son lamentable échec dans sa tentative de rajeunir le parti radical. Dès lors, les forces du mendésisme sont rendues à leur liberté. Quelques-unes se perdent rue de Valois, d'autres irrigueront une « nouvelle gauche » des clubs et des groupes confidentiels ou trouveront dans l'allégeance à de Gaulle de quoi satisfaire enfin leur soif de modernité, sans que Mendès France cherche encore à les canaliser utilement pour l'avenir, le lancement d'une fière revue, ces *Cahiers de la République* qui veulent « substituer la science à la mythologie », ne mettant à leur disposition qu'un outil de réflexion et de proposition qui préserve l'acquis. Sa « République moderne » attendra d'avoir subi le choc du 13 mai pour retrouver une seconde vie. Cette inaptitude au renouvellement était-elle fatale et faut-il l'imputer aux réflexes congénitaux du régime ? On peut rêver d'une IVe République réglant au mieux l'affaire algérienne et reprenant derechef le débat sur la modernisation, peut-être même le menant victorieusement à terme. Mais l'événement, lui, n'a pas attendu. C'est bien l'Algérie qui a fait abandonner le renouveau au fil de l'eau et rendu insoluble la question du pouvoir.

1. Voir J. Meynaud (29), et *infra*, p. 248 *sq.*

Voici donc, une fois encore, cette guerre installée à l'épicentre des paralysies. A reprendre le monotone parcours de l'éventail parlementaire, force est en effet de constater que l'Algérie est au cœur des contradictions, anesthésiant les volontés et étalant l'impuissance. A l'extrême gauche, les communistes ayant à regret abandonné l'espoir du front unique peuvent sans doute s'engager plus avant dans la lutte contre la guerre. A leur congrès du Havre en juillet 1956, ils ont opportunément renoncé à la thèse d'une nation algérienne « en formation », défendue avec persévérance par Thorez depuis 1936, pour légitimer l'existence d'un « fait national algérien », quitte à mettre en sourdine l'éventualité d'une indépendance guidée par le FLN par crainte de se couper de leur électorat. Sans être le fer de lance de la lutte pour la paix, quoi qu'ils en disent depuis [1], les militants ne se ménagent pas, *l'Humanité* dénonce vigoureusement la torture et est souvent saisie, le PCF tente de sensibiliser les « masses » à l'idée d'un inévitable règlement pacifique du problème. Mais il ne peut guère aller plus loin, ni cautionner les initiatives individuelles de soutien direct au FLN que lui proposent déjà quelques-uns de ses étudiants ou de ses Jeunesses, sentant instinctivement que toute attitude d'avant-garde renforcerait son isolement. Bon gré mal gré, le voici tenu à une relative prudence et à l'usage des méthodes d'action les plus banales. A la SFIO, le débat a pris un ton aigre, parsemé d'allusions de plus en plus nettes des minoritaires à une trahison des idéaux, à une désastreuse politique « droitière » ou à un intempestif culte de la personnalité chez le trio Mollet-Lacoste-Lejeune, qui verrouille la discussion [2]. Quel-

1. Voir en particulier l'ouvrage collectif publié sous la direction d'Henri Alleg (51). Pour une description plus nuancée de son combat, voir E. Sivan, *Communisme et nationalisme en Algérie (1920-1962)*, Presses de la Fondation nationale des sciences politiques, (FNSP), 1976, et J. Moneta, *le PCF et la question algérienne (1920-1965)*, Maspero, 1971.
2. Voir A. Philip, *le Socialisme trahi*, (Plon, 1957), point extrême de la polémique avec les dirigeants. Sur un ton plus amène, on trouvera un bon répertoire des arguments pour et contre dans *la Revue socialiste* de janvier 1957, avec les articles opposés d'E. Weill-Raynal et E. Cohen-Hadria.

ques-uns des très rares étudiants survivants, conduits par Michel Rocard, des ouvriers, des universitaires, des élus récusent le « national-molletisme », mais Jules Moch n'est plus écouté, Daniel Mayer et Robert Verdier sont suspendus, André Philip, on l'a vu, est exclu. En désespoir de cause, un « Comité socialiste d'études et d'action pour la paix en Algérie » qui rassemble André Hauriou, Ernest Labrousse, Édouard Depreux, Alain Savary, Charles-André Julien, Jean Rous et les oppositionnels déjà cités, prépare ouvertement la scission qui conduira en 1958 au PSA. Guy Mollet et les siens triomphent donc, plus habiles à rassembler en congrès les deux tiers des mandats utiles, haussant le ton en hommes d'ordre, inconscients de la réprobation qu'entretient dans la jeunesse et chez nombre d'intellectuels leur très particulière vision du socialisme. Mais leur capacité de proposition est nulle. Toute solution à la tunisienne ou à la marocaine étant exclue et l'indépendance honnie, leur France républicaine n'offre qu'un arbitrage incertain assurant la coexistence des deux communautés en Algérie. Vœux pieux, qui nourrissent la très confuse loi-cadre déposée en septembre 1957 et dont l'élaboration a été jalousement surveillée par Lacoste : ses propositions ne rencontrent que scepticisme ou refus et n'ont pas toujours la hardiesse du Statut de 1947. Démarche de crabes. Prudente ou étranglée dans sa guerre, la gauche est sur la touche.

Le MRP louvoie, écartelé entre les positions antagonistes de ses leaders, Robert Buron s'étant rallié à des solutions libérales et à l'idée d'une prompte négociation[1], Georges Bidault faisant un parcours symétriquement inverse en faveur des solutions ultra-colonialistes, Pierre Pflimlin tentant d'imposer le bon sens des voies moyennes : les adhérents se découragent, les Jeunesses s'agitent en vain et les étudiants préfèrent militer à l'UNEF. Ne mentionnons que pour mémoire les radicaux en scissionnite, les frères ennemis pouvant se rassembler à l'occasion sur l'Algérie française : Morice qui va fonder son Centre républicain, Queuille et Marie qui « maintiennent » leur petit groupe de fidèles, Bourgès-Maunoury et Gaillard qui demeurent rue de Valois, campent sur les mêmes positions hostiles à « l'abandon », étouffant la voix de Mendès

1. Voir ses *Carnets politiques de la guerre d'Algérie*, Plon, 1965.

France. La droite elle-même n'a pas la cohérence qu'on pouvait attendre. Les indépendants affichent certes une fière défense de la cause française, mais un Pinay ou un Reynaud savent la nuancer très fortement à terme par un libéralisme cynique que partagent désormais quelques patrons éclairés : le jeu en vaut-il la chandelle en stricte rentabilité économique et politique? Cet argument de fond, sur arrière-plan de pétrole saharien, d'ouverture des frontières par le Marché commun et de froide raison, n'a pas d'impact immédiat et ne resurgira qu'en 1960, caricaturé dans le « cartiérisme ». Au grand scandale de ses lecteurs du *Figaro*, un esprit averti, Raymond Aron, sait le formuler sur-le-champ et avec brio [1].

Cette indécision générale des projets, masquée par une politique du verbe solennelle et creuse, favorise l'organisation de la pression directe sur les parlementaires par les plus décidés hérauts de la présence française. Ainsi, le 15 mai 1957, Poujade noue alliance pour la défense de l'Algérie française et des valeurs saines du pays avec Henri Dorgères, leader usagé des « chemises vertes » fascisantes d'avant-guerre, et Paul Antier, un indépendant agrarien et musclé. Plus spectaculaire dans son développement régulier et sa surveillance étroite des débats parlementaires est l'Union pour le salut et le renouveau de l'Algérie française (USRAF), lancée par Soustelle, qui rassemble autour de l'ancien gouverneur général, le radical dissident André Morice, l'indépendant Roger Duchet et le MRP Georges Bidault, au milieu d'une constellation dont toutes les figures ne viennent pas de la droite, puisque s'y activent Albert Bayet, Paul Rivet et Mgr Saliège. Ces vivaces regroupements assurent une liaison entre la classe politique constituée et des minorités activistes d'extrême droite qui s'enhardissent. Un ancien communiste devenu catholique de choc, Georges Sauge, multiplie les conférences d'information auprès des cadres militaires, avec la complicité du colonel Lacheroy; une revue, *Verbe*, bénie par quelques intégristes du Vatican et le général Weygand lui-même, rallie saint Thomas à la lutte de la Chrétienté contre le fanatisme islamo-communiste du FLN et de ses « complices »

1. Dans *la Tragédie algérienne*, Plon, 1957. J. Soustelle lui réplique aussitôt par *le Drame algérien et la Décadence française*, Plon, 1957.

français. Quelques fascistes authentiques de « Jeune Nation »,
bardés de croix celtiques et guidés par Pierre Sidos et Dominique
Venner, rêvent de tenir demain la rue. Les rejoindraient volontiers
les plus violents des poujadistes, les députés Le Pen et Demarquet
en tête, tout enivrés par leur expérience de paras en Algérie, sans
oublier les inusables vedettes de la réaction de couloir ou du
pétainisme larmoyant, Frédéric-Dupont et Tixier-Vignancour.
Cette cohorte rêve d'un sursaut national pris en main par les
bérets rouges de Massu : il n'est pas sûr qu'elle soit aussi dangereuse, dans sa passion caricaturale et sa nullité intellectuelle,
que ne le pensent alors les étudiants de gauche qui lui disputent le
quartier Latin. Plus redoutables dans l'immédiat sont les réseaux
discrets qui tissent leur toile, à la jonction stratégique des milieux
des anciens combattants, de l'armée et d'un gaullisme fiévreux.
Là, moins de braillements, des « contacts » bien choisis, des projets arrêtés, de la méthode et du suivi : il s'agit de lier très technique-
ment la défense de l'Algérie française à la subversion de la IVᵉ République. L'inlassable Biaggi entraîne militairement quelques
« patriotes révolutionnaires ». D'anciens cagoulards comme le
Dʳ Martin noyautent les associations d'anciens combattants
d'Indochine et celles des anciens élèves des écoles militaires,
trouvant des appuis dans les classes préparatoires à Saint-Cyr et
dans les facultés de droit. En Algérie, le relais est assuré par
Robert Martel et le colonel Thomazo, qui encadrent les Pieds-
Noirs les plus remuants dans leurs Unités territoriales. Dès la
fin de 1957, ce petit monde manipule un Comité d'action nationale des anciens combattants (CANAC), où des gaullistes de commando comme Sanguinetti manœuvrent à l'aise, prenant les ordres
auprès de Léon Delbecque, efficace « antenne » algéroise du
ministre Chaban-Delmas, et les idées dans la très sonore feuille
du sénateur Michel Debré, *le Courrier de la colère*. Tous ne sont
pas frappés de gaullisme, loin s'en faut, mais tous peuvent être
atteints.

Contre eux, l'opposition à la guerre fait plus pâle figure, privée
qu'elle est des relais naturels qu'elle aurait pu attendre des partis
de gauche. La grande protestation contre la torture au fort de la
bataille d'Alger ne retrouvera pas une audience similaire avant
1960 et le « manifeste des 121 ». C'est que ses animateurs sont

marginalisés, incapables encore de faire pression continûment. S'y mêlent, dans une fraternité de combat qui ne s'oubliera pas, des universitaires et des journalistes, des étudiants qui, en juillet 1956, de minoritaires sont devenus majoritaires au sein de leur UNEF, quelques jeunes agriculteurs et ouvriers issus de l'Action catholique. Mais ils n'ont pas d'influence marquée au sein du contingent ni, bien entendu, dans l'opinion. Au vrai, ce kaléidoscope additionne plus qu'il ne soude : communistes en rupture de ban après Budapest, trotskistes éternellement divisés, socialistes et mendésistes déçus, membres les moins « molletisés » de la vieille Ligue des Droits de l'homme, protestants armés contre l'autorité par toute leur histoire, militants catholiques bousculant la prudence de leurs évêques [1], aumôniers de jeunes, prêtres de la Mission de France ou anciens de la JAC, de la JOC et de la JEC, « chers professeurs », responsables d'associations, animateurs culturels et syndicalistes révolutionnaires qui s'ébranlent à la CGT, plus actifs à FO et dans le groupe « Reconstruction » de la CFTC, appelés déchirés, tous sont minoritaires dans l'âme, aussi lucidement mobilisés que bravement impuissants [2]. Seule une poignée d'entre eux saute le pas, constituant autour de Francis et Colette Jeanson en octobre 1957 un réseau d'aide directe au FLN, qui collecte et transfère des fonds, héberge et aide des combattants algériens à franchir de nouvelles « lignes de démarcation [3] ». Ce nouveau dreyfusisme s'épuisera donc comme le premier, mais sans connaître, lui, le bonheur d'avoir pu galvaniser un vaste sursaut de défense républicaine comme en 1902. Néanmoins, ses manifestations et ses meetings vaillants, sa propagande de bouche à oreilles, sa diffusion sous le manteau des livres et des journaux saisis, jouent leur rôle, contribuant au moins à avancer quelque peu la très lente prise de conscience des Français. La presse qui les soutient et leur conserve l'espoir de réconcilier la morale et la politique, mille fois saisie et poursuivie, est, elle

1. Voir A. Nozière, *l'Algérie, les chrétiens dans la guerre*, Éd. Cana, 1979, et les textes de Mgr Duval, *Au nom de la vérité*, Éd. Cana, 1982, pour l'analyse des réactions en Algérie.
2. Voir les meilleures analyses de M. Crouzet, « La bataille des intellectuels », *la Nef*, octobre 1962-janvier 1963 et de M. Winock (77).
3. Voir H. Hamon et P. Rotman (62).

aussi, minoritaire par les tirages : des revues comme *Esprit, les Temps modernes* ou *Consciences maghrébines* lancée par André Mandouze en 1954; des hebdomadaires, *le Canard enchaîné, France-Observateur* où s'indignent Roger Stéphane, Claude Bourdet et Robert Barrat, *Témoignage chrétien, l'Express* avec Jean-Jacques Servan-Schreiber et Jean Daniel. Mais elle trouve d'utiles relais dans les grands organes nationaux, à *l'Humanité* et à *Libération*, au *Monde* aussi qui adopte au long de 1957 une ligne de plus en plus favorable à la négociation [1]. Peu à peu, elle accule les grosses caisses de résonance, *le Figaro* et *l'Aurore, Paris-Presse* et *France-Soir, Paris-Match* et *le Parisien libéré* — ce dernier distillant en prime à son public populaire un racisme antiarabe — à ne plus ignorer que la torture existe et que cette guerre pourrit.

Néanmoins, le front du refus ne parvient jamais à ébranler les paisibles certitudes d'une jeune télévision et d'une radio nationales aux ordres, un Jean Nocher étalant imperturbablement ses invectives contre les « traîtres » et les « rebelles » sur les antennes, et les radios périphériques faisant montre d'une étrange sérénité. Il faut aussi se garder d'enrégimenter tous les intellectuels dans son camp. Sans doute s'est-il étendu aux intellectuels catholiques les plus organisés, leur Centre [2] et le journaliste Robert Barrat jouant le meilleur rôle d'incitation. Mais un Albert Camus déchiré s'enferme dans sa douleur et n'intervient que sur des cas individuels [3], l'Académie fait bloc, un Jules Romains ou un Thierry Maulnier savent argumenter contre le FLN, sans parler de l'agilité de Jacques Soustelle. Surtout, sa protestation ne peut être que négative, car ses visions de l'avenir sont confuses et contradictoires. Quelques marxistes stricts ne rêvent que de classe ouvrière ouvrant enfin les bras à ses frères algériens, d'autres,

1. Voir J.-N. Jeanneney et J. Julliard (177), p. 232-233.
2. Leur première grande mobilisation date de novembre 1956 pour exiger la libération d'André Mandouze inculpé de « tentative de démoralisation de l'armée et de la nation ». Voir la belle défense que lui fait Georges Suffert dans *le Monde* du 5 décembre 1956.
3. Voir *Actuelles III, Chroniques algériennes (1939-1958)*, Gallimard, 1958, et H. R. Lottman, *Albert Camus*, Éd. du Seuil, 1978, 4e et 5e parties.

encouragés par la prochaine victoire de la guérilla cubaine et le succès de la Conférence afro-asiatique du Caire, passent au tiersmondisme le plus admiratif pour les luttes révolutionnaires des fellahs, la plupart se refusent à rêver d'une Algérie socialiste et ne souhaitent que brûler les étapes vers une négociation sérieuse, sans compter l'angoisse permanente que fait lever chez tous « l'édredon d'indifférence » des Français[1] et la résignation du contingent. Si bien que l'opposition à la « sale guerre », devenue une nouvelle résistance, n'est vraiment elle-même, isolée et fière, comme en 1898, qu'au sein des comités de l'urgence et dans les appels de la conscience et du droit. Elle est tout entière présente, dans un frémissement qu'auraient partagé un Bernard Lazare, un Zola et un Péguy, ce 2 décembre 1957 à la Sorbonne, quand est fait docteur ès sciences un jeune assistant d'Alger « disparu » le 21 juin après avoir été arrêté le 11 par les hommes de Massu : son comité, fondé en novembre par Laurent Schwartz et animé par Pierre Vidal-Naquet, va trouver dans l'humble quête du cadavre « égaré » de Maurice Audin cette vérité qui claque en 1958, *Nous accusons*[2]. Les mêmes, cette fois rassemblés par Georges Arnaud, crient *Pour Djamila Bouhired* avant de diffuser l'horrible récit d'un torturé, Henri Alleg, *la Question*, publié en février 1958 et aussitôt saisi[3]. René Coty ne s'émeut guère de la protestation solennelle que lui adressent alors Mauriac, Martin du Gard, Malraux et Sartre. Silence accablé d'un régime à genoux. Mais question imprescriptible.

« *Le cadavre bafouille* ».

Ce mot de Barrès, cité par Sirius[4], résume assez bien la situation inextricable où s'est enfermé le pouvoir et, avec lui, le régime.

1. Le mot est de P. Vidal-Naquet, cité par H. Hamon et P. Rotman (62), p. 76.
2. Voir M. Winock (77), p. 156-166. A compléter par P. Vidal-Naquet, *l'Affaire Audin*, Éd. de Minuit, paru, par une étrange ironie, le 12 mai 1958.
3. Aux Éditions de Minuit, qui, avec les Éditions du Seuil, savent prendre des risques avec courage.
4. Sirius (75), p. 93.

Aucune majorité stable n'est possible, on l'a vu, à gauche, au centre ou à droite, la question algérienne sur laquelle nul ne se hasarde plus à prévoir livrant les gouvernements à ses ressacs : la barre n'est plus tenue. La crise qui aboutit le 11 juin 1957 à la constitution du cabinet Bourgès-Maunoury a eu le très mince mérite de faire apparaître clairement ce flottement incontrôlable, après avoir épuisé sans combat Pleven et Pflimlin. En fait, Guy Mollet a chaudement recommandé à Coty son ancien ministre de la Défense nationale si valeureux dans l'affaire de Suez : on changera les noms pour faire la même politique. Ledit président désigné ayant pris soin d'être discret sur son programme ou sur les contours de sa majorité, les socialistes opinant du chef, les radicaux se divisant au mieux, le MRP détournant la tête et la droite sachant qu'elle pourra toujours se faire entendre — bref, tous les partis refusant le pouvoir, cette « nouvelle » équipe jouit sans peine de ce qu'on nommait alors un « préjugé favorable ». Elle « s'impose » par 240 voix contre 194 et 150 abstentions, refus de vote ou congés divers, chacun s'étant divisé à l'exception de la SFIO favorable, des communistes, des poujadistes et des derniers mendésistes, hostiles. Président du Conseil à 43 ans, Bourgès-Maunoury, en radical de tradition, a su ne mécontenter personne : l'ossature de son ministère est socialiste et radicale, à l'identique du précédent, mais avec une teinture plus à droite. Defferre et Mitterrand sont écartés pour avoir déplu à Lacoste, qui trône plus que jamais en Alger flanqué de Lejeune au Sahara. Avec en outre Pineau au Quai d'Orsay, Jaquet à l'Outre-Mer et Gazier aux Affaires sociales, les socialistes sont pourvus. Les seules nouveautés tiennent à l'apaisement donné aux partisans de l'Algérie française, un de leurs leaders, André Morice, recevant la Défense nationale, et à l'arrivée Rue de Rivoli, flanqué d'un contingent de secrétaires d'État, d'un très jeune et efficace radical, Félix Gaillard.

Lequel, pressé par la difficile situation financière dont il hérite et dont le CNPF tient à lui rappeler la gravité, rogne sur les dépenses budgétaires, fait appel à la bonne volonté des partenaires sociaux et surtout mène habilement une dévaluation camouflée de 20 % sur le franc, dont la valeur est amplifiée pour les exportations et contrariée en proportion pour les importations. Dans un concert d'imprécations catégorielles, où l'on distingue plus nettement celles des grands agrariens producteurs de blé, il parvient à maintenir tout au long de l'été une situation « fluide », c'est-à-dire désespérante à terme. Avec le même bonheur dans l'expédition des affaires courantes, les traités de Rome sont, on l'a vu, ratifiés sans peine en juillet sans être d'aucune manière à porter au crédit du nouveau ministère. Dans les inquiétudes sur le franc et le déséquilibre du commerce extérieur, c'est très logiquement de l'Algérie qu'il périra. La loi-cadre dont on a dit les paternités molletistes doit être soumise au Parlement après mille amendements qui ne satisfont personne et qui ne masquent pas la contradiction de fond : elle pose en principe à la fois l'affirmation d'une Algérie partie intégrante de la France et souhaiterait lui laisser une autonomie de gestion confiée à un exécutif local et à des assemblées territoriales. Elle recherche donc très exactement la quadrature du cercle. Les vraies questions ne pourront être posées qu'à travers les décrets d'application qui, eux, devront aborder les questions concrètes : le mode de scrutin à ce nouveau « Parlement fédératif », avec ou sans collège unique, la part de pouvoirs que consentira à abandonner aux élus une administration reprise en main par l'armée. Aussi compliqué qu'anodin, ce projet suffit à déclencher néanmoins la fureur des Européens et la mobilisation parlementaire des amis de Soustelle. Mais le temps presse car l'opinion mondiale, l'ONU, les États-Unis attendent une initiative française, un signe de bonne volonté réformatrice. Bourgès-Maunoury convoque donc le Parlement en session extraordinaire le 17 septembre. Le 30, un texte très laborieusement élaboré en commission est rejeté par 279 voix contre 253, les partisans de l'immobilisme ayant été activement rassemblés par Soustelle et sachant pouvoir compter sur l'hostilité de principe des communistes et des poujadistes. Le ministère s'est maintenu un peu plus de 100 jours.

Il en faudra 35 pour dénouer la très difficile crise qui suit sa démission. Car la SFIO s'inquiète de moins bien contrôler la situation, les centristes et la droite ayant expérimenté sur la loi-cadre une alliance potentielle. Les « tours de piste » deviennent assez irréels : Pleven échoue à concilier socialistes et modérés, un Mollet très nerveux tente par deux fois de l'imiter en cajolant le

MRP, le charme discret d'Antoine Pinay ne joue plus comme en 1952, une « expertise » de Robert Schuman fait long feu et on entend murmurer avec insistance l'éventualité d'un recours à de Gaulle. Finalement, tandis que le franc fait eau de toutes parts, que le déficit du commerce extérieur devient voyant, que le patronat dénonce la facilité avec laquelle est dilapidé « le patrimoine national » et que les syndicats du secteur public font manœuvrer leurs troupes, la lassitude impose une solution de Troisième Force déguisée en Union nationale. Félix Gaillard, pressenti, parachève l'évolution amorcée par son collègue Bourgès-Maunoury et se rallie les bonnes grâces des « partis républicains », des socialistes à la droite, tout en séduisant les quelques républicains sociaux qui sentent le vent tourner et en se conciliant le patronat. Il est investi le 5 novembre par 337 voix contre les 173 voix habituelles des communistes, des poujadistes et des mendésistes.

Cette fois, les modérés ont pris les rênes. Pflimlin a les Finances, les Affaires économiques et le Plan, Chaban-Delmas l'utile ministère de la Défense nationale, les lobbies agrariens se félicitent de voir l'Agriculture aux mains d'un ami, un sénateur indépendant bon teint, Boscary-Monsservin, le MRP installe en outre Lecourt à la Justice et Bacon au Travail, la SFIO sauve l'essentiel en enracinant à l'Algérie et au Sahara ses deux proconsuls habituels. L'équipe est restreinte, plus jeune, mais, souligne Pierre Cot à la tribune, risque fort de persévérer dans une politique de vieux. De fait, elle fait adopter le 28 janvier 1958 par 292 voix contre 249 une loi-cadre sur l'Algérie tout à fait édulcorée dont on s'empresse de dire qu'elle ne pourra être mise en place que trois mois après la fin de toutes hostilités. Elle repousse dédaigneusement à la fin de novembre les propositions de médiation de la Tunisie et du Maroc. Elle met sur le chantier la question de cette réforme constitutionnelle envisagée depuis des années et qui devrait porter remède à l'instabilité du pouvoir par la mise en place d'un droit automatique de dissolution et du contrat de législature. Son texte est déchiré de commissions en « tables rondes » en janvier et février, la répulsion venant, comme l'avoue crûment René Pleven, de ce que « menacés de se trouver un jour devant des ministères de cinq ans, menacés de ne plus pouvoir par des amendements populaires auprès du corps électoral se concilier, aux dépens du Trésor public, les sympathies de telle ou telle catégorie sociale, beaucoup de députés se cabrent devant l'obstacle[1] ». Dans ses vœux de Nouvel An, René Coty n'a pu que faire amende honorable : « Nos institutions fondamentales ne sont plus adaptées au rythme des temps nouveaux. » L'habile Félix Gaillard ne réussit pas davantage le rétablissement des équilibres financiers. Quand la menace d'impôts nouveaux inquiète toutes les formations et détache peu à peu la SFIO de ses alliés de droite, quand chacun veut limiter l'impasse budgétaire mais ne consent pas à renoncer à la défense de ses intérêts au jour le jour, il faut bien en venir à racler les tiroirs par des demandes d'avances à la Banque de France et dépêcher en janvier 1958, comme en 1946, Jean Monnet sur le chemin de Washington pour tendre la sébile. Mendès France, retrouvant son rôle de Cassandre après un ultime échec interne devant le Comité exécutif de son parti le 10 décembre, lance la vérité que tous ne refusent pas d'entendre mais que nul n'ose affronter, celle qui a déjà coûté la vie au gouvernement de Guy Mollet et au Front républicain : « La guerre implique une économie de guerre. La guerre, c'est l'austérité, sinon c'est le désastre financier, monétaire, politique et militaire[2]. »

Cette fois encore, la situation en Algérie commande l'évolution en métropole. Sans aucun doute, la tenacité d'un Lacoste décidé à serrer les poings jusqu'au « dernier quart d'heure » jointe aux succès des hommes de Massu dans la bataille d'Alger y porte ses fruits. De janvier 1957 à l'automne 1958, l'ALN piétine, privée des relais du terrorisme urbain, ses punitions sanglantes des « traîtres » sont moins bien acceptées, le nombre de ses attentats régresse (4 000 en janvier 1957, 1 500 en mai 1958), ses caches d'armes sont mieux découvertes ou livrées, ses chefs hésitent sur la tactique militaire à suivre et s'obstinent trop longtemps à constituer de gros bataillons de près de 500 hommes très repérables. L'emprise idéologique du Front sur la population se fait

1. *L'Année politique*, 1958, p. 16.
2. Le 16 novembre 1957, *l'Année politique*, 1957, p. 118.

aussi moins conquérante, les SAS encaissent les bienfaits de leur action, des moudjahidin désertent, les engagés, les harkis, les supplétifs et les groupes d'autodéfense portent à environ 90 000 hommes les forces musulmanes sur lesquelles les Français peuvent compter. Quadrillage du bled et contrôle policier dans les villes : l'ordre progresse, même s'il ne résout rien et n'amorce pas la pacification des cœurs. Une bonne part de cette maîtrise accrue du terrain est due au barrage installé le long de la frontière marocaine par le général Pedron et surtout à la « ligne Morice » — du nom du ministre de la Défense de Bourgès-Maunoury qui la fit construire à partir de l'été 1957, au besoin, dit-on, par une entreprise dont il était l'administrateur, *l'Express* s'acharnant à dénoncer ce scandale —, imposant réseau de barbelés électrifiés tendus sur 300 kilomètres le long de la route de Bône à Tebessa qui surveille, à portée de canons, la frontière tunisienne. Miradors, sentinelles, chiens policiers, champs de mines, le paysage devient concentrationnaire. Mais l'efficacité est acquise. Les groupes du FLN qui retournent au combat après une période de repos et d'entraînement en Tunisie, les convois d'armement lourd et de ravitaillement, apprennent bientôt à cisailler, à creuser des tranchées de dérivation et à ruser. Sitôt le barrage franchi, au petit matin, après une nuit de terrible progression et l'abandon des électrocutés, les cinq régiments de paras, déjà alertés par les coupures de courant et qui tiennent tous les axes de pénétration vers l'intérieur, fondent pourtant sur les *fells* et très souvent les « nettoient », tandis que l'artillerie et l'aviation s'enhardissent peu à peu et bombardent en territoire tunisien les cantonnements d'où ils sont partis. Une bataille de frontière s'engage donc au printemps 1958. La ligne Morice neutralise environ les trois quarts des troupes de l'ALN qui tentent de la franchir jusqu'à l'été, le harcèlement dégénère en batailles rangées vers avril dans le secteur de Souk-Ahras. Visiblement, le FLN cherche un « second souffle », l'armée française tient mieux la situation, des amorces de fraternisation s'observent : la partie n'est pas militairement perdue. Ce fol espoir galvanise, on l'imagine, les Européens désormais chauffés à vif et prompts à réagir bruyamment au moindre faux pas de Paris.

Le drame s'enclenche dès lors que Bourguiba, désireux de

combattre le panarabisme de Nasser en s'interposant entre la France et une Algérie qui parviendrait à une souveraineté sans rompre avec l'occidentalisme, plus inquiet de surcroît qu'il ne veut le dire de la présence des troupes de l'ALN sur son territoire, relance ses offres de négociation en annonçant, le 9 janvier 1958, que tout règlement du contentieux franco-tunisien passe par la fin des hostilités en Algérie. Peu soucieux d'être débordé par le « combattant suprême », le FLN fait une démonstration de force en engageant jusqu'au bout, le 11, une unité de l'ALN contre une patrouille française à proximité du village frontalier de Sakhiet Sidi Youssef. Lacoste hurlant à la légitime défense, les relations diplomatiques entre Paris et Tunis étant interrompues, les militaires français, cette fois avec le plein accord de Gaillard et du Conseil des ministres du 29, ripostent. Le 8 février une escadrille de B 26 liquide un campement de l'ALN et, au passage, rase Sakhiet, laissant 70 morts, dont de très nombreux civils et des enfants. Paris et Alger ont fait de la faute un crime aussitôt réprouvé par l'opinion internationale, ils sont tombés dans le piège que leur tendait un FLN en difficulté et ayant compris que l'internationalisation du conflit, à l'exemple de l'Indochine, le ferait sortir d'une mauvaise passe. Tunis ayant logiquement dramatisé et saisissant l'ONU pour agression, la France invoque le « droit de suite » pour dénoncer à son tour à New York la « belligérance » tunisienne. Mais sa voix n'a plus de force. Eisenhower le 11 avril a signifié que le prêt américain négocié par Monnet pourrait bien être réexaminé si Paris fait preuve de mauvaise volonté, la presse étrangère se déchaîne, Paris doit accepter les « bons offices » d'un adjoint de Dulles, Robert Murphy, un ancien d'Alger en 1942, et du sous-secrétaire d'État du Foreign Office, Harold Beeley. Ils entendent orienter leur mission au cœur du problème, une négociation en Algérie, Gaillard voudrait la limiter au seul différend franco-tunisien. Nul ne se faisant d'illusions sur la capacité de résistance du président du Conseil, la droite, les modérés et les gaullistes, bien chapitrés par l'USRAF de Soustelle, dénoncent un nouveau Munich, des policiers endoctrinés par le commissaire Dides ont défié ouvertement le gouvernement et les députés le 13 mars au long d'une manifestation qui prend des allures de 6-Février, les socialistes s'aperçoivent bien tard que Bourgès-Maunoury est un piètre ministre de l'Intérieur : il n'y a plus de majorité, l'État est hagard. Ouvrant la voie à l'aventure, l'Assemblée, après s'être mise en vacances, renverse le gouvernement Gaillard le 15 avril, dès que lui sont soumises les premières propositions de MM. « Bons Offices ». La corde socialiste et républicaine populaire soutenant le pendu ne suffit pas, et 321 députés contre 255 lui refusent la confiance, bloc disparate des habitués, communistes, poujadistes et mendésistes, opportunément grossis par la défection de 150 élus de droite. L'heure est vraiment grave : il n'y a, cette fois, aucune abstention.

Nul n'a pris garde aux signaux de détresse lancés par les Français depuis plusieurs mois. Jamais ils n'ont eu aussi peu confiance dans leurs gouvernants pour régler l'affaire algérienne : 39 % suivaient encore Mollet en mars 1957, 26 % seulement croient en Bourgès-Maunoury en septembre, 68 % s'en remettront à de Gaulle en juin 1958, jamais la courbe n'a connu de telles distorsions (voir le graphique). Mais cet effondrement du consensus n'est pas signe d'un sursaut en faveur de l'Algérie française, quoi qu'en pensent les activistes qui s'échauffent. Tout au contraire, il y a eu définitif changement de majorité sur la question algérienne à partir de septembre 1957, date décidément capitale. 36 % des personnes interrogées par l'IFOP souhaitent alors un statut de département strictement français, contre 47 % en octobre 1955, mais 40 % contre 26 % en octobre 1955 et 33 % en avril 1956 ont peu à peu été convaincus que le lien entre l'Algérie et la France serait fatalement beaucoup moins étroit. Une majorité potentielle favorable à la négociation se dessine et 51 % des Français ne savent plus, en janvier 1958, si l'Algérie sera encore française dans dix ans. Ces chiffres révèlent sans discussion combien le sursaut national qu'avait entretenu le « national-molletisme » était éphémère. A l'inverse, il ne faudra pas une si grande habileté à de Gaulle pour convaincre ses compatriotes qu'on s'achemine vers une « paix des braves », quelque ambiguïté qu'il ait lui-même laissé courir à ce propos. C'est une opinion publique où une majorité s'enhardit en faveur d'une solution négociée d'association libre qui non seulement le voit d'un œil bienveillant avancer vers le pouvoir mais sans aucun doute l'y

LES FRANÇAIS
ET LA GUERRE D'ALGÉRIE

1. « Selon vous, faut-il que l'Algérie garde son statut de département français ou accepteriez-vous un lien différent entre l'Algérie et la France métropolitaine ? » (en %)

	département français	lien moins étroit	ne se prononcent pas
octobre 1955	47	26	27
février 1956	49	25	26
avril 1956	40	33	27
mars 1957	34	35	31
septembre 1957	36	40	24

2. « Avez-vous confiance dans le gouvernement actuel pour régler le problème algérien ? » (en %)

	oui	non	ne se prononcent pas
avril 1956	37	27	36
juillet 1956	38	30	32
mars 1957	39	30	31
septembre 1957	26	43	31
juin 1958	68	11	21
juill.-août 1958	68	15	17
septembre 1958	51	25	24
février 1959	51	24	25

Source : *Sondages*, 1956, n° 3, 1957, n° 3, 1958, n° 3 et n° 4.

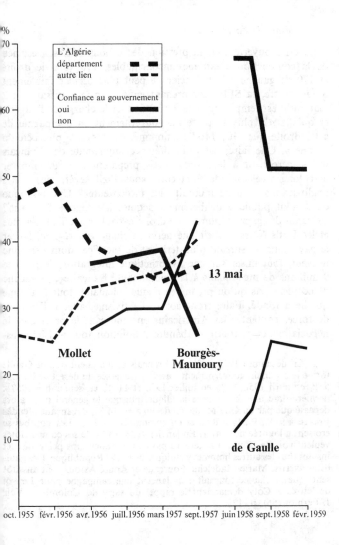

L'Algérie	
département	**– –**
autre lien	– –
Confiance au gouvernement	
oui	
non	

13 mai

Mollet

Bourgès-Maunoury

de Gaulle

oct. 1955 févr. 1956 avr. 1956 juill. 1956 mars 1957 sept. 1957 juin 1958 sept. 1958 févr. 1959

pousse[1]. Les comploteurs de l'Algérie française, tout à leur
colère, n'avaient pas eux non plus lu les sondages.

Les désarrois du 13 mai.

La crise ouverte sous la pression des « bons offices » est née
de la conjonction d'extrêmes inconciliables, 150 voix de droite
et 170 de gauche : le balancier ne peut plus osciller faiblement
qu'au centre, la SFIO comprenant enfin, dans un sursaut, le 2
mai, qu'il est temps pour elle d'abandonner la charge de l'Algérie
et qu'elle n'a plus sa place au gouvernement en compagnie de
cette droite que Guy Mollet a nommée dès lors « la plus bête du
monde ». Que faire, dans l'indifférence inquiétante des Français
qui s'accrochent à leur radio mais préparent sans désemparer
leur long week-end de Pentecôte, sous l'œil sévère des Alliés
anglo-saxons qu'il ne faudrait plus mécontenter ? Une politique
de « salut public » délibérément acquise à l'Algérie française ?
Ce serait désigner un homme de droite capable en ralliant l'armée
et les Pieds-Noirs d'offrir une dernière chance au régime, lancer
le pays dans un sursaut d'austérité et de sacrifices dont personne
ne veut, tout miser sur une hypothétique intégration de près de
9 millions de musulmans à la communauté française : la gauche
n'acceptera pas qu'on prenne ce risque suicidaire pour le régime
qu'elle a fondé. Faire front contre l'activisme, aller à l'épreuve
de force, contenter les Américains en amorçant le processus de
négociation et peut-être d'abandon ? Solution tout aussi impos-

1. En décembre 1955, 1 % des Français souhaitaient que de Gaulle
forme le prochain gouvernement : aride « traversée du désert » ! Ils sont
5 % en avril 1956, 9 % en juillet 1956 et 11 % en septembre 1957 :
dernière date une fois encore fatidique, puisque le général n'est alors
dépassé que par un Guy Mollet en déclin avec 14 %, devançant Mendès
France à 9 %, Pinay à 8 % et un communiste à 7 %. Les courbes se
croisent à l'entrée de l'hiver. En janvier 1958, 13 % de ses compatriotes
veulent voir de Gaulle à la tête du pays : il devance sans peine dès cet
instant tous les autres hommes politiques de la IVe République. Des gaullistes avertis, Marie-Madeleine Fourcade et André Astoux, ont aussitôt
senti que la chance tournait : ils lancent une campagne pour l'envoi
de lettres à Coty demandant le rappel du sage de Colombey. Voir
J. Ferniot (66), p. 123.

sible qui nécessiterait la mise en place d'un front du sursaut avec toutes les forces hostiles à la poursuite de la guerre : en clair, faire entrer les communistes dans l'opération, ce que refusent depuis 1947 toutes les autres formations. S'en remettre à l'arbitre suprême, ce de Gaulle dont le nom circule et dont les fidèles organisaient l'appel dès le 18 avril en couvrant Paris d'affiches? C'est prendre le risque de se couper de Washington qu'inquiètent les propos vengeurs du général contre l'atlantisme; bref, désavouer tout ce qui a soudé la République du moindre mal depuis la même année terrible de 1947. Toutes les issues logiques étant bloquées, on comprend le désarroi de Coty et le prolongement dramatique de la crise.

Elle use successivement Bidault le 23 avril, entre les deux tours des élections cantonales [1] : le MRP ne lui est pas attaché au point de le suivre dans son exaltation de l'Algérie française; puis Pleven le 8 mai, qui renonce en découvrant l'étroitesse de la marge de manœuvre au centre que lui laissent le retrait des socialistes et la division des radicaux. C'est ainsi que Coty, encouragé par Mollet et Pinay, est conduit à faire appel à Pflimlin, ce tenace MRP qui pourrait rassembler ce qui reste d'autorité pour modifier enfin le cap et lancer à bref délai des négociations qu'il a publiquement souhaitées le 23 avril, refusant de se laisser enfermer dans le dilemme « raidissement ou abandon » et ouvrant la troisième voie des « pourparlers ». Il constitue son équipe et doit la présenter à l'Assemblée le 13 mai. L'homme de ce « Diên Biên Phu diplomatique », selon le mot d'un Lacoste auquel il fait l'affront de ne pas le confirmer dans son rôle de pagure algérois, aurait-il quelque chance de faire entendre raison à ses collègues? Le FLN, par la voix de Ferhat 'Abbās le 8 mai, se laisserait-il tenter par ses offres? Insupportables hypothèses pour Alger.

L'idée de négociations ayant fait surface, une réaction algéroise contre le « régime d'abandon » était en effet inévitable. Mais

1. Qui semblent au reste davantage mobiliser les parlementaires. Y sont en sensible baisse les communistes, les gaullistes et les radicaux, les poujadistes s'étant dilués. La SFIO se maintient. Les grands vainqueurs sont le MRP et les modérés. Simples indications de circonstance, l'enchevêtrement des coalitions locales rendant comme toujours ces résultats difficilement transposables au plan national.

de cette fatalité il serait erroné de tirer un récit mécanique de la crise par l'enchaînement des causes et des effets : le 13 mai est un événement au sens propre, imprévisible et décevant, décisif et pourtant trouble. Dans son mélange d'émeute et de complot, dans l'irruption fortuite de l'homme décidé ou du mot qui fait mouche, son parcours est en méandres, sa rectitude dégagée *a posteriori* cherche sur le terrain des points de repère : seule l'issue de la crise en dévoile les enjeux [1]. Les hommes qui depuis deux ans y cherchent à abattre la République s'y sentent à l'aise, mais sans pouvoir faire manœuvrer à leur guise les foules assemblées ni assez intimider le pouvoir à Paris : le dossier d'instruction de l'affaire du bazooka sera solennellement brûlé par les comploteurs auxquels des Algérois livrent le Gouvernement général, mais cette continuité de l'activisme subversif ne leur fait pas trouver les mots qui forceraient la décision. Ils ne poursuivent pas tous le même but. Le « groupe des 7 » qui rassemble Martel, le chef de l'UFNA, les poujadistes Ortiz et Goutailler, le Dr Lefèvre admirateur de Salazar, le président des étudiants Pierre Lagaillarde et quelques officiers, souhaite la rupture avec la métropole, une Algérie du fascisme à la française, du franquisme tricolore ou du corporatisme vichyssois, il hait de Gaulle autant que Pflimlin : rien de très neuf. D'autres ont soigné leurs contacts avec quelques habitués du complot d'état-major et remettraient volontiers le pouvoir à l'armée, au général Cherrière par exemple, un bonapartiste attardé : ici encore, du déjà vu. Les vraies nouveautés tiennent à l'audience très limitée mais certaine que ces propos enflammés trouvent peu à peu dans des cercles d'officiers supérieurs plus à l'aise dans les bars élégants d'Alger ou les moroses garnisons de province que dans un commandement du bled, mais qui entendent exploiter à leur profit un malaise de l'armée sur lequel on brode beaucoup çà et là. Le colonel Thomazo a des oreilles partout, renseigne un peu tout le monde, Cherrière, Crespin et, à tout hasard, son chef direct, Salan, commandant supérieur en Algérie, lequel ne peut faire moins que d'en toucher quelques mots épisodiquement à son supérieur hiérarchique, le

---

1. Voir R. Rémond, « Le 13 mai 1958 », *L'histoire*, n° 1, mai 1978, p. 26-34.

général Ély, chef d'état-major général des armées : ainsi lui fait-il transmettre le 9 mai à Coty un télégramme collectif qu'il a signé avec ses adjoints, mentionnant que l'armée ressentirait comme un outrage tout abandon et qu'on ne saurait dès lors préjuger « sa réaction de désespoir ».

Cette inquiétude a trouvé des relais sûrs dans les milieux politiques : Soustelle, bien renseigné, ambitionne de devenir l'homme de la situation, son USRAF est directement soumise à la pression algéroise ; de la rue Saint-Dominique, Chaban-Delmas a remonté utilement les filières, lu attentivement les rapports secrets, questionné Ély et Salan, a même dépêché à Alger un homme de son cabinet, un ancien du RPF farouchement « Algérie française », Léon Delbecque. Ce dernier, bien secondé par Lucien Neuwirth, incarne superbement l'imprévu dans cet imbroglio, la présence sur place d'une poignée de gaullistes décidés. Son « antenne », sous couvert officiel, apprend la topographie de l'activisme européen, séduit un colonel Bigeard ou un commandant Pouget, cajole Massu, organise des réunions, lance un « Comité de vigilance », utile travail dont Delbecque lui-même a rendu compte à un général impassible à la fin d'avril [1]. A Paris, Olivier Guichard et Jacques Foccart multiplient les liaisons entre Delbecque, le gaullisme militant d'un Debré ou de l'Association des Français libres qui, en avril, martèlent les appels, et les politiques en place comme Soustelle et Chaban. Ce consortium de la fidélité à vrai dire navigue à vue, car de Gaulle affiche alternativement un pessimisme aigre et une lueur d'espoir, modulant soigneusement en fonction de ses interlocuteurs des propos contradictoires sur l'avenir de l'Algérie, dont il ressort néanmoins pour quelques fidèles qu'il est déjà acquis à l'inéluctabilité de l'indépendance [2]. Nonobstant, il est au courant de tout ce qui se trame et affecte de ne rien savoir. D'autres semblent prévoir pour lui. Le 26 avril, le « Comité de vigilance » de Delbecque a bien contrôlé une forte manifestation européenne à Alger, et Alain de Sérigny, directeur

1. Voir son interview dans *l'Express* du 3 mai 1962, et J. Ferniot (66), p. 201.
2. Voir l'édifiant florilège qu'en a fait J. Touchard, *le Gaullisme*, Éd. du Seuil, 1978, p. 147-163.

de *l'Écho d'Alger* qui n'a jamais dissimulé ses sympathies vichystes, bien chapitré par Delbecque et Soustelle, lance un appel à
de Gaulle dans son éditorial du 11 mai[1].

Néanmoins, ces répétitions générales d'un gaullisme minoritaire n'influent guère sur le déroulement des manifestations
factieuses du 13 à Alger. Leur prétexte avoué est l'annonce délibérée par le FLN de l'exécution de trois soldats français prisonniers. Deux rassemblements sont prévus, l'un très militaire, Salan
en tête, en signe de protestation, l'autre très européen, organisé
par le « Comité des 7 » et plus décidé à contrer Pflimlin au nom
de l'Algérie française. Le 3e régiment de paras du colonel Trinquier et les CRS ont la charge de maintenir l'ordre, tandis que les
Algérois émus, certains ébranlés par l'appel de Sérigny, gagnent
le Monument aux morts. Là, on crie « l'armée au pouvoir », mais
Massu est ovationné tandis que Salan, l'ancien de Diên Biên Phu,
est hué. Les deux cortèges sont près de se disperser quand quelques jeunes partent à l'assaut du bâtiment du Gouvernement
général. Au terme d'une course où se distingue Lagaillarde en
tenue léopard, face à une très molle résistance des forces de l'ordre,
ils s'en emparent facilement et dans une confusion totale. Qu'y
faire ? La foule se masse aux abords, saluant l'envol des dossiers défenestrés, huant une nouvelle fois Salan mal à l'aise au
balcon. La « révolution » cherche ses hommes et ses mots : dans
les bureaux, on dresse en toute improvisation la liste d'un Comité
de salut public, où s'inscrivent Trinquier, Thomazo, Lagaillarde,
les hommes de l'USRAF et où Delbecque, accouru à la hâte et
se présentant comme l'émissaire de Soustelle, se fait coucher à
la sauvette et dans l'indifférence avec quelques alliés sûrs. Massu
« saute » alors : troublé par ce « bordel », il sait parler à la foule,
lui lit la liste des membres de ce Comité et le texte du télégramme
expédié à Coty, qui exige la création à Paris d'un gouvernement
de salut public. Il est 21 heures. L'élan populaire d'Alger a eu
sa « journée », il n'a plus rien à proposer.

A Paris, c'est la stupeur mais non l'accablement. Gaillard
démissionnaire tient les rênes tant que son successeur n'est pas
investi. En accord avec Lacoste et Ély, il délègue trop vite tous

1. Voir A. de Sérigny, *la Révolution du 13 mai*, Plon, 1958.

pouvoirs à Salan, puis à Massu qui, malgré son gaullisme connu
d'ancien de la 2e DB, paraît être le seul responsable militaire
capable de stopper l'émeute : il légalise le coup de force mais
évite le bain de sang. Les chefs des partis convoqués à Matignon
engagent une discussion confuse. Faut-il affronter l'émeute et
prendre les risques d'une épreuve de force? Désamorcer la bombe
en se ralliant à l'Algérie française? Faire appel à de Gaulle,
comme l'ont déjà demandé Massu et Ély pour préserver l'unité
de l'armée? On retombe dans les indécisions des premiers jours
de crise. Mais dans l'après-midi et en soirée, au fil du débat d'investiture, le sursaut des parlementaires est bienvenu, Pflimlin
est à la hauteur des circonstances, condamnant dans son discours
les chefs militaires qui ont pris « une attitude d'insurrection
contre la loi républicaine », appelant à l'union nationale de
défense républicaine mais sans renoncer à l'idée des pourparlers
avec le FLN. D'un bel élan, la SFIO, le MRP, l'UDSR, des
radicaux et un gros quart des indépendants l'investissent de leurs
274 voix, les communistes s'étant opportunément abstenus pour
lui éviter tout risque d'échec. Ont déjà refusé de défendre la
République 129 élus : la fleur des partisans de l'Algérie française
qui soutient ainsi l'émeute, Bidault, quelques radicaux, le gros
des indépendants, les gaullistes et les poujadistes. Dans la nuit,
le premier Conseil des ministres du gouvernement Pflimlin paraît
décidé à ne pas abandonner la partie : embargo des communications avec l'Algérie, confirmation de l'autorité du seul Salan au
petit matin, habile consolidation du maillon le plus faible d'une
coalition algéroise qu'il faut bien surveiller avant de la désavouer.
Le 13 mai 1958 n'est pas un 6 février 1934 qui aurait réussi, car
Pflimlin n'est pas un Daladier qui s'esquive à l'aube.

Le 14 mai, quand seul *le Parisien libéré* ose titrer sur un recours
à de Gaulle, la foule d'Alger demeure mobilisée mais ses meneurs
accusent le choc, quelques-uns s'inquiètent d'être tout bonne-
ment fusillés, Delbecque est débordé et mis à l'écart par le « Comité
des 7 », Salan refuse de rompre avec Paris tandis que Massu
dévoile publiquement ses sentiments gaullistes mais pose au
soldat fidèle à la République. L'armée ne bouge pas, l'activisme
piétine, le peuple du Forum sent confusément que sa « révolution »
débouche sur ce qu'elle voulait éviter : Paris parlant haut et

ayant une volonté. Et, de fait, Pflimlin fait surveiller Soustelle qui a manqué dans la nuit sa chance de courir en hâte diriger la rébellion d'Alger, appelle les socialistes à prendre leur part dans la charge de l'ordre, Mollet devient vice-président du Conseil, et l'Intérieur est confié à l'homme fort de 1947, Jules Moch. Matignon a certes condamné les militaires factieux tout en couvrant Salan, mais rien n'est joué. La République a su résister et de Gaulle se tait. L'émeute a échoué. Les complots peuvent rebondir.

« *Albert, j'ai gagné* »

C'est en réalité le 15 mai qu'est posée l'équation qui marque les vrais rapports de pouvoir et fixe l'ultime enjeu de la crise. Qu'importe la multiplication des comités de salut public qui s'amorce en Algérie et qui favorise une « fraternisation » avec des musulmans dont les putschistes tirent à la hâte la meilleure justification de leur émeute manquée. Ce 15 mai, tout se joue entre trois hommes qui incarnent le triangle des forces, Salan, de Gaulle et Pflimlin. Le premier cède à la pression de Delbecque qui s'est bien ressaisi et plaide auprès des activistes assombris la carte de la sagesse venue de Colombey : il lance du bout des lèvres au balcon du Gouvernement général un « Vive de Gaulle ! » qu'on lui a soufflé. Le représentant du gouvernement à Alger plonge à tout hasard dans l'illégalité. Le deuxième, qui s'est bien informé la veille à Paris, retrouve les réflexes du colonel de blindés : en ne rompant pas avec Salan, Pflimlin a trahi l'indécision du pouvoir, la brèche est ouverte. Il y fonce par un communiqué publié à 17 heures et transmis à Matignon : « Naguère, le pays, dans ses profondeurs, m'a fait confiance pour le conduire jusqu'au salut. Aujourd'hui, devant les épreuves qui montent de nouveau vers lui, qu'il sache que je me tiens prêt à assumer les pouvoirs de la République. » Oubliés le Gouvernement provisoire et le RPF ! D'instinct de Gaulle fonde sa légitimité sur le 18 juin 1940, touchant au cœur les Français qui, jusqu'en 1970, ne retiendront d'abord de lui que cette image impérissable d'un geste. Nul mot sur l'Algérie, aucun désaveu des factieux, puisqu'il faut voir venir. En fait, le poisson est ferré. Pflimlin commet ses deux premières erreurs : il ne dénonce pas sur-le-champ l'écart coupable de Salan et, feignant d'ignorer le communiqué de De Gaulle, se croit trop faible pour le contrer. Sans doute est-il à tort convaincu que Salan peut encore arbitrer un compromis de Paris avec Alger, qu'on évoque encore avec insistance le 16. Peut-être voit-il aussi de l'intérieur l'État s'effilocher : André Mutter, nouveau ministre de l'Algérie, ne peut pas gagner son poste; Guy Mollet interpelle directement le général de Gaulle, pour sans doute le sommer de désavouer l'émeute d'Alger, mais surtout pour savoir s'il accepterait de se présenter devant l'Assemblée pour y être investi président du Conseil et s'il se plierait au verdict de son vote; Ély signifie son désaccord avec Chevigné, le nouveau ministre des Armées, et se découvre en démissionnant. Rien n'exclut enfin qu'il tergiverse pour mieux résister, comme le lui conseille Jules Moch, fort du vote sur l'état d'urgence que les parlementaires lui accordent, tandis que les polices et les préfets, mis sur pied de guerre, réagissent moins mal qu'on ne l'escomptait, que Chevigné exile à Brest le général Challe qui s'était ouvert auprès de Mollet de son ardeur gaullienne. Peu importe. De Gaulle en quarante-huit heures a remporté la première bataille de sa *Blitzkrieg*. Il s'est carré à l'intersection des velléités, celles d'Alger incapable de proposer, celles de Paris incertain dans la répression. Le silence et l'attente deviennent ses complices. Il a promis de donner une conférence de presse le 19 mai.

Du 16 au 19 tant attendu, la page n'est cependant pas blanche. S'y insère même l'épisode peut-être décisif, dans un secret soigneusement distillé. Déçus par l'échec de l'émeute algéroise, des membres de l'état-major de Salan conçoivent depuis le 14 en effet l'opération « Résurrection ». Aéroportée, elle lâcherait des parachutistes sur Paris, avec l'appui de régiments du Sud-Ouest commandés par le général Miquel et le renfort du groupement blindé du colonel Gribius stationné sur les pourtours de la capitale. Dans un va-et-vient discret de « missions militaires », rendez-vous est même pris pour le 19 mai. Delbecque le sait. L' « antenne » gaulliste de la rue de Solferino, où s'affairent Guichard, Foccart, La Malène et Lefranc, l'apprend, Debré se multiplie : ils en avertissent de Gaulle, tandis qu'à Matignon Michel Poniatowski alerte à son tour le gouvernement et que l'Élysée est saisi. De Gaulle, superbe, enregistre, semble-t-il sans s'émouvoir, ce bruit de bottes et fait garder le fer au feu : tout est décommandé d'un coup, on étouffe les manifestations « spontanées » prévues à Paris, Sanguinetti calme les anciens combattants qui devaient se joindre à la fête, mais le complot n'est pas désavoué [1]. L'épisode pose un pion stratégique : ce putsch dont de Gaulle ne veut pas mais dont nul ne peut dire s'il s'y serait résigné si toute autre issue avait été impossible. Il démontre surtout à Pflimlin que les gaullistes sont capables de contrer une opération de guerre civile. Ce raisonnement imparable chemine dans les esprits. Le 19, dans un Paris solidement tenu par les CRS de Jules Moch et où la population retient son souffle, de Gaulle tient au Palais d'Orsay sa conférence de presse, dénonçant le « système » pour mieux promettre de le faire sortir du chaos, convenant dans une boutade qu'il n'envisage pas à son âge (67 ans) de « commencer une carrière de dictateur » tout en avertissant qu'en cas de crise les événements peuvent conduire à des procédures d' « une flexibilité considérable ». Le tout assorti d'un hommage appuyé à son « compagnon » Guy Mollet, qui s'inquiète trop, sans un mot pour condamner l'insurrection qui lui rend l'espoir du pouvoir, avec la promesse d'entendre sur l'Algérie « les parties en cause » : un chef-d'œuvre d'habileté, suivi d'un prompt retour dans son village où il se tient « à la disposition du pays ». Deuxième bataille bien enlevée.

Dès lors, et jusqu'au 27, la situation décante pour le nouveau Cincinnatus et pourrit pour le gouvernement. Au grand scandale de Mendès France, Pflimlin reçoit de l'Assemblée, qui se hâte de discuter une réforme constitutionnelle, de nouveaux pouvoirs spéciaux en Algérie sans faire allusion aux propos de De Gaulle et laisse lever le blocus partiel des communications avec Alger : le président du Conseil poursuivra jusqu'au bout le rêve d'une négociation à l'amiable avec les militaires, il leur dépêche des émissaires tout en amorçant les premiers contacts avec les rebelles, ce qui évidemment le ruine définitivement. A Colombey, on sert le thé en rassurant [2] : le 22, Antoine Pinay en revient convaincu

1. Voir P.-H. de La Gorce (4), p. 541, E. Jouhaud, *Ce que je n'ai pas dit*, Fayard, 1977, p. 90-110, et sa lettre au *Monde* du 13 juin 1978.
2. C'est déjà fait pour les milieux financiers. Le 20, *la Vie française* titre « La Bourse attend de Gaulle ».

que de Gaulle pratiquera une très grande politique d'union nationale, Georges Boris est sondé à tout hasard sur la fermeté de
Mendès France et assuré que la gauche n'a rien à redouter des
intentions de son hôte. Mais, rentré à Alger le 17, Soustelle fait
propager la « révolution du 13 mai », organise les cortèges de
« frères musulmans » qui réclament de Gaulle sur tous les forums,
le plan « Résurrection » est réactivé avec comme premier objectif
la Corse où le député Pascal Arrighi lance des comités de salut
public, Lagaillarde entreprend en métropole une fructueuse
tournée des popotes. Jules Moch peut alors se convaincre, et avec
lui tout le gouvernement, que l'État se désagrège. Téléguidée
depuis Alger, orchestrée par quelques commandos sûrs, « Résurrection » triomphe en Corse les 24 et 25, sans coup férir, les CRS
envoyés en renfort pour soutenir le préfet qui fait front n'arrivant
pas, « égarés » par la police locale. Cette fois, le processus qui
réussit à Franco à l'été 1936 se mettrait-il en place ? Le cabinet
se divise, nul ne veut prendre le risque d'essaimer la guerre civile
en ripostant, le Sud-Ouest s'agite. En quelques heures, du 25 au
26, Jules Moch, scandalisé, offre sa démission, Guy Mollet écrit
à de Gaulle que le pire danger qui menace la France lui semble
venir des « bolcheviks », et, de guerre lasse, poussé par Coty,
Pflimlin se laisse convaincre de rencontrer le général. S'ensuit un
nocturne dialogue de sourds le 26 à Saint-Cloud : de Gaulle refuse
de désavouer ceux qui le font acclamer en Corse mais n'est pas
sûr d'avoir fléchi Pflimlin [1].

Il engage alors sa troisième bataille, décisive. De Colombey,
il dicte à Guichard la déclaration qui tombe le 27 à midi : « J'ai
entamé hier le processus régulier nécessaire à l'établissement d'un
gouvernement républicain, capable d'assurer l'unité et l'indépendance du pays... J'attends des forces terrestres, navales et
aériennes présentes en Algérie qu'elles demeurent exemplaires
sous les ordres de leurs chefs. » Pflimlin, abasourdi, car rien de
tel n'a été convenu au cours de leur entretien, les socialistes choqués
par l'étrange lettre de leur secrétaire général, Jules Moch, impuissant

1. Il aurait dit à Pflimlin : « Je préfère utiliser mon crédit à rétablir
l'ordre, plutôt qu'à désavouer le désordre. » Voir le témoignage de
G. Monnerville, *Vingt-deux ans de présidence*, Plon, 1980, p. 72.

à mettre en place le contre-feu à la phase finale de « Résurrection »
prévue pour le 28 et cette fois sur Paris, Coty pressé d'en finir,
de Gaulle laissant Salan « faire le nécessaire » au cas où l'accès
légal au pouvoir lui serait barré par la coalition des partis, et
malgré un dernier vote de l'Assemblée soutenant encore le gouvernement, il faut enregistrer l'inévitable. Tiraillé entre une droite
qui le pousse à baisser les bras et une gauche divisée qui reste
stupide, Pflimlin remet la démission de son gouvernement à René
Coty le 28 mai au matin. La vacance du pouvoir est créée, nul
n'a la force de l'exploiter, sauf de Gaulle.

Dramatique, lugubre même, ce défilé républicain du même
jour à 17 heures de la Nation à la République. Tous sont là,
politiques et syndicalistes, étudiants et enseignants, peuple qui
ne s'est guère mobilisé la veille aux appels de la CGT, imposant
cortège d'enterrement comme on les aime à gauche. Ils conspuent
les paras, assurent que le « fascisme ne passera pas » plus qu'ils
n'invectivent de Gaulle. En tête du cortège, avec Mitterrand,
Mendès France et Menthon, la présence d'Édouard Daladier
fait lever d'étranges parfums munichois. Sur ces entrefaites, les
pontifes du régime s'agitent pour faire de De Gaulle un pressenti
rompu aux usages. Auriol poursuit avec lui des contacts épisto-
laires, Le Troquer et Monnerville tentent de le convaincre de ne
pas troubler l'ordonnancement des cérémonies parlementaires.
En vain. Le général coupe court, exige les pleins pouvoirs et la
mise en route d'une révision constitutionnelle. Le 29, dans la
menace d'un débarquement des paras, René Coty annonce qu'il
fait appel « au plus illustre des Français » et force la carte par un
chantage à la démission. A 19 heures 30, le général franchit le
seuil de l'Élysée pour être pressenti dans les règles. Le lendemain,
déjà rassérénés, Guy Mollet et Maurice Deixonne prennent le
chemin de Colombey pour s'assurer qu'à tout le moins de Gaulle
ne rompra pas aussitôt l'Alliance atlantique et se retirera si l'Assemblée le met en minorité, ce qui leur est garanti de bonne grâce.
A leur retour, ils lèvent le dernier obstacle en convainquant une
courte majorité des élus socialistes (77 contre 74) qu'il leur faut
choisir le moindre mal, le général plutôt qu'un régime de colonels,
un franquisme dont on ne revient pas : revirement décisif des
derniers arbitres. Dès lors, tout est aisé.

Le 1er juin, le dernier président pressenti de la IVe République se présente devant l'Assemblée, lui lit une courte déclaration où il évoque les risques de guerre civile, exige pour le gouvernement les pleins pouvoirs pendant six mois et promet de soumettre aux Français par référendum une nouvelle Constitution [1], puis se retire. Mendès France, Mitterrand, Isorni, Menthon et Cot expriment leur refus d'un coup d'État porté par les factieux d'Alger, mais l'investiture est acquise par 329 voix contre 224, les communistes, la moitié des socialistes, les mendésistes et quelques isolés ayant voté contre. Le nouveau gouvernement flatte habilement les partis en accueillant généreusement des hommes du « système ». Mollet, Pflimlin, Houphouët-Boigny et Jacquinot sont ministres d'État, Pinay reçoit les Finances, Berthouin l'Éducation nationale. Peu de gaullistes voyants sauf Malraux et Debré à la Justice, mais Soustelle n'a pas été promu et les leaders de l'USRAF sont ignorés : de hauts fonctionnaires sûrs, Pelletier et Couve de Murville, verrouillent l'Intérieur et les Affaires étrangères, de Gaulle lui-même se réservant la Défense nationale. Est ainsi honorée celle qu'on enterre : « ...il ne manque plus, aurait dit de Gaulle, que M. Poujade, M. Maurice Thorez et M. Ferhat 'Abbās et nous serions au complet. » Le 3, un président du Conseil aimable et détendu a reçu des deux Assemblées [2] les pleins pouvoirs et s'honore de la confiance qu'on lui marque.

1. Pouvoir constituant et pleins pouvoirs temporaires sont confiés à son gouvernement et non à de Gaulle seul : différence fondamentale avec le vote du 10 juillet 1940 dont le souvenir, on l'imagine, est dans bien des esprits. Car de Gaulle est contraint de garder ses ministres pour faire la révision constitutionnelle : or, les grands partis de la IVe République sont bien représentés au gouvernement.
2. Le 2 juin, l'Assemblée nationale puis le Conseil de la République ont voté trois lois qui laissent les mains libres au nouveau gouvernement et qui sont promulguées le 3. La première lui confirme l'usage des pouvoirs spéciaux en Algérie qu'avaient déjà ses prédécesseurs. La deuxième lui confère les pleins pouvoirs pour six mois. La troisième est une loi constitutionnelle qui modifie les procédures de révision prévues à l'article 90 de la Constitution de 1946, en particulier par l'adjonction du référendum. Ces dispositions ont dès longtemps été prévues et annoncées par les gaullistes. Voir le communiqué des républicains sociaux rédigé par Roger Frey et publié par le *Monde* du 5 mai 1956, minutieusement appliqué deux ans plus tard.

Rentrant le soir à l'hôtel Lapérouse, il résume tout d'un mot familier en tapant sur l'épaule du portier : « Albert, j'ai gagné! [1] »

Une crise de consensus.

La République est donc morte après trois semaines de crise ouverte. A son chevet, trois pouvoirs se disputent, ou plutôt trois légitimités se cherchent : le pouvoir légal à Paris, le pouvoir militaire à Alger, le pouvoir moral à Colombey. Mais, aucun n'ayant la maîtrise de l'échiquier, les chefs s'en remettent souvent à l'événement, ouvrant ainsi le champ aux comploteurs, dans l'indifférence des Français. Les péripéties infléchissent donc le cours du drame. Mais son issue était prévisible. Car les hommes de la IVe République qui ont successivement écarté toute volonté de renouveau et refusé à Mendès France de gouverner sur un consensus avaient dès longtemps livré le régime à l'arithmétique parlementaire qui, depuis janvier 1956, pose en arbitres des socialistes désunis, velléitaires et belliqueux : la crise donne le spectacle de leur impuissance, malgré de tardifs sursauts. Faute de trouver le courage de dénoncer les mensonges passés, tous, partisans et adversaires de l'Algérie française ou de De gaulle, sont complices des louvoiements d'un Mollet ou d'un Auriol, des finasseries d'un Coty dont on apprendra plus tard les contacts avec Colombey dès le 5 mai et dont on a pu observer l'inefficacité de l'appel à la paix civile le 14. L'État au fil de l'eau depuis des années, l'autorité gouvernementale bafouée dès le 6 février 1956, l'administration, la police et l'armée ne répondant plus toujours aux ordres du pouvoir, que pouvaient-ils faire sinon baisser les bras ou se raidir autour de principes abstraits? C'est une République désincarnée que les derniers fidèles saluent le 28 dans la rue parisienne, un principe plus que des institutions qui y est défendu par des slogans : aucune grève, aucune intervention populaire, aucune manifestation rappelant les ardeurs fondatrices de 1944 n'y troublent le piétinement et n'ont secouru la classe politique. La

1. Voir J. Ferniot (66), p. 480. A Delbecque venu se faire féliciter il complète : « Vous avez bien joué. » Et, après un silence : « Mais avouez que j'ai bien joué aussi. »

IVᵉ République, de mutilations de 1947 en désillusions de 1955 et 1956, a désenchanté une partie du corps social de la nation et rendu passives les masses. Un signe ne trompe pas : l'écho quasi nul des appels de la CGT et l'extrême isolement des communistes révèlent qu'une partie de la classe ouvrière campe toujours aux portes de la Cité. Comment ne pas souligner aussi qu'*in extremis* les règles politiques de guerre froide posées en 1947 ont conservé valeur obsessionnelle : chacun s'accorde pour défendre le régime à condition que ne soit pas concédée à des communistes complices de tous les Budapest la plus minime part de légitimité républicaine; chacun respire dès que de Gaulle annonce qu'il ne rompra pas avec Washington. Le cancer algérien a émietté l'autorité, mais les vieilles fractures de l'après-guerre ont rejoué, compliquant les choix et annihilant les volontés.

La guerre a cependant mis en branle des mécanismes assez forts pour jeter la nation au bord de la guerre civile. Cette irruption du tragique dans un pays qui n'a pas oublié ses traumatismes des années noires et dont on perçoit sans peine la permanente aspiration au mieux-être paisible, déconcerte et effraie, renforçant la tentation de remettre le fardeau aux mains sûres de De Gaulle. La folle équipée de Suez, après Diên Biên Phu, a durement accrédité l'idée que la France a perdu sa grandeur, malgré le sursaut anticédiste. Ce repli frileux sur soi-même d'un nationalisme beaucoup plus résigné qu'on ne l'a cru sur l'instant, fait par contre jouer très vigoureusement les réflexes défensifs dès lors que l'intégrité française est menacée. La longue indécision de la métropole sur l'avenir des territoires algériens, tranchée dans un sens qui n'est plus le statut départemental, la signature d'un chèque en blanc au général ne s'expliquent pas autrement : tous les Français sont touchés par le désespoir d'un million de compatriotes et acceptent bien que les jeunes du contingent les défendent, mais seule une poignée d'activistes est prête à laisser jouer la contradiction qui ferait de la défense de l'Algérie française un prétexte à guerre civile. Ce sont les complots qui en ont entretenu la peur. Celle-ci étouffe la défense républicaine et dispense de Gaulle de dévoiler ses intentions réelles. Et surtout permet de mettre en réserve le fer de lance de la bataille qui s'annonce : les paras et, plus largement, l'armée. A scruter le ciel de Paris d'où fondraient les hommes de Massu, à trop tarder à désavouer les chefs factieux, à refuser le risque de rompre avec elle et de déclencher ainsi un *pronunciamiento* porteur de luttes civiles, les défenseurs de la République ont sans doute contribué à majorer son rôle. Certes, son malaise bien repéré et analysé[1] a ses vertus propres d'entraînement. Le corps militaire a pris conscience que la nation se déchargeait sur lui de ses hésitations et s'est difficilement adapté au nouveau contexte mondial des années qui suivent la guerre froide : cette guerre en Algérie est devenue à la fois son rachat, son honneur et son avenir. Mais, en dehors d'une poignée d'officiers complices des comploteurs et de quelques unités d'élite enfiévrées, l'armée demeure plus qu'on ne l'a cru à l'écart des activations de la crise, bien davantage à tout le moins que sous la Ve République, et Pflimlin n'avait pas tout à fait tort de croire que ses chefs suprêmes hésiteraient à rompre avec un régime qui avait su s'accommoder si bien depuis 1946 de la pression directe de ses militaires. Son malaise ne dépasse pas les limites d'une forme de poujadisme, de Gaulle est très loin d'y faire l'unanimité chez les anciens officiers vichystes ou « africains », le contingent ne bouge pas : il n'y eut pas, en fait, de pouvoir militaire. Par contre, et ce fut décisif, la conjonction des activistes civils et militaires au Forum d'Alger a donné à de Gaulle le levier qui fait basculer la crise là où il l'attend.

Celui-ci fut bien alors, outre le plus illustre, le plus empiriste et le plus habile des Français. Lui seul sait à la fois juger qu'il faut attendre en ne sous-estimant pas la fermeté de Pflimlin et laisser l'armée jouer les utilités tout en ne désavouant pas les braillards agités d'Alger et de Corse. Lui seul a compris d'un coup que cette crise était pourrissement, que nul n'en acceptait l'issue conflictuelle, qu'il fallait donc s'assurer la seule maîtrise qui comptait, celle du temps : le 15, le 19 et le 27 mai il impose à la chronologie la respiration de sa propre volonté. Lui seul enfin a su concilier appels à l'opinion et sauvegarde des usages, qui tiennent les Français en haleine et permettent à leurs dirigeants de ne pas perdre tout à fait la face. Improvisateur

1. Voir, par exemple, J. Planchais, *le Malaise de l'armée*, Plon, paru en février 1958.

méthodique, arbitre par calcul, il a toujours deux fers au feu, le rassemblement ou l'insurrection, l'apaisement nécessaire avec tous les concours ou la renaissance par le forceps. Sa bonne foi n'est pas en cause quand il persévère dans ses dénégations d'avoir été mêlé à l'émeute et aux complots d'Alger, sa loyauté pas davantage quand il avance son souci d'éviter au pays « l'aventure [1] ». Mais qu'il ait su tergiverser en ne condamnant pas des factieux dont il connaît les intentions, qu'il ait joué avec le pire pour forcer la décision, est incontestable. Ce parcours sans faute, bien meilleur que ceux des crises de 1946 ou de 1968, est salué par les Français, spectateurs d'un drame dont ils sentent que l'issue gaullienne leur rendra une légitimité d'acteurs à part entière. A l'été 1958 et jusqu'au référendum triomphal du 28 septembre qui installe la Ve République par la consultation de 22 millions de citoyens dont près de 18 lui sont acquis définitivement, le gaullisme a retrouvé sans peine ses vertus de rassemblement, relançant le débat bloqué qui avait opposé mendésisme et poujadisme et le tranchant par de nouvelles institutions dans le sens de la modernité. En juin 1958, un sondage donne le palmarès de ce nouveau consensus : 83 % des personnes interrogées contre 4 font confiance à de Gaulle pour faire obéir l'armée, 70 % contre 8 pour réformer la Constitution, 68 contre 11 pour régler la question algérienne, 67 % contre 10 pour améliorer la position internationale de la France et 61 % contre 14 pour refaire l'unité nationale [2].

C'est assurément un beau ralliement à l'homme du 18 juin 1940. Qu'il reste le plus longtemps possible au pouvoir, affirment 46 % des Français en août 1958, seuls 16 % souhaitant qu'il parte aussitôt ou après six mois de pleins pouvoirs. Abandon aux mains du sauveur ? Des apeurés passifs et dépolitisés qui démissionnent ? Pas si sûr. Les Français attendent sans doute davantage de De Gaulle qu'il les réconcilie avec eux-mêmes, comme en 1944. C'est leur refus du consensus d'exclusion de la

---

1. Voir ses *Mémoires d'espoir*, Plon, 1970, p. 21-34.
2. Mais 44 % seulement contre 18 pour régler les questions économiques. Le pourcentage des « abstentionnistes » est, dans l'ordre, 13, 22, 21, 23, 25, puis 38 % pour l'économie. Voir *Sondages*, 1958, n° 4.

IVe République qui s'exprime par le silence méprisant, c'est leur exigence d'un consensus d'union nationale qui s'adresse à de Gaulle et lui confie le soin de les laisser s'exprimer demain. Prière qui dépasse l'homme qui l'entend monter, demande de traduction en termes constitutionnels clairs du vieux souhait déçu de 1944, être gouverné : dans le même sondage de l'IFOP en août, c'est l'espoir d'une bonne constitution qui rallie les grosses masses des électorats fidèles aux partis de la IVe République représentés dans le nouveau gouvernement, communistes exclus. Contre 8 % des électeurs du PCF, 68 % de ceux de la SFIO, 79 % de ceux des radicaux, 85 % du MRP, 93 % des modérés et, bien entendu, 97 % des républicains sociaux font confiance au gouvernement de Gaulle pour bâtir une nouvelle République : amorce d'un large ralliement des Français aux institutions de la Ve, à l'automne 1958 et au-delà. La France refuse une guerre civile à propos de l'Algérie : elle en a connu une assez vive de 1940 à 1945. Plus attentistes que passifs, les Français suivent de Gaulle dans l'espoir qu'il saura leur laisser vivre une nouvelle forme de démocratie républicaine, dans une acceptation qui n'est pas un lâche soulagement. Car le long événement du 13 mai, avec sa contingence et ses manœuvres fortuites, laisse courir le fil d'une continuité qui, depuis la reconstruction d'après-guerre, a tenté en vain de relier un État et une République peu à peu enlisés à une France enhardie. C'est cette France-là qu'il faut maintenant interroger pour donner tout son relief à la déchéance du régime dont elle s'émancipe.

2

La France enhardie

5

L'aiguillon
de la croissance

Après l'étalage de l'impuissance et les éclats de la chute, voici la face heureuse de ces années, quand la fécondité et l'ambition s'enhardissent avec les gains de productivité et la multiplication des biens. L'économie aurait-elle le dernier mot? Un matérialisme de consommation aurait-il fait le lit de l'incivisme, rasséréné le grand capital, rogné les ambitions de l'État? Gardons-nous des jugements rétrospectifs hâtifs et n'oublions jamais les très dures années qui ont précédé ce retour tant souhaité du mieux-être. L'existence troublée de la IVᵉ République, sa fin sans gloire sont indissolublement liées à l'engagement du pays dans la croissance, avec toutes ses conséquences modernisatrices. Au tournant des années cinquante, l'économie a franchi d'un bel élan le seuil des pénuries physiques qui avaient marqué l'après-guerre, les goulots d'étranglement cèdent : la voie serait-elle libre pour une expansion qui effacerait les dernières traces de ce conservatisme et de ce malthusianisme si souvent dénoncés à l'époque? Les nostalgies du « bel » avant-guerre s'effacent, le marché intérieur s'élargit avec le renouveau démographique, une vie meilleure est à portée de la main : on inaugure les « trente glorieuses [1] ».

1. Expression popularisée, on le sait, par Jean Fourastié dans *les Trente Glorieuses ou la Révolution invisible de 1946 à 1975*, Fayard, 1979. Son nom est de ceux qu'il faut mettre en exergue à ce chapitre : affirmation de l'*homo œconomicus*, doux rivages de *la Civilisation de 1960* (son célèbre « Que sais-je? » de 1947 sans cesse réédité) et de *la Productivité* (PUF, 1947), *Grand espoir du siècle* (PUF, 1949 et 1958), *Machinisme et bien-être* (Éd. de Minuit, 1951 et 1962), nul mieux que lui n'a exprimé à l'aube des années cinquante l'idéologie du progrès, la morale prospective et décrit une « histoire de demain » qui sera celle du confort et du travail.

Le « boom » à la française.

La période de la reconstruction avait victorieusement relevé la production, la hissant dès 1949 à son niveau de 1929, rétabli les équilibres extérieurs en bonne partie grâce à l'aide américaine, tout en laissant à la traîne le pouvoir d'achat des salariés. Sur cet acquis, les années cinquante peuvent plus aisément entretenir une croissance qui compense les retards du pouvoir d'achat et de la consommation tout en dynamisant le secteur productif dans ses branches les plus rentables et les plus modernes. Le IIe Plan, qui couvre la période 1954-1957, entérine ce consensus général et adapte ses objectifs à la nouvelle donne internationale et nationale. Il faut achever la reconstruction, prévoir l'arrivée de générations plus nombreuses sur le marché de l'éducation et du travail, l'entrée de la France dans la Communauté économique européenne, faire face aux coûteuses guerres d'outre-mer, et surtout rassasier les appétits de bien-être. Son mot d'ordre est donc « produire mieux » et non plus « produire davantage », pousser la productivité, aider les secteurs où la demande est la plus forte, préparer un régime de liberté des échanges et de choix du consommateur. Ses « actions de base » découlent de ces impératifs : développer la recherche scientifique et technique, la spécialisation et l'adaptation des entreprises industrielles, la formation et la reconversion de la main-d'œuvre, prévoir l'organisation des marchés, donner priorité aux industries de transformation, à la construction de logements et aménager le territoire. Profitant des progrès de la Comptabilité nationale [1], il prévoit une hausse de 25 % du PNB, de 25 à 30 % de la production industrielle, de 60 % de l'industrie du bâtiment. Les résultats dépasseront cette prospective raisonnée (voir le tableau ci-contre), indices et pourcentages sont des communiqués de victoires. De 1950 à 1958, en effet, le PNB et le revenu national croissent de 41 %, le pouvoir

1. Grâce en particulier à la création en 1950 du Service des études économiques et financières (SEEF) installé aux Finances et qui « dialogue » utilement avec le Plan. François Bloch-Lainé l'a confié à Claude Gruson. De son côté l'INSEE, dirigé par Francis Closon, lance les enquêtes de conjoncture auprès des chefs d'entreprise et fixe le code des catégories socioprofessionnelles dès 1951 : sa « magistrature du chiffre » couvre la prévision à court terme.

LE MOUVEMENT ÉCONOMIQUE GÉNÉRAL

1. EN INDICE 1938 = 100

	1945	1950	1952	1954	1956	1958
production agricole	61	102	103	117	112	116
production industrielle	50	128	145	159	188	213
volume des importations	34	104	116	126	166	174
volume des exportations	10	161	161	196	202	233
volume du revenu national	54	118	129	140	156	167

2. EN MILLIARDS DE FRANCS DE 1956

	1938	1950	1952	1954	1956	1958
RESSOURCES						
produit national brut	12 200	14 400	15 700	16 900	18 800	20 400
production intérieure brute	10 710	12 620	13 740	14 940	16 640	18 180
importations	1 210	1 300	1 510	1 610	2 100	2 180
EMPLOIS						
consommation	9 370	9 510	10 790	11 640	13 050	13 780
formation brute de capital fixe	1 390	2 480	2 520	2 750	3 370	3 900
formation de stocks	150	360	220	210	370	410
exportations et solde des utilisations de services	1 010	1 570	1 710	1 940	1 940	2 270

Sources : *Annuaire statistique de la France, rétrospectif*, Imprimerie nationale et PUF, 1961, p. 355 et 365 ; *le Mouvement économique en France (1949-1979)*, INSEE, 1981, p. 114 et 310.

d'achat du salaire horaire moyen de 40 %, le volume de la consommation de 40 %, la production industrielle de 47 %, les exportations de 44 % et la formation brute de capital fixe de 57 % ! Impressionnante gerbe de gains et surtout changement du rythme de leur encaissement : décidément, ce décollage est plus qu'un rattrapage des malheurs de la guerre et de la crise des années trente, la machine économique a trouvé une autre efficacité. Avec une population active numériquement faible, haussant d'un tiers sa productivité, elle a fabriqué de l'optimisme.

La production agricole offre le premier exemple de difficultés qui peuvent être surmontées. Car, après les extraordinaires facilités de vente de l'après-guerre, l'agriculture, hissée à son niveau d'avant-guerre avec les bonnes récoltes de 1948, a dû affronter les vrais problèmes : s'adapter à la baisse structurelle des prix, entrer en compétition sur les marchés extérieurs, répondre à une demande intérieure encore indécise, les habitudes alimentaires évoluant lentement. Effort immense qui rend désormais indispensable une politique agricole, quand on sait le poids des héritages et la rigidité du secteur : 90 % des exploitations ont moins de 50 hectares, le remembrement piétine depuis des décennies (29 % seulement des surfaces qui devaient l'être « d'urgence » depuis 1941 l'auront été en 1958), un tiers seulement de l'ensemble agricole est correctement motorisé et utilise des engrais chimiques en quantité convenable en 1958. Pourtant, avec des gains de productivité de 6,4 % l'an de 1949 à 1962, contre 5,2 % pour l'ensemble de l'économie, des rendements qui se rapprochent de ceux des agricultures les plus évoluées d'Europe, un doublement de la consommation d'engrais, un effort d'équipement et de motorisation sans précédent (le parc de tracteurs passe de 56 000 en 1946 et 136 000 en 1950 à 560 000 en 1958, soit un tracteur pour 33 hectares contre un pour 600 en 1938, la production de machines agricoles double de 1954 à 1958), le secteur brise les fatalités « naturelles » qui le bloquaient. Sans compter qu'indirectement il nourrit la croissance générale en libérant de la main-d'œuvre à un rythme encore inégalé : chaque année depuis 1950, la diminution de l'emploi agricole représente à peu près 1 % de la population active totale. La nouvelle révolution agricole est bien amorcée.

Pour un indice 100 en 1938, la production globale est passée à 102 en 1950 et à 116 en 1958. La croissance est plus forte qu'il n'y paraît, car les produits en essor doivent en entraîner encore beaucoup d'autres moins demandés. C'est ainsi qu'en 1956-1957, pour des recettes totales de 2 550 milliards, 60 % proviennent de l'élevage et 40 % de la culture, inversion très moderne des vieilles habitudes[1]. La spéculation bovine est devenue la première activité agricole, répartissant ses recettes entre la viande (810 milliards) et le lait (500 milliards), deux produits très demandés. L'élevage des volailles (300 milliards) offre un fort complément : le poulet n'est pas encore tout à fait « industriel » mais il n'est plus réservé aux riches et à la table dominicale. Même évolution pour les cultures où les productions de fruits et celles de légumes frais ont définitivement surclassé (369 milliards) les céréales (200 milliards). Une sélection s'opère donc, qui favorise les produits plus consommés, viande, fruits, légumes et céréales nouvelles, le maïs et le riz (victorieusement implanté en Camargue), tandis que piétinent le blé, la pomme de terre, les plantes industrielles comme le lin ou le chanvre et que les oléagineux bien développés jusqu'en 1950 subissent de fortes concurrences de l'outre-mer. Cette évolution positive n'efface pas tout à fait les ombres au tableau : une trop forte production de vin (220 milliards), mal combattue par une ruineuse intervention des pouvoirs publics qui poussent à la distillation des excédents et à l'arrachage des pieds de vigne sans contingenter à temps les importations des vins d'Algérie; une terrible surproduction d'alcool obtenu par la distillation de la betterave sucrière pour 70 % et par celle du vin ou des fruits, qui atteint 5 millions d'hectolitres en stock en 1958 pour une consommation annuelle déjà énorme de 2,7 millions, le gouvernement de Mendès France s'étant, on le sait[2],

1. Voir « Le revenu de l'agriculture en France en 1956-1957 », *Études et conjoncture*, décembre 1957.
2. Voir *supra*, p. 65. Les décrets d'août 1953 et de septembre 1954 s'attaquaient à la racine du mal : réduire le contingent annuel d'alcool acheté par la Régie de l'État, contraindre les betteraviers à reconvertir leur production et à en livrer une plus forte part aux sucreries. Sous la pression du lobby de l'alcool, deux décrets de mai 1955 et septembre 1957 annulent pratiquement les effets bénéfiques des précédents.

vainement attaqué aux privilèges des bouilleurs de cru et des betteraviers. Et des déficiences ont été vivement dénoncées : encore trop d'importations de produits d'élevage, d'oléagineux et de produits tropicaux, des rendements et une mécanisation à intensifier, des déséquilibres régionaux, des revenus des agriculteurs encore trop faibles, des bienfaits du progrès encore chichement répandus [1]. La modernisation est loin d'être achevée. Du moins est-elle lancée vigoureusement et les Français sont-ils non seulement assurés d'avoir chaque jour leurs 3 000 calories de peuple « développé » mais aussi de pouvoir mieux satisfaire à l'avenir leurs goûts alimentaires [2].

Mais c'est de la production industrielle que la croissance tire sa force. Là, les indices galopent : 213 en 1958 pour une base 100 en 1938, 152 en 1959 pour une base 100 en 1952 [3], soit un gain de plus de 50 % en 7 ans, à un rythme de 6 % environ par année. Ni à la Belle Époque ni dans les années vingt, jamais la France n'a connu un rythme de progrès industriel aussi rapide. Et même, preuve qu'un cycle nouveau de l'histoire du capitalisme s'amorce, réagissent les uns sur les autres avec une belle précision indices de l'équipement, de l'investissement, de la consommation, et politiques économiques des gouvernements. Le palmarès est toutefois très sélectif (voir les tableaux p. 174-175).

Cette expansion n'est pas encore énorme dévoreuse d'énergie : de 1952 à 1958, l'indice des disponibilités nécessaires ne passe que de 100 à 122 et la France fournit les deux tiers de sa consommation. Avec annonce toutefois des restructurations des années soixante. La production charbonnière progresse peu, passant de 57 à 60 millions de tonnes de 1952 à 1958 pour une consommation

1. Un seul exemple : l'électrification des écarts a sans doute ramené de 2 500 000 en 1946 à 800 000 en 1956 le nombre des ruraux ne disposant pas de l'électricité, mais 15 % seulement des exploitations possèdent le courant-force en 1958.
2. Tableau d'ensemble dans *Économie rurale*, janv.-juin 1959, numéro spécial sur « L'économie agricole française 1938-1958 ».
3. Très exactement, en base 100 pour 1952, 57 en 1946, 88 en 1950, 99 en 1951, 101 en 1953, 110 en 1954, 119 en 1955, 130 en 1956, 141 en 1957, 147 en 1958 et 152 en 1959. On notera le « boom coréen » de 1950-1951, la stagnation de 1952-1953 et la vivacité de l'expansion depuis 1953.

de 72 à 75, qui représente 54 % de la consommation totale d'énergie en 1960 contre 74 % en 1950. Les Houillères se contentent de gérer les heureux effets de la concentration et de la mécanisation du premier Plan et ne poussent vraiment que la carbochimie, tout en envisageant des restructurations drastiques dans les petits bassins du pourtour du Massif central. L'insertion dans la CECA [1] facilite les nécessaires importations de coke allemand. Par contre, toujours de 1952 base 100 à 1958, l'électricité passe à 152, épousant bien le rythme général de l'activité industrielle, traînant encore un peu pour suivre la demande très vigoureuse de consommation domestique : EDF, très tributaire du coke des Houillères, met ses espoirs dans un équipement hydro-électrique renforcé, avec de nouveaux barrages achevés ou mis en chantier sur le Rhin (Fessenheim et Vogelgrun), le Rhône (Logis-Neuf, Beauchastel, Pierre-Bénite), la Durance (Serre-Ponçon) et dans les Alpes, ne dédaigne pas les secours de l'usine marémotrice de la Rance et du nucléaire, les piles d'expérience de Châtillon, de Saclay et de Grenoble devant être industrialisées prochainement à Marcoule et à Avoine, en liaison avec le CEA et après un repérage systématique des gisements de matières fissiles sur tout le territoire. La production de gaz est passée, elle, à l'indice 181, GDF répondant à une très forte demande domestique : 20 % seulement de la production est désormais destinée aux industries. Des centrales thermiques bien concentrées dans le Nord, la Lorraine, la Basse-Seine, un gros *feeder* de 350 kilomètres joignant désormais Paris et la Lorraine, un rendement des productions accru de 52 % de 1947 à 1956, déjà un recours très délibéré aux produits pétroliers, et surtout la découverte et l'exploitation du gaz de Lacq, dont on amorce la distribution dans tout le Sud-Ouest après avoir appris en 1957 à le rendre transportable en le séparant du soufre abondant qu'il contient, et qui fait l'objet d'un très nationaliste concert de satisfaction, tout concourt à envisager l'avenir avec optimisme. Enfin le pétrole, dont la part dans la consommation d'énergie passe de 16 à 25 %, connaît toutes les faveurs et aidera, croit-on déjà, à pallier toutes les difficultés à venir. Sans doute la France importe-t-elle son brut

1. Voir Ph. Saint-Marc, *la France dans la CECA*, Colin, 1961.

PRODUCTION DE QUELQUES BIENS ET PRODUITS DE CONSOMMATION COURANTE

	1952[1]	1954	1956	1958
viande millions de tonnes	2,06	2,46	2,58	2,56
lait de vache milliers de tonnes	150	180	190	205
vin millions d'hectolitres	53,9	60,9	51,7	47,7
pommes de terre millions de quintaux	110	158	168	127
tracteurs milliers	26	39	79	93
fibres synthétiques milliers de tonnes	3,3	7,6	14,8	23,3
lessives en poudre milliers de tonnes	8	66	124	164
matières plastiques milliers de tonnes	35	75	130	198
paquets de « Gauloises » millions	1 421	1 502	1 340	1 491
appareils électro-thermiques et ménagers base 100 en 1949	178	251	455	573
postes de radio déclarés millions	7,9	8,8	9,7	10,6
postes de TV déclarés milliers	24	125	442	988
voitures particulières milliers	303	352	504	589
logements terminés milliers	84	162	236	292

Source : *Annuaire statistique de la France*, *rétrospectif*, Imprimerie nationale et PUF, 1961, *passim*.
1. Chiffres pour les années 1938-1952 dans J.-P. Rioux (1), p. 251.

Tableau d'honneur de quelques croissances de 1949 à 1957

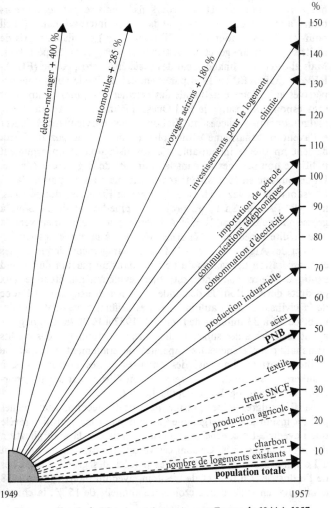

1949   1957

Source : d'après *le Mouvement économique en France de 1944 à 1957*,
Imprimerie nationale et PUF, 1958, p. 31.

à 96 % du Moyen-Orient, 40 % transite par Suez, à la merci des humeurs égyptiennes et des cours fixés encore par les consortiums anglo-saxons, et les grands trusts internationaux (Shell pour 25 %, Esso pour 15 %, BP pour 12 %) ont-ils entrepris de maîtriser le raffinage et la distribution des produits pétroliers. Mais elle active le financement des sociétés de prospection (FINAREP et COFIREP en 1954 par exemple), la Régie autonome des pétroles et la Société nationale des pétroles d'Aquitaine explorent sans espoirs démesurés le Sud-Ouest, piétinent en Afrique noire, malgré quelques succès au Gabon, mais parviennent à lancer « l'aventure saharienne » qui, plus encore que le gaz de Lacq, devient un thème inépuisable d'autosatisfaction et un argument politique non négligeable dans la poursuite de la guerre d'Algérie. La découverte en 1956 au Sahara du pétrole à Edjelé puis à Hassi-Messaoud et du gaz à Hassi-R'Mel par la Française des pétroles, la SNREPAL et Shell, les projets de pipe-line et de gazoduc à grosse capacité aussitôt mis à l'étude pour acheminer vers la côte méditerranéenne ces énormes réserves à la barbe des Américains et des Algériens, sont à la fois encouragements économiques et consécration des vertus du pétrole, dans un parfum de baroud exotique. Cette confiance est, bien évidemment, étendue aux produits dérivés dont la demande devient très exigeante à l'aube de la civilisation de l'automobile. Les raffinages passent brutalement de 18 à 33 millions de tonnes de 1952 à 1958, les compagnies ayant reçu des aides substantielles du plan Monnet et des crédits Marshall pour étendre les capacités de traitement : le pétrole vivifie désormais l'activité des estuaires et des grands ports, à Dunkerque, sur toute la Basse-Seine, en Gironde et sur les pourtours de l'étang de Berre depuis Lavéra.

Ainsi, malgré le pessimisme de certains économistes peinés par l'« insuffisance énergétique [1] », le dynamisme pétrolier révèle que l'avenir est aux échanges internationaux et à la multiplication des produits élaborés. Ce sont ces vertus très capitalistes qui sont à l'origine des plus spectaculaires percées des grandes branches de l'industrie. En tête, et de très loin, avec un indice 209 en 1958 contre 100 en 1952 et une croissance annuelle de 15 %, la chimie

1. Voir J. Chardonnet (89), t. I, chap. 1, et t. II, chap. 23.

sous toutes ses formes. Une recherche active, une bonne politique d'achat et de dépôt de brevets, une puissante demande intérieure, une forte concentration des deux tiers du capital et d'un tiers du chiffre d'affaires sur Rhône-Poulenc, Saint-Gobain, Péchiney, Kuhlmann, Air Liquide et Gillet, des liens étroits avec les marchés extérieurs, de bons relais dans la houille et le pétrole, tout lui est acquis et lui sourit en quelques années : elle double sa production en six ans, la multiplie même par 3 pour les engrais phosphatés, par 5 pour les textiles synthétiques et par 7 pour les matières plastiques. Les grandes productions de base et la carbochimie gonflent en volume et diversifient leurs dérivés. La pétrochimie, tenue par des sociétés filiales des compagnies de raffinage ou les firmes du pneumatique et de la chimie, lance des produits immédiatement rentables, qu'on s'arrache : détergents de synthèse qui concurrencent victorieusement l'industrie traditionnelle des corps gras [1], solvants et peintures, antigels, caoutchouc butyle, éthylène. Appuyée sur la carbochimie et le traitement de végétaux, la chimie des plastiques fait une spectaculaire percée : polystyrène pour objets durs moulés remplaçant la vieille bakélite, dalles, peintures et disques microsillons à base de chlorure de vinyle, polyéthylène surtout qui permet de fabriquer des articles ménagers solides et légers (cuvettes et récipients divers) et d'efficaces isolants pour l'industrie électrique. Une place toute particulière est faite aux textiles synthétiques qui à vive allure se substituent aux textiles artificiels (rayonne et fibranne) dont la production plafonne : nylon, orlon, tergal, crylor, rhovyl et, tout récent, le rilsan, un polyester dérivé de l'huile de ricin, révolutionnent l'industrie du vêtement et la vie de nombreuses ménagères dispensées des lourds lavages et surtout du repassage pour la blouse d'écolier, la chemise d'homme ou la jupe légère. Bien vite, le quotidien sera envahi par les nouveaux produits : multiples poudres et liquides à laver et à récurer (Crio, Mir, ou Catox), éponge Spontex, shampooing Dop, tissus Rhodiacéta et chemisiers

---

1. Un seul exemple : le trust Unilever et ses filiales françaises commercialisent à grand renfort de publicité à la fois des produits traditionnels (savon Lux ou Sunlight, margarine Astra, huile Calvé) et synthétiques (poudres à laver Omo et Persil, poudre à récurer Vim).

Noveltex, panneaux d'Isorel, revêtements de Formica, papier cellophane, et jusqu'à l'enveloppe de la pointe Bic. Léo Ferré peut chanter les charmes pervers du « temps du plastique ».

En seconde position pour leur croissance (indice 163 en 1958 pour 100 en 1952), les industries métallurgiques installent leur suprématie, en chiffre d'affaires (plus de 1 500 milliards en 1956) et en effectifs employés (1 150 000 personnes à la même date), dépassant définitivement le textile. La sidérurgie, immergée dans la CECA depuis février 1953, pousse ses productions : 570 milliards de chiffre d'affaires en 1956, 9,7 à 12 millions de tonnes de fonte, et 7,7 à 10,6 millions de tonnes d'acier de 1952 à 1958, aux deux tiers produits en Lorraine. Les concentrations s'y sont multipliées : Sidelor s'est constitué en décembre 1950 autour de la Société de Rombas et de Pont-à-Mousson, avec des apports des Forges et Aciéries de la Marine et d'Homécourt, de Micheville et de la Gironde, fournissant 13 % de l'acier français; en 1951, les sociétés De Wendel se sont restructurées en « De Wendel et Cie », la famille se réservant le contrôle de l'ensemble par un holding en commandite, les « Petits-Fils de François de Wendel », le groupe produisant environ 15 % de l'acier; en 1953, Lorraine-Escaut regroupe les aciéries de Longwy, des vallées de l'Escaut et de la Meuse, fabrique 12 % de l'acier et s'impose dans la production modernisée de tubes et de tôles fortes; enfin, en 1954, les petits centres menacés du Massif central ont entrepris leur reconversion vers les aciers spéciaux en s'unissant à la Compagnie des ateliers et forges de la Loire. Au total — avec 17 usines — 4 groupes, Sidelor, Usinor, De Wendel et la Sollac, maîtrisent les prix et le marché et fournissent 70 % de la production, laissant végéter encore çà et là plus de 140 petites usines. 60 % d'acier Thomas pour utiliser au mieux le fer lorrain [1], une modernisation des hauts fourneaux et des fours, de nouveaux trains de laminage (celui à fil de Jœuf est déjà réglé électroniquement), une efficace intervention du patronat sur les gouvernements pour achever

---

1. De 1950 à 1958, l'extraction de minerai de fer double, passant de 30 à 60 millions de tonnes. Une proportion croissante en est exportée brute, les sidérurgistes français se révélant incapables et jugeant moins rentable de transformer tout ce fer en acier.

l'électrification de la ligne Valenciennes-Thionville et faire avancer le projet de canalisation de la Moselle dès 1956, des liens étroits avec la Sarre, de bonnes aides combinées du IIᵉ Plan et du Groupement de l'industrie sidérurgique, des prix de revient abaissés, la paix sociale acquise après 1954 par d'honnêtes salaires malgré l'allongement du travail hebdomadaire à 55 heures, un taux d'expansion exceptionnel de 60 % de 1954 à 1960 : le bilan paraît très positif. Pourtant la concurrence allemande et japonaise devient préoccupante, les marchés extérieurs sont moins sûrs alors que leur conquête avait été privilégiée. Et surtout, la sidérurgie s'essouffle à suivre la demande intérieure qui augmente de 47 % et une demande de la CECA accrue de 43 % : les groupes n'ont pas su les prévoir, la limite de leurs possibilités de production est atteinte dès 1956, tandis qu'ils persistent à refuser de faire porter leur effort sur l'approvisionnement des industries en produits de transformation plus différenciés. Les nouveaux choix stratégiques dont ils se félicitent, la localisation côtière et la production d'acier à oxygène pur marqués par l'installation d'Usinor à Dunkerque projetée dès 1956, n'éviteront ni la concurrence effrénée des années soixante, ni la crise financière (dès 1958, l'endettement d'Usinor représente 37 % de son chiffre d'affaires), ni la crise sociale et régionale dans le Nord et en Lorraine. Il faut mentionner, pour être complet, que si la production de métaux non ferreux demeure modeste, celle de l'aluminium, bien alimentée par la bauxite de Provence et l'hydro-électricité alpine, « trustée » par Péchiney-Ugine, passe de 106 000 à 168 000 tonnes de 1952 à 1958, couvrant bien les besoins.

Dans la métallurgie de transformation, la construction de matériel ferroviaire perd du terrain dès lors que le parc a été reconstitué dans le cadre du premier Plan, celles des machines-outils et du matériel agricole en forte ascension ne suffisent pas aux besoins, les chantiers navals modernisés et subventionnés par l'État dans le cadre de la loi Defferre de mai 1951 ont des carnets de commande garnis à partir de 1956 par une forte demande mondiale en gros pétroliers. Deux secteurs ont engagé avec détermination la bataille de l'avenir. L'aéronautique, très affaiblie au lendemain de la guerre et en pleine réorganisation, ne fournit encore en 1958 que 10 % des besoins, mais elle a multiplié par

six des productions militaires largement concentrées chez Marcel
Dassault (chasseurs Mystère, hélicoptères Djinn), et tenté de
conserver son rang pour les moyens courriers commerciaux avec
le Bréguet-deux-ponts. Malgré l'étroitesse du marché des flottes
aériennes que lui laisse la suprématie américaine, elle sait prévoir
l'extension foudroyante des trafics de voyageurs en Europe :
sur un programme établi dès 1951, la Société nationale de
construction aéronautique du Sud-Est (qui devient Sud-Aviation en 1957) fait voler dès mai 1955 la Caravelle, un robuste
moyen courrier biréacteur livré en 1959 à Air-France et qui
fera une superbe carrière, redonnant à l'aéronautique française
une part de son lustre technologique d'antan [1].

Mais c'est surtout la construction automobile qui retient toute
l'attention. Avec un chiffre d'affaires de 770 milliards en 1956,
un doublement de ses fabrications (500 000 véhicules de tous
genres en 1952, 1 120 000 en 1958), des carnets de commande
débordant, de solides exportations d'un quart des productions,
fortement intégrée et nourrissant une multitude de sous-traitants,
de concessionnaires et de garagistes, privilégiée pour les investissements et les progrès de productivité, elle est la vitrine la plus
alléchante du « boom » économique. Car les Français se conver-
tissent à la civilisation roulante. Le parc des véhicules particuliers
double, passant de 1 700 000 en 1951 à 4 000 000 en 1958, dont
la moitié ont moins de cinq ans : une voiture pour 7 habitants
en 1958, objet de satisfaction sociale palpable, fascinant toutes
les classes et toutes les régions, outil de travail et de loisir en voie
de banalisation. Sans oublier la clientèle plus modeste ou plus
jeune des « deux-roues », dont la production elle aussi double :
plus de 5 500 000 engins pétaradant en 1958, « Mobylettes » de
Motobécane ou de Peugeot, Vélosolex, scooters Vespa ou Lam-
bretta construits sous licence italienne, motos Terrot, un marché
en très vive expansion de futurs candidats à l'automobile, troublé
cependant par le rappel du contingent à partir de 1956. Si le
domaine des véhicules utilitaires est encore relativement diversifié
(cars Chausson et Berliet, camions Bernard, Somua ou Berliet)

1. Sans parler d'opportunes diversifications : la SNCASO produit
les réfrigérateurs Frigéavia et la SNECMA des écrémeuses.

et celui des accessoires plus international, la concentration est achevée dans la production d'automobiles. La Régie Renault dynamisée par Pierre Lefaucheux puis, après sa mort en 1955, par Pierre Dreyfus, rafle le tiers du marché, absorbant Salmson en 1955, intégrant la SOMUA dans sa SAVIEM pour les poids lourds, automatisant ses chaînes grâce à la multiplication de ses machines-transfert qui usinent les blocs moteurs, améliorant toutes les opérations de presse et de soudure, multipliant par six sa productivité, diversifiant ses modèles : la 4 CV puis la « Dauphine », produite dans sa nouvelle usine modèle de Flins [1], l'imposent sur le marché des petites cylindrées à usage populaire, tandis que sa « Frégate », fût-elle « transfluide », ne parvient pas tout à fait à rivaliser avec les prestigieuses « américaines ». Le secteur privé, qui sent le besoin de s'associer pour ses financements et ses fabrications de pièces ou d'accessoires, se partage les deux autres tiers : Citroën, bien appuyé sur Michelin, en prend 28 %, équilibrant utilement ses offres entre les utilitaires, la 2 CV à tout faire et la révolutionnaire DS 19 qui se substitue, à partir de 1957, à la gamme des « tractions » dans les rêves à suspension plus douce des classes moyennes en ascension; Peugeot arrache 18 % des achats en réussissant deux modèles robustes, la « 203 » puis la « 403 », Simca avec capitaux Ford misant sur la gamme des « Aronde » et Panhard sur la « Dyna » pour se partager les dernières miettes.

L'automobile est ainsi devenue le symbole de la course au confort et au loisir. Deux critères dont l'efficacité ne se dément pas dans d'autres branches industrielles. Sont en relative stagnation les cuirs concurrencés par les plastiques (indice 106 en 1958), les corps gras (indice 128) dépassés par les produits de synthèse; le textile aussi (indice 128), avec un chiffre d'affaires qui rivalise avec celui de la métallurgie et l'emploi d'un million d'actifs,

---

1. Cette « usine aux champs », inaugurée le 2 octobre 1952, s'étend primitivement sur 200 hectares des communes d'Aubergenville et de Flins acquis par la Régie en 1947. « L'usine la plus moderne d'Europe », qu'on fait visiter aux chefs d'État étrangers, emploie 2 300 personnes en 1952 et 8 300 en 1958, qui fabriquent la « Juvaquatre » et la « Frégate », puis la « Dauphine » dont la vente démarre en flèche après sa victoire de janvier 1958 au Rallye de Monte-Carlo.

malgré la solidité apparente des empires bâtis sur le coton par un Marcel Boussac [1] ou sur la laine par un Jean Prouvost : la mévente intérieure contraint à des reconversions vers le synthétique et à l'attente de commandes militaires, la concurrence internationale sur les prix devient féroce, des usines ferment déjà, seule la bonneterie bénéficie de l'évolution des goûts du public vers des articles plus soignés et plus chatoyants. Le bâtiment enfin piétine à l'indice 121 mais a décollé depuis 1955 : trop d'entreprises et parfois mal équipées, une trop lente industrialisation des composantes de la construction, l'achèvement de la reconstruction prioritaire des bâtiments administratifs, industriels, agricoles ou commerciaux, un manque de main-d'œuvre qualifiée, peu d'investissements sûrs avant les mesures de 1953 et une très tardive loi-cadre en août 1957. Malgré un net progrès dans la construction de logements, tout concourt à brimer encore une demande qui dès lors, insatisfaite, se détourne souvent vers des biens plus répandus comme l'automobile. Ou vers l'équipement ménager, l'alimentation et le loisir. Ainsi s'expliquent des essors spectaculaires, des multiplications de productions par deux, trois, ou quatre de 1952 à 1958. Dans l'alimentation, potages en sachet, chocolaterie et confiserie, jus de fruits, apéritifs, yoghourts ; dans l'industrie du verre, le révolutionnaire Pyrex lancé par Saint-Gobain ; tous les produits pharmaceutiques ; dans la construction électrique, très sollicitée, les lampes, les tubes, les appareils ménagers, réfrigérateurs et moulins à café surtout, qui partent à la conquête de tous les foyers ; enfin, l'électronique tout entière, qui quadruple ses productions dont 40 % sont réservés à l'achèvement de l'équipement des ménages en postes de radio et au début du raz de marée des téléviseurs.

1. Voir M.-F. Pochna, *Bonjour, Monsieur Boussac*, Laffont, 1980. Fortune faite pendant les deux guerres mondiales, Boussac sut admirablement s'adapter à la pénurie — il achète — et à l'aisance — il vend. Dans son château de Mivoisin, il reçoit tout ce qui compte sous la IVe République. Ses passions mondaines — son écurie de course, la maison de couture de Christian Dior — se doublent d'ambitions politiques : il est l'ami d'Auriol et de Mollet qu'il « conseille » au temps de Suez, il « subventionne » des parlementaires fidèles. Homme de presse, il renforce *le Populaire*, participe à l'opération *du Temps de Paris* contre *le Monde* et s'achète *l'Aurore* en 1951.

Les services connaissent une expansion comparable, encore qu'il soit toujours difficile de la chiffrer. Dans les transports, le fer assure encore près des deux tiers des trafics, mais sa suprématie est menacée : le nombre de voyageurs de la SNCF stagne[1], le tonnage en marchandises progresse faiblement, la RATP à Paris est saturée. La route, désormais très sollicitée, reçoit tant bien que mal le choc d'un trafic automobile croissant, mais l'infrastructure autoroutière ne suit pas, seuls le pont de Tancarville et le projet d'autoroute au sud de Paris étant avancés en 1958. Les canaux, malgré un effort de modernisation, enregistrent mal l'évolution des gabarits du trafic européen. A l'évidence, une politique de transport est nécessaire, sous peine d'asphyxie par la demande. Différents signes encourageants montrent néanmoins qu'on peut s'adapter à l'âge de la vitesse : le nombre des voyageurs aériens a doublé, tout comme celui des communications téléphoniques, tandis que lettres et comptes chèques postaux ont augmenté leur volume de 50 %. Le commerce de détail, durement secoué par les concentrations et les aléas de l'inflation, voit cependant ses ventes progresser de 40 %, non pas tant par les petits détaillants et les grands magasins de Paris que par les denses réseaux des magasins à succursales multiples (Uniprix, Casino, Damoy, Docks Rémois, Goulet-Turpin) et par les coopératives qui, parfois par le biais d'actifs comités d'entreprise, savent s'adapter aux temps nouveaux. Moins spécialisé, mais trouvant des acheteurs plus nombreux et plus dépensiers, le commerce, surtout dans les villes, souffre de la confusion des réseaux de distribution et de la prolifération des intermédiaires mais engage la bataille de la productivité et de la modernisation des points de vente pour le mieux-être du client. Pour conclure sur une note coquette, n'est-il pas significatif que le nombre des personnes occupées dans les salons de coiffure ait triplé en six ans ?

---

1. Ce qui n'ôte rien à quelques prouesses techniques, celles de la locomotive BB 9004 qui détient le record du monde de vitesse ou du train « Mistral » qui depuis décembre 1955 relie Paris à Marseille à plus de 100 km/h de moyenne.

Les secrets de l'expansion.

Mille signes traduisent donc un bon lancement de la croissance. Est-ce à dire qu'on peut en saisir tous les éléments constitutifs, en repérer les causes, et que ses acteurs ont su la reconnaître à temps pour en mieux maîtriser les développements futurs? Les mentalités, ne l'oublions pas, retardent toujours sur le réel : enfermés souvent dans leurs revendications catégorielles, sensibles à l'extrême à toute forme visible d'inégalité, mal informés et fort ignorants des réalités économiques, les Français ne saluent pas autant qu'on pourrait le croire l'expansion et ne cèdent pas facilement à l'euphorie des croissances du PNB[1]. Par contre, les décideurs sont incontestablement mieux avertis du progrès par les hauts fonctionnaires du Plan ou des ministères économiques, chantent plus volontiers l'hymne au développement, à la compétition maîtrisés et, parfois déjà, au *management* à l'américaine. Sans préjuger encore des réactions sociales face à l'expansion et à la distribution de ses bienfaits, ce sont leurs raisonnements et leurs analyses qu'il faut suivre pour tenter de découvrir ses secrets[2].

Les ressources humaines, en bonne logique, devraient être déterminantes. Sans doute la croissance désormais régulière de la population totale d'environ 0,9 % l'an, la « montée des jeunes », les honneurs rendus à la famille et à la natalité[3], ont-ils eu une forte influence sur le gonflement de la demande : mais est-ce cause ou conséquence de l'amélioration de la situation économique? Nul ne peut trancher, mais comment ne pas penser que la volonté de préparer un meilleur avenir aux générations nouvelles a réveillé des dynamismes sociaux et, partant, mieux fait accepter ou désirer le progrès économique? Néanmoins, une insuffisance chronique de main-d'œuvre demeure un handicap

1. Ainsi, en septembre 1953, *Réalités* dénonce « le grand sommeil de l'économie française » et le 3 janvier 1958 dans *la Vie française*, R. Sédillot affirme que « la France vivote au jour le jour ». Monétarisme, peur de l'investissement et de la surproduction font encore des ravages.

2. Et tout particulièrement l'exposé désormais classique de J.-J. Carré, P. Dubois et E. Malinvaud (80), praticiens de la comptabilité nationale autant qu'analystes.

3. Voir *infra*, p. 213 *sq.*

fondamental, malgré le recours à l'immigration (40 000 personnes
en moyenne par an jusqu'en 1954, 155 000 de 1955 à 1961, surtout employées dans le bâtiment et la métallurgie) plus que jamais
nécessaire : il faut attendre 1962 pour que la croissance de la
population en âge de travailler devienne aussi rapide que celle
de la population totale. Et les années cinquante sont les plus
rudes, le poids des personnes âgées redoublant tandis que les
jeunes nés après la guerre sont encore scolarisés. On assiste donc
non seulement à une quasi-stagnation de la population active
(19,5 millions en 1949, 19,7 en 1954 et 19,9 en 1958) mais à une
réduction régulière du taux d'activité (47 % en 1949, 45,7 % en
1954 et 44,5 % en 1958). Le travail des femmes est tout particulièrement en régression (46 % d'actives en 1946, 38 % en 1954,
36 % en 1962), quelques belles percées dans les professions libérales et les cadres supérieurs (plus 66 % de 1954 à 1962) pouvant
abuser l'opinion, mais ne compensant pas la stagnation du nombre des ouvrières et la chute des actives agricoles (moins 36 %).
   Pourtant, ces très chiches disponibilités en main-d'œuvre sont
utilisées au mieux. Peu de chômeurs, malgré une pointe à 310 000
dont 62 000 secourus en 1953-1954 (1,6 % des actifs) et un minimum « technique » difficilement compressible de 160 000 dont
18 000 secourus en 1957 (0,8 % des actifs) : l'heure est au plein-
emploi. De même, une mobilité accrue de la main-d'œuvre, presque exclusivement nourrie par la puissance de l'offre venant du
monde rural, la ventile plus efficacement vers les branches industrielles dynamiques, chimie, électricité, mécanique et bâtiment
plutôt que vers le textile ou les charbonnages, renforce les administrations, les commerces et les services[1]. Enfin, l'allongement
de la durée hebdomadaire du travail, qui passe en moyenne de
45 à 46 heures de 1951 à 1958, compense celui des congés payés
après 1956 et fournit un très mince surplus de travail disponible.
Mais, sur un marché de l'emploi sans capacité d'extension, rien
n'eût été possible au bout du compte sans un vif accroissement

---

1. Ainsi, sur une base 100 en 1938, les effectifs salariés passent en
1957 à l'indice 177 dans l'industrie pétrolière, 129 dans la chimie, 126
dans les banques et assurances, 115 dans la métallurgie, pour 90 dans
les charbonnages, 86 dans le textile et 71 à la SNCF.

de la productivité du travail : pour une base 100 en 1949, elle progresse à travers les aléas conjoncturels jusqu'à l'indice 152 en 1958, soit une croissance de 5,2 % par an. Toutefois, le phénomène est très diffus, ne suivant guère les hiérarchies déjà observées de la modernisation et de la compétitivité des branches, sans rapport direct avec la puissance de l'équipement neuf et même la taille de l'entreprise : à l'exception du textile et des transports, les secteurs peu concentrés réalisent d'aussi sérieux progrès et on a déjà signalé ceux de l'agriculture. Les trop rares Français actifs ne se sont donc pas contentés de travailler davantage, ne relâchant pas leur ardeur de la période de reconstruction, ils ont appris à travailler mieux : signe incontestable d'une modification structurelle des facteurs de la croissance au long des années 1950.

Y aurait-il eu substitution du capital au travail, en particulier pour pallier les insuffisances de la main-d'œuvre ? La croissance serait-elle directement liée à un essor des investissements, de la formation brute de capital fixe et de l'épargne ? L'effort d'investissement est considérable : ceux-ci passent de 24, 5 à 39 milliards de francs 1956 entre 1952 et 1958, les investissements productifs représentant en moyenne 65 % de ce total, l'investissement en logements près de 25 % et celui des administrations et des institutions financières un peu plus de 10 %. L'accélération est particulièrement nette à partir de 1953, la progression atteignant un rythme de croisière de 10 % par an, répondant aux besoins d'équipement et de modernisation des industriels, à la demande de services, mais stimulée aussi par une politique d'avantages fiscaux, avec l'institution à partir d'avril 1954 de la taxe à la valeur ajoutée [1], déductible précisément sur les investissements : de 1946 à 1951, leur croissance annuelle n'avait été que de 2 %. Fait remarquable, les investissements productifs « lourds » pour l'énergie, la production de métaux, les matériaux de construction, les transports et

---

1. La TVA remplace la taxe à la production établie en 1936, qui pénalisait les industriels en frappant à la fois leur produit fabriqué et leurs achats en matériel, emprunts et matières premières. La TVA est une taxe *ad valorem*, pesant sur la valeur supplémentaire donnée au produit à chaque étape de son élaboration, après déduction de l'amortissement des investissements qui avaient été engagés pour le fabriquer.

les communications, qui avaient été privilégiés par le premier Plan, conservent, grâce à l'intervention publique, un taux de croissance de près de 6 % l'an de 1955 à 1958, face aux investissements « légers » dans les industries de transformation, la chimie, l'agriculture, le bâtiment, les services et le commerce qui ont démarré dès 1949, stagnent avec toute l'économie en 1952 puis rebondissent à partir de 1953, pour atteindre l'année suivante le rythme annuel de 10 %.

On passe ainsi à un taux d'investissement par rapport à la PIB de 17 à 21 % de 1952 à 1958, très supérieur à ceux de la Belle Époque ou des années vingt mais inférieur à celui de l'Allemagne fédérale ou de l'Italie. L'État a joué son rôle, par sa politique fiscale, sa politique des tarifs publics, son maintien d'une orientation d'une bonne part des ressources du marché des capitaux vers les secteurs lourds jugés désormais moins rentables, par une action efficace des entreprises publiques et du secteur nationalisé pour garantir la vitalité de ces infrastructures. Au reste, les ressources propres de financement des entreprises privées s'accroissant moins vite que leur demande d'investissement, l'État doit encore intervenir sur l'ensemble du marché. Beaucoup moins cependant qu'au cours du premier Plan. Un certain nombre de Fonds avaient été constitués pour assurer les financements des projets publics : le Fonds de modernisation et d'équipement lancé en janvier 1948, celui pour la construction, ceux pour l'équipement rural, l'expansion économique et la productivité de juillet 1953, celui enfin de conversion, de décentralisation et de reclassement de la main-d'œuvre de septembre 1954. Dans un souci de cohérence, Edgar Faure les fusionne en juin 1955 dans le Fonds de développement économique et social (FDES), géré par le ministère de l'Économie et des Finances. Cette rationalisation de l'intervention accompagne, en fait, un net repli des fonds publics dans le financement général de l'investissement : près de 50 % en 1950, 35 % en 1952 et 1954, 27 % en 1956.

C'est dire que les flux financiers privés ont fourni l'apport décisif, en quantité encore insuffisante, mais dans un évident regain de capitalisme libre : la part des prêts bancaires à moyen terme passe de 3,3 à 14,2 % des investissements de 1950 à 1956, tandis qu'un marché boursier réveillé après la léthargie de l'après-guerre en finance aux mêmes dates de 4,4 à 9,2 % sous forme d'actions et d'obligations. Ce dynamisme propre de l'offre de capitaux explique la diminution sensible du taux d'autofinancement des entreprises, qui passe de 112 % en 1949 à 79 % en 1958. Mais le repli sur soi-même n'est toutefois pas abandonné, surtout en cas de difficultés conjoncturelles : c'est ainsi que la part de l'autofinancement dans le financement d'ensemble des investissements se hausse de 41,7 % en 1950 à 50,5 en 1952 lors du refroidissement de l'expérience Pinay, pour décroître ensuite régulièrement jusqu'à 40 % en 1958. Enfin, l'épargne si longtemps découragée par l'inflation avant 1949 a pris, elle aussi, un rythme de croissance de plus de 7 % l'an après 1953, après une période étale de 1949 à 1953. Son taux par rapport à la PIB était tombé de 25,5 % à 18,7 % de 1949 à 1953, il se rétablit à près de 23 % en 1958. Les administrations n'interviennent plus guère dans son accumulation après 1952, les sociétés en offrent bon an mal an 45 % : les vrais progrès viennent d'une hausse de l'épargne des ménages, dont le taux progresse de 9 % en 1950 à 13,6 % en 1957. A vrai dire, cette dernière ne s'oriente plus guère vers les placements financiers, les jeux en bourse et les investissements à l'extérieur ne pouvant pas retrouver leur dynamisme d'avant 1914, et pas davantage vers certains investissements des ménages eux-mêmes, le stock des biens durables d'habillement et de mobilier ayant été reconstitué dès avant 1950. Cette épargne des Français en fait est quasi forcée : pour l'essentiel, c'est l'acquisition d'un logement qui la mobilise, conséquence de la faiblesse des offres de locations et de logements sociaux. Cet effort durable, obsessionnel et fatal pour accéder à la propriété favorise, on l'imagine, le marché immobilier, accélère la reconstitution des encaisses des ménages sous forme de comptes courants ou de livrets de caisses d'épargne après les années d'inflation galopante, multiplie par trois (de 4 à 12 milliards de 1954 à 1958) les emprunts à moyen et long terme : en complément de l'épargne, le crédit fait son apparition dans les stratégies familiales. Pour se loger d'abord, pour consommer aussi des biens nouveaux comme l'automobile ou l'électro-ménager, surtout si la possibilité de s'offrir un logement est retardée. Au total, on assiste donc à une nette croissance du capital sous toutes ses formes, de 3,9 % par an en moyenne de 1949 à 1956, de 4,5 % ensuite jusqu'en 1960 : la France s'aligne sur les rythmes de ses voisins européens. Sous réserve d'une analyse précise, qui reste à faire, des profits que ce capital mieux rassemblé aurait excités [1], on ne peut guère soutenir qu'il est la cause fondamentale de l'expansion. Il est mieux accumulé, mieux orienté, mais sa substitution au travail n'a pas encore pris l'ampleur des décennies suivantes. Par contre, l'effet d'entraînement est indéniable : le « mythe de l'investissement » a accéléré la croissance.

Bornons-nous enfin à constater que bien des stimulants strictement capitalistes ne semblent guère avoir eu d'effet sur l'expansion. Certes, l'exploitation du travail, les nouvelles techniques et les nouvelles machines ont dynamisé le capital investi, et la hausse générale de la productivité en est largement tributaire. Mais, par exemple, quoi qu'en pense la gauche et tout particulièrement les économistes du parti communiste à l'époque [2], on n'observe pas d'évolution rapide vers des formes plus monopolistiques, les trusts n'accroissent pas d'un coup leurs appétits. Au contraire, même si de très nombreuses entreprises employant moins de 10 personnes disparaissent, le poids des grandes est particulièrement stable et tout laisse à croire que ce sont des petites et surtout les moyennes qui ont été les meilleurs vecteurs de l'expansion. De 1950 à 1957, le nombre des concentrations reste limité à une soixantaine par an, dont la moitié dans l'industrie, les opérations ainsi conclues sont peu importantes en volume de capital et ne concernent quasiment que les services et des branches industrielles historiquement déjà concentrées (métaux, électricité, verre). Ce fait laisse donc entrevoir une certaine « cristallisation » de l'appareil productif [3], une inertie des milieux

1. Il semble en fait que le taux de profit ait baissé, et que ce soit le seul réveil de la concurrence qui ait stimulé les entrepreneurs. Les marges bénéficiaires, selon les statistiques des Contributions directes, passent pour l'ensemble des entreprises de 8,9 à 7,7 % de 1951 à 1958. Voir J.-J. Carré, P. Dubois et E. Malinvaud (80), p. 381-388.

2. Voir par exemple le très apocalyptique numéro spécial « La France et les trusts » d'*Économie et politique*, 1954, no 5-6, présenté par J. Duclos et J. Baby.

3. Voir J.-M. Jeanneney (81), p. 261, et F. Caron (79), p. 211-213 et 227-228.

industriels, les banques, les assurances, le commerce paraissant plus sensibles à l'appel de la concentration. Tout se passe comme si la croissance était encore « enclavée[1] », le patronat et les investisseurs conservant souvent leurs habitudes d'antan, avant que le grand choc postérieur à l'ouverture du Marché commun ne les contraignent enfin à affronter la concurrence internationale avec les armes du capitalisme.

Résumons-nous. Exploitant aussi bien des promesses visibles dès 1900 que l'élan de la reconstruction, l'économie française se lance au cours des années cinquante dans une croissance encore largement endogène, grâce à des gains de productivité dépassant 5 % par an dans l'ensemble du système productif. Ceux-ci permettent d'accroître régulièrement le pouvoir d'achat des ménages et le revenu national. Ils redonnent le goût de l'investissement et de l'accroissement du capital, lesquels ont été maintenus depuis longtemps à un niveau honorable par un recours systématique à l'autofinancement et aux dépenses publiques. L'État peut en outre assurer une régulation contracyclique et veille sur les équipements de base. Quel facteur fut déterminant? Des Français qui travaillent plus et mieux? L'introduction de nouvelles techniques « à l'américaine »? Les vertus du capitalisme enfin débridé ou celles de la planification heureusement sauvegardées? Les meilleurs analystes de l'économie n'ont pas de réponse claire à ces questions. Aucun facteur physique ne peut être privilégié, aucun n'explique seul l'élan[2]. C'est leur conjonction inouïe qui est féconde. En schématisant à l'extrême, on peut dire que l'effort additionné du travail des actifs pourtant peu nombreux, de la modernisation des équipements et de l'ensemble de la production, de l'État enfin, a dynamisé le pays, a hissé son appareil productif au niveau d'une demande interne qui était potentiellement considérable après les refoulements de la crise, de la guerre

1. Voir J.-P. Gilly et F. Morin, *les Groupes industriels en France, concentration du système productif depuis 1945*, La Documentation française, 1981, « Notes et études documentaires » n° 4.605-4.606, p. 30-32. En 1958, les 500 premières entreprises représentaient en poids moins de 30 % dans le système productif, contre 60 % en 1980.

2. Le débat sur les causes profondes est très vif dès les années cinquante. Voir l'excellent résumé qu'en fait F. Caron (79), p. 170-174.

et de l'après-guerre. Accrue et encadrée par l'État, c'est en dernière analyse la demande intérieure qui fut, et bien davantage qu'en Allemagne ou en Grande-Bretagne, le déterminant essentiel de la croissance française. Explication plausible, mais dont les éléments sont extra-économiques. A bout d'arguments, un savant économiste de Harvard, Charles P. Kindleberger, a conclu que « le changement fondamental dans l'économie française est une question de personnes et d'attitudes [1] ». Bref, il y a eu croissance parce que des Français ont su la désirer, ont modifié leur comportement, ont accru leur savoir, étaient prêts à l'accueillir avant même que de la promouvoir. Confiance nouvelle dans la vie, soif d'instruction, peut-être un peu moins de respect pour les positions et les droits acquis, sont des nouveautés aussi décisives que la formation du capital ou la concurrence. L'économique, au bout du compte, en appelle au social et au mental.

Cette rénovation, il est vrai, est moins mystérieuse si on l'observe dans son contexte européen [2]. Elle s'y banalise : pays capitaliste, la France s'élance avec toutes les autres économies sœurs, participe à sa manière aux « miracles ». Elle a pris sa place dans l'euphorie de l'Europe à un rang honorable, dépassant la Grande-Bretagne et la Belgique, trouvant d'autres rythmes que l'Italie, mais n'égalant pas le dynamisme allemand (voir le tableau p. 192). Toutefois, sa singularité est d'avoir su faire l'expansion sans augmentation de main-d'œuvre, sans consacrer aux investissements plus de 18 à 20 % du produit national, sans s'immerger totalement dans la concurrence internationale, tout en répondant à une forte demande intérieure. Qu'elle se soit affirmée en exploitant si vigoureusement et si jalousement des ressources et des vertus proprement nationales suffit à la distinguer.

La part de l'État.

L'intervention délibérée de l'État dans le développement général de l'économie est aussi, on le sait, une originalité fran-

---

1. Dans (108), p. 184.
2. Voir J.-P. Mockers (87) et les remarques de R. Aron en postface du livre de J. Lecerf, *la Percée de l'économie française*, Arthaud, 1963, p. 310.

TROIS CROISSANCES COMPARÉES

	FRANCE			ALLEMAGNE FÉDÉRALE			ROYAUME-UNI		
	1950	1954	1958	1950	1954	1958	1950	1954	1958
population millions	41,6	42,8	44,5	48,4	50,5	52,1	50,3	50,7	51,8
volume du PNB indice 100 en 1950	100	117	141	100	138	179	100	110	118
volume du PNB par habitant indice 100 en 1950	100	113	131	100	133	164	100	108	116
production industrielle indice 100 en 1953	98	110	150	85	112	151	98	107	113
volume des exportations indice 100 en 1950	100	122	146	100	208	332	100	97	107
prix à la consommation indice 100 en 1953	77	100	93	100	110	110	81	102	119

Source : *Annuaires statistiques des Nations unies.*

çaise depuis la Libération. Malgré le retour des libéraux [1], malgré l'injection massive d'énergies strictement capitalistes dans les circuits productifs, y eut-il comme par le passé arbitrage au nom de l'intérêt général, volonté collective de croissance harmonieuse et juste, intervention des pouvoirs publics pour veiller au grain, parer aux erreurs de navigation et promouvoir une « économie concertée [2] » ?

A lire les résultats chiffrés du « boom », on est d'abord tenté de célébrer les bienfaits de la planification. Le second Plan non seulement comble les retards accumulés par le premier et rectifie les déséquilibres que celui-ci avait engendrés par sa très dure sélection de priorités d'équipement, mais réalise pratiquement tous ses objectifs avec un an d'avance : dès 1957, on prépare le troisième Plan. Une production nationale de 29 % supérieure à celle de 1952, alors qu'était planifiée une augmentation de 25 %, une production industrielle à l'indice 145 et non 130, et une production agricole qui ne s'est hissée qu'à l'indice 117 au lieu de 120, les objectifs d'investissement dépassés en moyenne de 10 % : beaux succès, malgré une plus forte croissance des biens de consommation face aux biens d'équipement toujours en retard et sur la solidité desquels, on l'a vu, les pouvoirs publics entendent veiller scrupuleusement. Les investissements publics ont représenté, de 1954 à 1957, 26 à 29 % du total, avec une ventilation conforme aux priorités du Plan : 30 % pour la construction, 15 % pour l'industrie, 15 % pour l'énergie, 14 % à l'outre-mer, 13 % aux transports, 9 % à l'agriculture et à l'industrie alimentaire, 4 % aux œuvres sociales. Ils contribuent à pulvériser les prévisions pour la chimie (objectifs réalisés à 142 %), le logement et les constructions scolaires (111 %), l'électricité (105 %), le blé (116 %), les carburants restant bloqués à 85 % à cause de la crise de Suez, tandis que dans les branches dynamiques déjà signalées, automobile, construction électrique, textiles synthétiques, l'avancée est rapide. Ces bons résultats toutefois n'engendrent pas l'euphorie chez les hauts fonctionnaires du Plan, l'un

1. Voir J.-P. Rioux (1), p. 253 *sq.*
2. Voir F. Bloch-Lainé, *A la recherche d'une économie concertée*, Éd. de l'Épargne, 1964.

d'entre eux, Jean Ripert, parlant même d'une « traversée du désert » de la planification après 1952[1]. Quelles que soient les qualités du nouveau commissaire général, Étienne Hirsch, il n'a pas l'aura d'un Jean Monnet; le Plan ne fait plus l'unanimité politique, puisque la CGT s'est retirée de ses commissions dès 1948 : le volontarisme des années héroïques de la reconstruction semble bien usé. D'autant que les interventions des planificateurs se font plus souvent à contre-courant des idées reçues, choquant les parlementaires dont seule la frange la plus éclairée est acquise aux vertus de la compétition et qui tardent à ratifier leurs projets, et souvent même tel ministre. Ainsi, averti par Gruson, Hirsch estime que le problème fondamental pour l'avenir de la puissance nationale est l'équilibre des échanges extérieurs et surtout dans le contexte européen. Mais il doit batailler longtemps pour faire décrocher dans le bureau du ministre de l'Agriculture le portrait du vieux Méline et obtenir qu'à partir de 1955 la balance des échanges agricoles avec l'étranger devienne pour la première fois excédentaire; ou pour faire fusionner Cail et Fives-Lille qui se concurrençaient sur le marché européen des produits mécaniques; et même pour convaincre de créer des sociétés d'ingénierie qui vendraient à l'extérieur des techniques françaises.

En fait, plus « cérébrale », plus sophistiquée aussi, avec une comptabilité nationale qui jongle avec les chiffres, moins soumise à l'urgence et anticipant hardiment sur le réel, moins débattue démocratiquement malgré le gonflement du nombre des participants aux commissions de modernisation, la planification se fait plus « incitative » et, en un mot, plus libérale qu'obligatoire. Un partage des responsabilités s'esquisse peu à peu : à l'État le soin de veiller aux infrastructures, le renflouement de secteurs en difficultés, l'expérimentation d'une politique de décentralisation encore incertaine; au capital réveillé la plus belle part de l'industrialisation, la liberté d'explorer les avantageuses disponibilités du marché. A vrai dire, si le Plan a perdu une part de ses vertus, c'est aussi que ses idées de modernisation ont été largement diffusées — et grâce à ses incitations — dans les milieux de la décision économique. Le modèle américain du *management* des entre-

1. Voir F. Fourquet (93), p. 233.

prises, l'obsession des produits et des techniques en constant renouvellement, de jeunes cadres et des patrons français ont pu les observer et s'en pénétrer sur place au cours de très nombreuses « missions de productivité » lancées par Jean Monnet. Au sein des commissions verticales, les syndicalistes patronaux les plus intelligents apportent des chiffres plus sérieux aux comptables nationaux et reçoivent en échange d'utiles recettes de gestion, un Bureau d'information et de prévision économique (BIPE) étant même spécialement créé à cet effet par le SEEF : les nouveaux saint-simoniens de la rue de Martignac font des adeptes dans les entreprises et au CNPF, étendent leur audience politique à l'heure d'un mendésisme qui en abrite une bonne part avec reconnaissance. Les commissions de productivité cherchent ouvertement à restaurer la libre concurrence, une coopération d'allure assez corporatiste s'instaure entre fonctionnaires, patrons et ingénieurs. Sa technicité l'éloigne des Français, il ne peut plus contribuer à fabriquer du consensus politique, d'autant que le mendésisme échoue et que la République se meurt : le Plan né de la Résistance et de la reconstruction, avant de retrouver pour un temps sous la Ve République l'« ardente obligation » saluée par de Gaulle et activée par Massé, est devenu peu à peu de 1952 à 1958 une sorte d'organisme public d'excellence, qui dispense les informations les plus sûres et les meilleurs conseils prévisionnels pour la régulation technique de la croissance. Un médium plus qu'un acteur volontaire [1].

Si bien qu'à défaut de grands élans prospectifs, c'est dans la politique économique et financière au jour le jour, dans un pragmatisme qui s'accommode assez bien de l'essoufflement progressif du régime, que l'État joue aussi un rôle actif et utile. Bien des aspects, et parfois les plus dramatiques, en ont été décrits dans les chapitres précédents. Mais il importe d'en donner ici une vue d'ensemble qui en dégage sinon la cohérence du moins la constante opportunité. Le préalable fut, on l'a vu [2], l'expérience Pinay de 1952 qui, dans un mélange d'appel à la confiance et d'autori-

1. Voir J. Boissonnat, « La planification indicative en France », *Revue de l'action populaire*, décembre 1958.
2. Voir *supra*, p. 10 *sq.*

tarisme, a posé quelques principes de base : l'État ne doit plus entraver l'action des capitaux privés, l'épargne sera protégée, on s'honorera d'une politique de sage équilibre, la charge fiscale ne sera pas alourdie. Avec beaucoup d'empirisme, Pinay a réussi l'essentiel : convaincre les Français qu'ils peuvent compter sur leurs propres forces pour accéder au bien-être, et surtout stabiliser les prix en laissant s'installer une récession larvée et en brimant la demande. Mais le risque d'inflation rampante n'est pas écarté : l'activité économique faiblissant en 1952-1953, les exportations régressent, le déficit du commerce extérieur repart, les prix français stabilisés sont supérieurs de 15 à 20 % aux prix mondiaux. Il eût fallu dévaluer à temps : le fétichisme de « la monnaie avant tout » relancé par Pinay l'interdit. La France entre en croissance en puisant dans ses réserves de devises, mais avec des prix qui la font vivre jusqu'en 1957 au-dessus de ses moyens. Malgré la médiocrité de la production, l'année 1953 amorce la reprise : le Plan est réactivé, les prêts à la construction de logements sont débloqués, les grèves de l'été démontrent qu'il ne faut plus tarder à multiplier les avantages sociaux, les missions de productivité sont relancées.

S'ouvre ainsi l'étonnante période de « l'expansion dans la stabilité » en 1954 et 1955, selon la formule d'Edgar Faure, responsable heureux de la politique économique Rue de Rivoli puis à Matignon. Une sorte « d'âge d'or [1] », mélange d'initiative libérée et de directives annoncées avec doigté, dans un contexte international où le repli de l'économie américaine, un peu engourdie sous le regard discret de l'administration républicaine, favorise les produits et les projets des Européens et du Japon. En accord avec Laniel et Mendès France, il sait saisir toutes les opportunités. Il favorise la relance des investissements privés, on l'a vu, par l'instauration de la TVA, par un meilleur suivi de l'aide publique par le canal du FDES, par une réduction du prix de l'argent : enfin, le taux d'escompte étant abaissé de 4 à 3 % de septembre 1953 à décembre 1954 : selon la formule du jour, l'investissement est « débudgétisé », c'est-à-dire qu'est ouverte à tous la chasse aux financements divers, que le Trésor se bornera à donner des

1. J. Guyard (82), p. 50.

garanties aux emprunteurs malheureux mais refuse désormais de fabriquer de l'investissement automatique avec les ressources fiscales. Cette souplesse, qui met en concurrence l'épargne des ménages, les entreprises elles-mêmes — par exemple le Groupement des industries sidérurgiques dont l'action de financement est vivement encouragée —, tous les organismes financiers publics ou para-publics très stimulés, la Caisse des dépôts, le Crédit national, le Crédit foncier ou le Crédit agricole autant que le FDES, porte ses fruits : accroissement de 8,5 % des investissements en 1954 par rapport à 1953, de 13 % en 1955, de 8,5 % en 1956, une production industrielle en hausse annuelle de 7 %. Ces mesures sont complétées par une politique de reconversion industrielle et de régionalisation, un réveil de la politique du logement et une application de la loi sur les conventions collectives de 1952 qui favorise une très libre discussion du salaire, seul le SMIG restant très surveillé, au besoin au prix, déjà, de quelques manipulations d'indices.

Ce succès ne s'explique que par la bonne conjoncture internationale et par la restauration de l'épargne, des ménages surtout. Encore fallait-il sentir que les circonstances étaient aussi favorables : ce fut fait. Pour la première fois, la croissance ne bouscule pas les prix, qui demeurent exceptionnellement stables : la France semble guérie de l'inflation et le sage M. Pinay rétrospectivement justifié. Les gouvernements se refusant à dévaluer tout en souhaitant libérer progressivement les prix, le recours aux crédits de la Banque de France est systématique : mais la prospérité générale, les émissions bien couvertes de bons du Trésor, la réduction des dépenses militaires après la défaite en Indochine et avant que la guerre d'Algérie ne dévore les budgets, font que « l'impasse » (encore un mot inventé par Edgar Faure!) est stabilisée à moins de 700 milliards et même qu'à la fin de l'année 1955 le Trésor peut se désendetter de 122 milliards auprès de la Banque de France. A la faveur de cette expansion à prix stables, voici même que les exportations sont favorisées. Sans doute la France importe-t-elle trop d'énergie et de machines, et exporte-t-elle trop de matières premières industrielles (le fer lorrain, par exemple) ou agricoles, mais le solde de la balance commerciale est bel et bien positif en 1955 : déficit de 328 millions de dollars en 1952, de 325 en

1953, de 180 en 1954 et un excédent de 84 en 1955, avant de replonger dans le déséquilibre avec 800 millions en 1956, 950 en 1957 et 300 en 1958. Comme par ailleurs l'aide américaine demeure fort utile, par la prise en charge du fardeau indochinois, par le biais des commandes *off shore* négociées à la conférence de Lisbonne de février 1952, passées en France par les États-Unis et financées par des crédits de l'Export Import Bank, par les revenus enfin de la construction de bases aériennes américaines sur territoire français, la balance des comptes se redresse bien elle aussi : la France reconstitue son stock d'or et de devises fortes, qui est passé de 204 milliards en 1953 à 680 à la fin de 1955, et a entamé le remboursement des très forts emprunts contractés à la Libération. Signe prometteur, quand se profile une relance décisive de l'Europe, elle se lance plus hardiment dans le circuit des échanges mondiaux, supprimant une partie de ses contingentements d'importations, aidant les exportateurs, tenant ses engagements au sein de l'OECE, au point de libérer 75 % de ses échanges en avril 1955 et 82 % en avril 1956. En fait, un système complexe de taxes spéciales de douane sur les produits libérés et de taux de change multiples équivaut à une quasi-dévaluation : la liberté est retrouvée, car l'économie française est trop bien lancée pour pouvoir s'abstraire de son souffle qui balaie toutes les nations occidentales, mais les bases nationales des échanges extérieurs demeurent peu saines et la tentation du protectionnisme et de l'isolement peuvent renaître à la moindre difficulté.

La situation se retourne brutalement en 1956 et 1957, la croissance entre en crise, la machine économique « surchauffe ». Se combinent alors, pour le malheur des gouvernants, causes structurelles et effets conjoncturels désastreux. Aux origines de la tension, le constat tragique : le pays ne peut pas financer à la fois la guerre en Algérie et l'expansion en métropole. Et, du même coup, la responsabilité politique des partisans du « dernier quart d'heure » est engagée : les 400 000 puis 500 000 jeunes servant sous uniforme font cruellement défaut à un système productif qui souffrait déjà d'une rareté de la main-d'œuvre et d'une longueur extrême de la semaine de travail. Sans doute, l'immigration est-elle favorisée en compensation, mais ses sources nord-africaines sont en partie taries par les « événements » : le textile, la métallurgie et le bâtiment en sont particulièrement affectés. Sur ces entrefaites, la crise de Suez prive d'un coup le pays de 90 % de ses approvisionnements énergétiques habituels, vide les stocks et contraint à importer à prix fort des produits raffinés, sous peine d'asphyxie économique : la hausse se répercute fatalement sur le prix moyen des importations, qui grimpe de 50 % en 1956. Le prix des produits pétroliers, la pénurie surmontée, ayant entre-temps augmenté de 23 %, les industriels ayant anticipé à la hausse pour faire des économies d'énergie en sollicitant davantage le charbon et l'électricité, la tension inflationniste renaît. Dès lors, elle ne peut qu'être renforcée par des mouvements structurels. Les capacités de production de la sidérurgie, on l'a vu, se saturent : l'offre et la demande en produits métallurgiques de base ne sont plus ajustées, les délais de livraison s'allongent, les besoins contrariés font hausser les prix. Des tensions sur le marché du travail accroissent les coûts salariaux, puis les effets de la politique sociale du gouvernement Mollet haussent de 12 % en 1956 puis à nouveau de 12,5 % en 1957 les charges et salaires des entreprises : l'inflation par les coûts est encouragée. Mais l'économie étant freinée, l'inflation par la demande mal satisfaite a tout loisir elle aussi de s'étendre. Dure conjonction, à laquelle les gouvernants ne font face qu'en haussant le taux de l'escompte, qui passe de 3 à 5 % en août 1957, en bloquant tous les prix et en renonçant à la libération promise des échanges extérieurs, et en multipliant les subventions budgétaires qui stabilisent artificiellement les prix des 213 articles inclus dans l'indice général et dont la hausse ferait jouer les mécanismes de l'échelle mobile des salaires. Les gouvernements sont perdants sur tous les tableaux, les salariés étant brimés dans la progression de leur pouvoir d'achat, les producteurs ligotés par le blocage général, 16 % des entreprises signalant des difficultés de trésorerie en novembre 1955, 19 % en octobre 1956 et 44 % en octobre 1957. Que s'ajoutent à cette addition de difficultés les mauvaises récoltes consécutives aux gels de 1956, la hausse des importations de matériel militaire avec l'intensification de la guerre d'Algérie, les difficultés à l'exportation quand les prix intérieurs montent et que le marché américain en récession boude, que tous les frets et services augmentent, que des capitaux s'expatrient avec la victoire du Front républicain, et l'on comprend qu'en dix-huit mois les réserves de devises aient été épuisées, que le déficit atteigne plus de 2 milliards de dollars pour 1956 et 1957, qu'on en revienne à la situation humiliante de 1947-1948. Les aides américaines étant cette fois pratiquement taries, il faut recourir aux mesures chirurgicales : l'envoi, on l'a vu, de Jean Monnet en janvier 1958 à Washington pour quémander 650 millions de dollars, en promettant de réduire l'« impasse » et en s'aidant entre-temps de l'or, et surtout la politique de « vérité des prix » de Gaillard en juin 1957, qui unifie les changes et dévalue enfin pratiquement de 20 % le franc.

Hausse généralisée des prix (14 % au détail de juin 1957 à janvier 1958), finances publiques très dégradées, croissance qui pourrait se ralentir : l'assainissement nécessaire intervient dans le courant de 1958, avec Antoine Pinay appelé à la rescousse par de Gaulle. Comme en 1952, il impose la seule solution : la stabilisation provisoire de la demande, mais cette fois assortie d'une dévaluation et, en janvier 1959, de la création du « franc lourd ». La politique de Gaillard lui a bien ouvert la voie et les mesures prises depuis 1956 ont évité d'attenter au potentiel productif : signes encourageants, l'investissement des entreprises est resté très élevé au cours de ces mois financièrement et politiquement agités, progressant même de 11 à 13 % par an, les indices de la production n'ont pas fléchi. On ne peut certes pas dégager les dirigeants de la IVe République du poids de leurs erreurs politiques : les coûts de la guerre d'Algérie ou les conséquences sur la facture pétrolière de l'équipée de Suez parlent d'eux-mêmes. Et pas d'avantage de leur impéritie financière : en 1958 la France n'a plus de réserves. Néanmoins, comment ne pas leur reconnaître le souci de ne pas briser l'outil économique, l'habileté à jouer sur tous les tableaux, le secteur public et l'épargne privée, la concurrence et la réglementation ? Et le courage avec lequel ils ont accepté, au temps de Poujade menaçant les « sortants », d'assumer les conséquences sociales de la modernisation ? Bref, d'avoir su épouser leur époque ? Ramadier, le vieux socialiste convaincu des bienfaits de l'expansion, résume assez bien leur attitude quand, en septembre 1956, lançant un emprunt d'État auquel nul ne songe trop à souscrire, il l'indexe sur le cours moyen des valeurs mobilières : il rapporte près de 320 milliards, parce qu'un leader de cette SFIO par ailleurs si inexcusable a admis qu'un néo-capitalisme qui fabrique de l'aisance n'est pas si pervers. Intolérable soumission à la pression des intérêts, pourrait-on dire aussi. Au total, avec de nombreux auteurs [1], il faut conclure à la très réelle efficacité des politiques d'intervention économique des derniers gouvernements de la IVe République. Elles ont sans doute aggravé les tensions sociales et politiques dont périt le régime, mais elles ont préservé les meilleurs effets d'une économie mixte née en 1945 et au sein de laquelle les travailleurs ne sont plus tout à fait quantité négligeable; elles ont contribué à maintenir vaille que vaille le capitalisme dans la voie du redressement et de l'expansion. Par la puissance des moyens d'intervention qu'elles se sont donnés, subventions d'exploitation, d'équilibre ou d'investissement, interventions du secteur nationalisé [2], politiques fiscales ou budgétaires, aides sociales multiples, la masse financière mobilisée et redistribuée augmente de 188 % de 1952 à 1957; elle équivaut à 22 % de la PIB en 1952, à 31 % en 1954, à 40 % en 1956 et à 32 % en 1958. Par la souplesse, voire l'éclectisme, des usages qui en ont été faits aussi. Tour à tour limitant l'« impasse » ou gonflant les dépenses, freinant brutalement les salaires ou les prix, renonçant après 1952 à la défense inconditionnelle du franc pour ne pas décevoir les consommateurs, les gouvernements ont utilement guidé une demande sociale qui n'entendait pas être muselée, ont accepté le déséquilibre et les maux de l'inflation pour mieux laisser s'épanouir la croissance.

Les Français ne leur en sauront pas gré. Du moins, angoissés par les retards accumulés depuis 1930, des hommes politiques de la IVe République et les meilleurs fonctionnaires ont-ils su accueillir la nouveauté : précieux héritage pour la Ve République. Serait-ce, au bout du compte, parce que l'économie française est demeurée jusqu'en 1958 largement autarcique? Tout se jouant à l'intérieur, l'intervention de l'État, fût-elle dispersée et tâtonnante, n'a jamais été rendue tout à fait inefficace par la plus

1. Voir M. Catinat (84), p. 36, et J.-J. Carré, P. Dubois et E. Malinvaud (80), p. 329 et 622.
2. Services et entreprises publiques demeurent très compétitives dans l'ensemble : en 1956, ils ont occupé 8,5 % des effectifs du secteur productif et fait 12,3 % du PIB.

mince modification des équilibres des échanges extérieurs ou par le moindre renversement de la conjoncture mondiale, car de 1950 à 1958 la part des exportations n'a jamais dépassé 6 % de la PIB. Avant le grand choc de l'ouverture des frontières que subira la Ve République, une France repliée sur ses appétits propres et moins frileuse s'est engagée dans une expansion atrophiée mais prometteuse, où la demande extérieure ne peut ni relayer les aléas de la demande intérieure ni racheter les maladresses publiques ou les coûts de l'inflation. Sans doute les déséquilibres entre l'offre et la demande ont-il pu, dès lors, en vase clos, faire des ravages spectaculaires, énerver la décision et contribuer à effriter les consensus : ces comptes se régleront dans la passivité des Français en mai 1958. Du moins, un État-Providence qui les gouverne peu mais intervient beaucoup, dont ils ne reconnaissent pas encore tous les vertus et dont ils ne se partagent pas toujours équitablement les bienfaits, a-t-il trouvé légitimité et efficience en entourant une jeune croissance brûlante mais réservée de ses soins continus, attentifs et, à l'usage, compétents dans leur empirisme.

L'aménagement du « désert français ».

Dès le 17 mars 1950, le gouvernement Bidault avait donné son assentiment à la politique proposée par son ministre de la Reconstruction et de l'Urbanisme, Claudius-Petit, qui visait à « endiguer le courant qui porte toutes les forces vives du pays vers les grands centres, recréer des sources de vie dans les régions dont les ressources sont insuffisamment utilisées et qui, malgré de riches possibilités, tendent à devenir désertes ». Lucides constats qui seront suivis d'effets. Ils révèlent la précocité et la profondeur d'une prise de conscience dans les milieux gouvernementaux, administratifs et économiques : la croissance « déménage » le territoire. Sous le titre *Paris et le désert français*, un géographe qui passera au Plan, Jean-François Gravier, avait sonné l'alarme et imposé l'expression dès 1947 dans un livre très lu, souvent cité et republié avec des ajouts au printemps de 1958 : le centralisme hérité de Napoléon, les révolutions industrielles, la « décadence » des années 1930-1940, ont systématisé, dit-il, le déséquilibre régional, dangereusement décuplé les concentrations du capital, du savoir et du pouvoir à Paris. Encouragé par les débuts d'une nouvelle « Révolution française », celle du renouveau de la natalité, de la mobilité de la main-d'œuvre, du resserrement de l'éventail géographique des salaires, du goût de l'initiative retrouvée par des élites locales, Gravier plaide pour la mise en œuvre d'actions concertées qui rétabliront les équilibres géographiques, pour une déconcentration, prélude à la véritable décentralisation, mais se garde bien de toute simplification technocratique des problèmes et de tout économisme euphorisant : l'harmonisation de l'espace productif engage des vertus civiques, sociales et politiques, l'aménagement est un retour à l'héritage des Constituants, un pari confiant dans les ressources matérielles et morales de la France des communes et des collectivités locales. Ainsi s'expliquent et le succès de son livre et la pérennité commode du thème qu'il promeut : la classe politique, les décideurs et les premiers technocrates des années 1950[1], y retrouvent un parfum de cette France de la Libération, où l'initiative régionale coordonnée par des commissaires de la République pouvait s'exprimer, et vivement, une réminiscence des idées neuves des « non-conformistes » et des planistes des années trente : l'aménagement du territoire prolonge et fait reverdir des espoirs communs à Vichy, à la Résistance et à la reconstruction. Thème inépuisable de discours dominicaux et de symposiums huppés, dernier surgeon des ardeurs trop vite éteintes, tremplin de l'initiative démocratique contre l'autoritarisme administratif, alibi rentable pour les immobilistes *new look* : les nouvelles élites nationales et régionales ont trouvé là un volontarisme à bon compte, tandis que l'opinion moyenne demeure dans une expectative bienveillante.

Chacun s'accorde donc pour avaliser les constats les plus accablants, abondamment chiffrés par l'INSEE — sur les bases notamment du recensement de la population en 1954 — et les services du Plan. Ils soulignent d'abord les disparités de peuple-

---

1. La volonté et l'espace se rencontrent. Voir, par exemple, G. Dessus, P. George et J. Weulersse, *Matériaux pour une géographie volontaire de l'industrie française*, Colin, 1949, et l'article bientôt classique de F. Perroux, « Les espaces économiques », *Économie appliquée. Archives de l'ISEA*, 1950.

ment : la dispersion autour de la densité moyenne de 78 habitants au kilomètre carré est très forte, 1 100 pour la région parisienne, 363 dans le Nord, ou 336 dans le Rhône, contre 16 en Lozère, 15 dans les Hautes-Alpes et 12 dans les Basses-Alpes. Seul un quart du territoire a des densités supérieures à la moyenne, pour l'essentiel la région parisienne, le Nord, l'Alsace-Lorraine, la région lyonnaise et grenobloise, les franges littorales de la Provence et du Languedoc, la Haute-Garonne et la Gironde, quelques départements bretons et normands. Une bonne part de ces zones ayant également une forte natalité, partout ailleurs se combinent plus ou moins violemment les signes du retard, vieillissement, exode des jeunes, distension du tissu social, faiblesse numérique des cadres, déruralisation et prépondérance sclérosante des activités agricoles. Deux régions sont ainsi particulièrement frappées : le Massif central, qui souffre de surcroît de médiocres communications et du vieillissement de ses industries traditionnelles, et le Sud-Ouest, terre de polyculture et de dénatalité, qui doit tout miser sur la panacée du gaz de Lacq ou sur les dynamismes de ses grandes villes, Bordeaux et plus encore Toulouse avec l'aéronautique et la chimie. Tous les autres indicateurs, production, productivité, valeur ajoutée ou revenu, révèlent une France coupée en deux, de part et d'autre d'une ligne Le Havre-Marseille ou, plus visible encore, Le Havre-Grenoble. A l'ouest-sud-ouest, la France la plus pauvre, plus rurale, aux salaires plus faibles, moins pourvue en savoir et en débouchés, qui expédie ses hommes, leurs bras et leurs cerveaux vers la partie est-nord-est du pays. Celle-ci accumule les deux tiers de la population, les trois quarts de la richesse, les gros centres industriels, les lieux de recherche et de décision, la capitale : alliant puissance et capacité, plus attirée demain par les zones les plus actives de l'Europe des Six, la plaine du Pô et l'axe rhénan, elle ne peut qu'accentuer son avance. Son épicentre est Paris, « tête monstrueuse d'un corps exsangue », selon la formule de René Pleven, avec les 8 millions d'habitants de son agglomération, 150 000 immigrants par an, créant près de 25 % du produit national, nœud vital de toutes les circulations, économiques, financières, administratives et intellectuelles, monstre empêtré dans sa puissance.

Sans doute ne faut-il pas forcer le trait : dans les deux France, le dynamisme des villes moyennes relativise archaïsme et modernité, l'exode rural n'est pas toujours un méfait et peut étendre les possibilités d'action des agriculteurs plus décidés, l'appétit de consommation immédiate dans les zones déprimées n'est pas uniquement signe de « compensation » banale mais peut-être gage de renouveau[1]. Néanmoins, les plus sérieuses études économiques cartographient toujours un déséquilibre inquiétant et une dure logique des localisations. F. Coront-Ducluzeau parvient ainsi à distinguer à l'aide de tous les chiffres disponibles trois types de régions (voir la carte ci-après). Les zones « évoluées » participent le plus faiblement aux activités primaires, ont développé un secteur secondaire mieux spécialisé dans les branches dynamiques (métallurgie, chimie, électricité), qui ont un vif effet d'entraînement sur l'économie régionale. Les zones « déséquilibrées » n'ont pas encore su, comme les précédentes, soit assurer le décollage de leurs activités industrielles face à l'agriculture, soit en sélectionner les secteurs les plus rentables : elles abritent, çà et là, de fortes productions textiles en déclin, de la métallurgie lourde sans industries d'aval ou des richesses agricoles peu transformées sur place. Enfin, les zones « arriérées » ou « sous-développées », au sein desquelles bien entendu telle micro-région ou telle ville peut être équilibrée, n'ont pas de pôle de croissance assez fort : un tertiaire surabondant et médiocre, des agricultures inégalement modernisées, trop d'industries à technique peu progressive et à conjoncture incertaine, des ressources énergétiques ou minières mal utilisées, des cycles de transformation très courts. Au total, une sévère hiérarchisation par le développement industriel. La carte des revenus disponibles par habitant en 1954 entérine ces inégalités et les aggrave en prenant en compte les

---

1. L'automobile est l'exemple type de cette volonté de rattrapage. Les plus forts taux nationaux de progression du parc départemental des voitures ne dépassant pas 5 ans d'âge de 1955 à 1959, associent zones rurales affaissées qui veulent sortir de l'isolement (Basses-Pyrénées ou Ardèche) et régions où la modernisation est engagée (Alpes, vallée du Rhône, Bretagne, Val de Loire). Voir les cartes publiées dans *Études statistiques*, juill.-septembre 1959, p. 258.

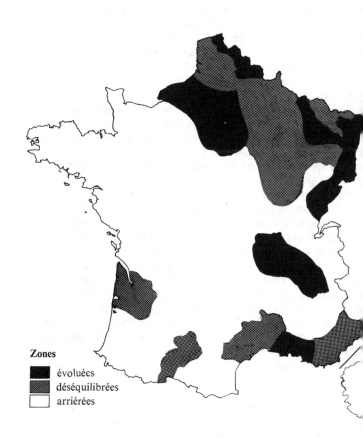

La structure économique
de la France en 1954

Zones

évoluées
déséquilibrées
arriérées

Source : F. Coront-Ducluzeau, *la Formation
de l'espace économique national*, Colin, 1964, p. 125.

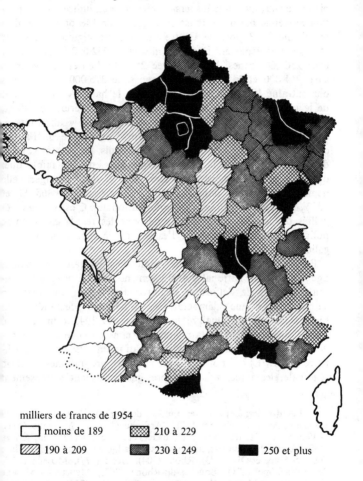

*Le revenu disponible
par habitant en 1954*

milliers de francs de 1954

☐ moins de 189 ▨ 210 à 229

▨ 190 à 209 ■ 230 à 249 ■ 250 et plus

Source : N. Delefortrie et J. Morice, *les Revenus départementaux
en 1864 et en 1954*, Colin, 1959, p. 121.

services rentables et les productions agricoles bien commerciali-
sées : la ligne Le Havre-Marseille sépare aussi plus aisés et moins
bien pourvus, avec une dispersion régionale en indice par rapport
à la moyenne nationale (base 100) qui va de 148 pour la région
parisienne à 73 pour le Centre-Sud. Quatre régions seulement
atteignent et dépassent le revenu moyen de 252 000 francs : l'Est
avec 250 000 francs, le Nord avec 255 000, l'ensemble lyonnais
avec 261 000 et la région parisienne avec 375 000. Elles seules
ont entraîné la moyenne nationale vers le haut. A l'autre bout
de la chaîne, 25 départements ont un revenu inférieur de 40 %
à la moyenne [1]. Cette fois encore, quelques cas « aberrants »,
Seine et Seine-et-Oise d'une part, Corse et Lozère de l'autre,
creusent l'écart et, si on les exclut des calculs, on constate que la
dispersion autour de la moyenne française est plus faible quel
que soit le phénomène considéré. Mais, ainsi corrigée, elle
demeure néanmoins dans l'ensemble comprise entre 65 % et
125% de toutes les valeurs moyennes nationales. C'est sur des inégalités de cette ampleur qu'ont raisonné les responsables d'une
politique d'harmonisation de l'espace et de réduction des inégalités.

En 1950, Claudius-Petit présentait déjà en fait les grandes
lignes d'un plan national d'aménagement du territoire, qui pren-
drait le relais de l'effort de reconstruction et lui donnerait un
supplément d'âme démocratique. L'héritage demandait un
sérieux inventaire : malgré la création dès 1943 d'un Comité
pour l'aménagement de la région de Reims ou celle en 1948 des
9 inspecteurs généraux de l'administration en mission extraordinaire (IGAME) qui pouvaient préparer des programmes d'action
régionale, les impératifs de l'après-guerre avaient sérieusement

---

1. Les dix derniers sont (en milliers de francs) : la Corse (133), la
Lozère (156), le Morbihan (167), l'Ardèche (169), la Mayenne (171),
la Vendée et la Haute-Loire (174), le Gers et l'Aveyron (175), et l'Ariège
(180). Sur les dix premiers, 9 sont à l'est de la ligne Le Havre-Marseille :
Seine et Seine-et-Oise (383), Rhône (304), Nord (277), Moselle (272),
Seine-Maritime (271), Bouches-du-Rhône (267), Meurthe-et-Moselle
(262), Seine-et-Marne (262) et Pyrénées-Orientales (258). On trouvera
de très nombreuses séries de chiffres parfaitement maîtrisées et ana-
lysées dans N. Delefortrie et J. Morice (100).

renforcé les réflexes jacobins, ceux des commissaires de la République, des entreprises nationalisées pilotées sèchement depuis Paris, et même du Plan, pourtant si soucieux de concertation. Dans un premier temps, la prudence prévalut donc. Les gouvernements encouragent des initiatives locales venues de notables décidés à ne pas tout attendre de Paris, industriels, membres des chambres de commerce, maires et conseillers généraux. Ainsi naissent spontanément des « comités d'études et de liaison régionaux » puis des « comités d'expansion économique », sur le modèle de celui de Reims, puis de l'Alsace en 1950 et de la Bretagne en 1951. A la fois clubs de réflexion où des responsables apprennent à se reconnaître et lieux d'élaboration de diagnostics empiriques pour des problèmes régionaux concrets, dépassant les clivages politiques et sociaux habituels, ils sont assez efficaces pour se constituer en 1952 en « Conférence nationale des économies régionales » et multiplient propositions et conseils aux pouvoirs publics : associations régies par la loi de 1901 à l'origine, ils sont installés officiellement et agréés dans ce rôle consultatif le 19 décembre 1954 par un décret du gouvernement Mendès France. Parallèlement, l'administration a su directement encourager certaines initiatives en se donnant depuis 1951 pour mandataires des sociétés nouvelles, dites d'économie mixte, chargées de mettre en valeur un milieu urbain ou rural et même une région : elles reçoivent leur loi-cadre le 7 août 1957, après un très dense débat parlementaire qui a répertorié tous les moyens d'une politique combinée d'aménagement du territoire, d'urbanisme et de construction[1]. Une des premières, constituée à l'initiative de Philippe Lamour, dérivera une partie des eaux du Bas-Rhône vers des zones mal irriguées du Languedoc intérieur, donnant à la région une première chance de desserrer l'étau de la monoculture du vin en se reconvertissant dans la production de fruits et légumes.

Mais il apparut assez tôt que l'aménagement du territoire

---

1. Voir J.-E. Godchot, *les Sociétés d'économie mixte et l'Aménagement du territoire*, Berger-Levrault, 1966, et Ph. Lamour, *l'Aménagement du territoire*, Éd. de l'Épargne, 1964.

passait d'abord par une politique de décentralisation industrielle. Elle ne pouvait rien contre la libre circulation interrégionale des capitaux et des hommes, mais, au nom de l'harmonie nationale et aux frais de l'État, elle devait fortement inciter les industriels à ne pas négliger les zones déshéritées, les entreprises publiques devant donner l'exemple et le FDES ventilant les aides. Les décrets du 5 janvier et du 30 juin 1955, activés par Mendès France et Edgar Faure, interdisent en principe tout lancement d'usines nouvelles dans un rayon de 80 kilomètres autour de Paris, accordent en revanche des exonérations d'impôts, des aides de l'État pour leurs emprunts, un soutien du FDES et une prise en charge publique de la formation de leur main-d'œuvre aux entreprises qui s'installeront dans les zones « critiques » du sous-emploi et de l'enclavement. Puis les incitations se multiplient : bonifications d'intérêts pour les société par actions, surenchères des communes et des collectivités locales pour attirer les entreprises dans leurs zones industrielles, primes à la reconversion et à la déconcentration, encouragements puis officialisation des sociétés privées de développement régional[1]. Une conjonction encore fragile des impératifs de l'aménagement et de la planification d'État, des ambitions raisonnables des intérêts locaux et du vieux serpent de mer de la réforme administrative, s'observent dans l'arrêté du 28 octobre 1956, imposé par un groupe d'étude réuni à l'initiative du Commissariat au Plan : la France se trouve divisée en 22 régions de programme, au sein desquelles sera démultipliée la planification et coordonnée la multitude des encouragements divers. Est ainsi bien amorcée l'évolution qui, sous la Vᵉ République, aboutira aux circonscriptions d'action régionale en 1960 et à la DATAR en 1963.

Toutefois, c'est plutôt l'ensemble des couronnes du Bassin parisien qui profite pour moitié environ des aides à la décentralisation, avec Renault à Flins, au Mans, à Cléon et à Caen, Citroën à Rennes, Chausson à Reims, Motobécane à Saint-Quentin, la Radiotechnique à Chartres ou Cadum à Compiègne. Le choix

---

1. Voir P. Poplu, *les Sociétés de développement régional*, Berger-Levrault, 1973.

des zones à industrialiser en priorité n'a pas été fait, il n'y a pas à Paris d'exécutif véritable de l'aménagement, pas davantage de pouvoir régional assez fort pour en relancer les premiers effets bénéfiques [1].

1. Sauf en Bretagne, grâce à l'action et aux propositions souvent reprises par Paris d'un Comité d'études et de liaison des intérêts bretons (CELIB) fondé en novembre 1951. Voir M. Philipponeau, *le Problème breton et le Programme d'action régionale*, Colin, 1960, et R. Pleven, *Avenir de la Bretagne*, Calmann-Lévy, 1961. Dans cette lutte contre l'isolement et la dépendance, un mouvement culturel breton reprend une forte activité. Voir M. Nicolas, *Histoire du mouvement breton*, Syros, 1982, 2e partie.

6

Un mieux-être
inégal

L'aiguillon de la croissance a piqué la société, y stimulant des dynamismes, y rameutant aussi des réactions défensives. Le changement confronté aux pesanteurs héritées : nous voici au point où s'imposeraient des analyses historiques ambitieuses et concrètes. Ces dernières, hélas, font encore très largement défaut : nombre de thèmes majeurs ne sont donc guère développés ici, car la recherche les a encore ignorés et seuls auraient fait semblant d'en rendre compte une narration de reportage pointilliste ou un sociologisme prétentieux. Mais quelques chiffres choisis dans un imposant arsenal d'enquêtes de l'époque permettent d'éviter les dérives du bavardage et l'idéologisation des problèmes : on en trouvera beaucoup encore dans les pages qui suivent, en point d'ancrage de réflexions à mener. Cependant, ils ne suffisent pas, en ces domaines plus qu'en tous autres, car leur poids n'a pas été toujours perçu par les Français et ce qu'ils ont ressenti, jusqu'au ressentiment, dédaignait leur arithmétique. C'est que les problèmes soulevés sont immenses et leurs solutions souvent incompatibles. L'expansion a multiplié les chances, tout en favorisant les plus qualifiés ou les plus habiles : aurait-elle accru la dispersion sociale en promouvant la compétence et la concurrence ? Le débat est ouvert entre experts dès avant 1958, au Plan comme dans les travaux de Jean Marchal et Jacques Lecaillon qui, à l'inverse, observent que dans tous les pays industriels l'éventail des hiérarchies a été resserré[1]. Quand l'appétit de consommation s'éveille,

1. Voir P. Massé, *le Plan ou l'Anti-hasard*, Gallimard, 1965, p. 24, et J. Marchal et J. Lecaillon (115).

quand une autre vie est exhibée par les médias et intériorisée par la culture de masse, la question des inégalités, et d'abord les plus voyantes, les plus proches de chacun, prend une singulière résonance sociale : ainsi s'étale le prurit du « jardin du voisin » ou du « toujours plus [1] ». Mais, quand on sait par ailleurs la part déterminante des facteurs psychologiques et humains dans l'essor économique, faut-il porter au crédit des Français un moindre souci des droits acquis et des situations pérennes, un goût nouveau pour la formation, pour le changement et pour un avenir meilleur lu dans les yeux des enfants ? Les déséquilibres sociaux sont toujours aussi criants, irréductibles. Mais on en a mieux conscience. Serait-ce un progrès ?

« *Douze millions de beaux bébés* ».

Ainsi de Gaulle, dès 1945, ordonnançait l'ardeur des couples pour les dix années à venir. Son souhait très paternel et très national sera pratiquement exaucé, avec 9 millions de naissances jusqu'en 1955 et plus de 11, effectivement, pour mai 1958 : la France s'est déridée en pouponnant. En 1946, avec un peu plus de 40 millions d'habitants en métropole, elle piétinait depuis un demi-siècle, trop longtemps détournée de la vie par ses faiblesses et ses drames : en 1958, 44 500 000 Français ont pris une vitesse de croisière démographique qui les place au rang des peuples d'Europe occidentale les plus dynamiques. Non seulement le retard a été rattrapé, mais la croissance perdure, plus forte qu'au cours des siècles précédents.

Cet élan, incontestablement, provient du très vigoureux redressement de la courbe de la natalité, fondé sur une renaissance de la fécondité dès 1942 : plus de 800 000 naissances par an, un taux de natalité de 21 à 18 pour mille, contre un peu plus de 600 000 et 15 pour mille avant la guerre (voir le tableau ci-contre). Nul doute que la politique de population inaugurée en 1939 et poursuivie depuis lors ait joué son rôle : dans la bataille de la

2. Voir J. Fourastié et B. Bazil, *le Jardin du voisin. Essai sur les inégalités en France*, Le Livre de Poche, « Pluriel », 1980, et F. de Closets, *Toujours plus!*, Grasset, 1982.

LE MOUVEMENT NATUREL DE LA POPULATION

	1913	1936	1946	1950	1954	1958
population totale millions	41,6	41,1	40,1	41,6	42,8	44,5
nombre de mariages milliers	312	279	516	331	314	312
taux de nuptialité ($\%_{oo}$)	15	13,4	25,7	15,9	14,6	14
nombre de naissances milliers	790	630	840	858	807	808
taux de natalité ($\%_{oo}$)	19	15	20,9	20,6	18,8	18,1
taux net de reproduction pour 100 femmes	92	80	128	133	125	126
décès milliers	731	642	541	530	515	496
taux de mortalité	17,5	15,3	13,5	12,7	12	11
taux de mortalité infantile ($\%_{oo}$)	114	71	77,8	51,9	40,8	31,5
accroissement naturel (milliers)	59	— 12	299	328	292	312
moins de 20 ans ($\%$)	33,2	28,9	29,5	30,1	30,8	31,6
20-64 ans ($\%$)	57,7	60,2	59,4	58,4	57.7	56,9
65 ans et plus ($\%$)	9,1	10,9	11	11,3	11,5	11,5

reconstruction physique et morale de la nation, dans celle de son accession au mieux-être, le front des berceaux devait être aussi solidement tenu que celui des kilowatts-heures. Les gouvernements l'approvisionnent donc avec persévérance. Outre les allocations prénatales, une batterie de mesures permet de protéger l'enfance et encourage la famille. Dès novembre 1945, le ministère de la Santé publique et de la Population a lancé les services de la protection maternelle et infantile, qui font porter leur effort sur l'examen prénuptial, les consultations prénatales et celles des nourrissons (environ la moitié des mères seront ainsi touchées). Mais le nombre des crèches, garderies et jardins d'enfants demeure scandaleusement faible (la région parisienne en possède 480, soit le tiers du « parc » national, le Nord et le Pas-de-Calais en ont 9, soit 400 places pour 3,5 millions d'habitants en 1958!) : la garde des enfants non scolarisables est toujours, en milieu urbain, un terrible problème, un handicap fondamental pour conserver un travail régulier à la mère. La Sécurité sociale participe à l'effort, en remboursant aux salariés tous les soins de leurs enfants, en payant des primes d'allaitement et un congé de grossesse porté à 14 semaines : l'ensemble représente plus du tiers des prestations versées en 1958. Les charges familiales sont par ailleurs allégées, au plan fiscal par l'application du système du « quotient familial » qui prévoit un système égal de « parts », quel que soit le revenu, en fonction du nombre d'enfants et assure à la fois abattement à la base et taux plus faible pour l'établissement de l'impôt sur le revenu, puis surtout avec l'instauration par la loi du 22 août 1946 du régime des prestations familiales : tout actif malade, tout invalide, tout chômeur ou toute femme seule bénéficie d'allocations à partir du deuxième enfant à charge, financées par des cotisations supplémentaires des employeurs, et sous réserve pour les parents de se soumettre aux règles de l'obligation scolaire et de la prévention médicale. Une allocation dite de « salaire unique », issue de la législation de 1938, complétée par celle de la « mère au foyer » pour les non-salariés en 1955, une allocation-logement instituée en septembre 1948, des aides aux vacances, des réductions sur les transports accordées par la SNCF et la RATP; le développement du corps nouveau des « travailleurs sociaux » (assistantes sociales, aides ménagères et familiales, éducateurs pour l'enfance handicapée ou abandonnée, etc.); l'action concertée des pouvoirs publics, des collectivités locales, des employeurs et du dense réseau des associations familiales[1] : autant d'encouragements à la procréation et à la famille, auxquels sont consacrés chaque années plus de 4 % du PNB.

Mais la politique en ce domaine ne suffit pas, encore que la dépréciation régulière des prestations familiales, mal indexées sur la hausse des prix et le coût de la vie, ait conduit à des chutes de natalité de 1950 à 1953. Pour l'essentiel, la hausse des naissances a des causes psychologiques et sociales, un mélange de nouvelle valorisation de l'état conjugal (la nuptialité demeure très forte après les « rattrapages » de l'immédiat après-guerre), de sacralisation progressive de l'enfant et surtout d'augmentation générale de la fécondité, dont les démographes entraînés par Louis Henry cherchent alors à percer les mystères. Au total, le cap des 800 000 bébés par an est tenu parce qu'est gagnée la bataille du troisième enfant chez certains couples. Car, quoi qu'en aient dit à l'époque quelques égoïstes effrayés par ce « lapinisme » encouragé par l'État, le renouveau ne passe pas par des familles très nombreuses mais par une propension nouvelle à bâtir des familles moyennes : 2,35 enfants par couples dès 1943, 2,45 en 1950, 2,33 en 1954, 2,42 en 1960. Cette fécondité régulière et soutenue n'est pas uniforme, plus affirmée dans les régions économiquement avancées, allant en 1954 jusqu'à 3,43 chez les actifs agricoles, moyenne avec 2,57 chez les ouvriers et les fonctionnaires, à la traîne chez les travailleurs indépendants, les commerçants (1,96) et les industriels (2,20). Mais la législation familiale, agissant dans un contexte favorable à l'épanouissement du couple par l'enfant, a su intervenir au point stratégique : convaincre 2 couples sur 5 ayant déjà 2 enfants qu'ils pouvaient supporter la charge du troisième et, parfois, du quatrième. Au total, malgré les premiers débats passionnés qui avancent à partir de 1956 les thèmes du contrôle des naissances et du planning familial,

---

1. Et particulièrement de l'Union nationale des associations familiales (UNAF) qui représente légalement les intérêts des familles devant les tribunaux. Elle sort affaiblie d'une scission des familles « ouvrières » proches du PCF en 1949.

malgré l'application très stricte de la loi de 1920 interdisant toute publicité pour les moyens contraceptifs ou abortifs, et les drames secrets de peut-être 800 000 avortements clandestins par an [1], l'avenir paraît assuré.

D'autant plus que la mortalité régresse, la France prenant son rang, très honorable, parmi les nations développées qui valorisent leur capital de santé. La mortalité infantile bénéficie la première de l'effort social entrepris : elle diminue spectaculairement, de moitié jusqu'en 1952, d'un nouveau tiers avant 1958. La mortalité générale régresse elle aussi, plus lentement mais sûrement, de 13 à 11 pour mille de 1946 à 1958. Victoires sans doute inégalement réparties sur le territoire national (le Nord, par exemple, conserve un taux de mortalité infantile de 39 pour mille en 1958 contre 18 pour mille à Paris) et selon les catégories sociales, mais qui permettent de gagner six années d'espérance de vie : 61,9 ans à 67 de 1946 à 1958 pour les hommes, 67,4 à 73,4 pour les femmes, contre, respectivement, 55,9 et 61,6 en 1938 [2]. Le chiffre des décès ayant décru considérablement

---

1. Voir J. Derogy, *Des enfants malgré nous*, Éd. de Minuit, 1956, qui avance le chiffre de 20 000 décès par an à la suite d'avortements artisanaux. *L'Express* mène alors une vive campagne contre la loi de 1920 : voir l'éditorial de Françoise Giroud du 15 février 1956. En vain. Par contre, à la même date, Pie XII renonce enfin à condamner la méthode de l'accouchement sans douleur.

2. Avec de nets écarts sociaux. Des études portant sur les trois quarts de la population masculine de 30 à 69 ans en 1954 révèlent que, à 35 ans, un instituteur public a 40,8 ans d'espérance de vie, un membre des professions libérales ou un cadre supérieur 40,3, un agriculteur 37,2, un employé, un artisan ou un commerçant 37,7, un ouvrier qualifié 35,2 et spécialisé 34,9, un salarié agricole 34,9 et un manœuvre 33,5 (voir P. Longone, « L'inégalité devant la mort », *Population et société*, nº 64, décembre 1973). Et tout autant un fort relief régional, le sud de la Loire, toujours pour les hommes, prenant sa revanche sur le retard économique : en 1952-1956, la vie moyenne masculine est de 61,2 à 62,9 ans dans les départements bretons, 61,5 dans le Pas-de-Calais, 63,1 dans le Nord, 62,4 en moyenne dans toute la Normandie, contre 67,7 en Limousin et dans les Alpes du Sud, 67,9 en Ariège et dans le Tarn, la Vendée et le Languedoc battant tous les records de longévité, avec l'Aude en tête avec 68,4 ans. On observera les mêmes écarts en 1967-1969 (voir P. Longone, « Relief régional de la mortalité », *Population et société*, nº 72, septembre 1974).

pour les cinq premières années de la vie et ayant chuté de 50 %
pour les 20-50 ans, corollairement la mort fauche plus vigoureusement désormais après 60 ans. Et l'on meurt, pourrait-on dire,
autrement. Les progrès de la médecine, la vaccination obligatoire,
la protection sociale, ont fait reculer les vieux fléaux, pneumonies,
maladies d'enfants, gastro-entérites des nourrissons, néphrites,
la tuberculose surtout, qui tue cinq fois moins qu'au début du
siècle, maîtrisée sur les poumons, enrayée sur les méningites
de l'enfant, seule la grippe aux virus renouvelés poursuivant
son parcours zigzaguant, avec trois fortes épidémies en 1949,
1953 et 1957. Par contre, les Français sont désormais frappés
par les maux des peuples développés, accidents où l'automobile
prend la plus grosse responsabilité, multiples déficiences cardio-
vasculaires, cancer, sans oublier leurs tristes records mondiaux
pour la cirrhose du foie et l'alcoolisme et une recrudescence des
maladies mentales [1].

Ici encore, c'est l'action de la collectivité qui l'a emporté,
l'État allant à la rencontre d'un vif désir de meilleure santé.
Dans ces progrès, les professions médicales n'ont pas eu la part
déterminante. Malgré la progression du nombre des médecins
(29 000 en 1946, 44 000 en 1958), la corporation très divisée
en praticiens et consultants, jalousement surveillée par son Ordre
institué par Vichy et par ses syndicats, défend ses privilèges,
bataille inlassablement avec la Sécurité sociale pour conserver
son statut libéral, répugne à toute socialisation de son action.
Sur 10 médecins en 1958, moins d'un est salarié, 3 à peine exercent à temps partiel dans un service public ou d'intérêt général,
la médecine de groupe balbutie, les cabinets se perpétuent ou
se créent sans tenir compte des inégalités régionales. L'acte
médical remboursé à 80 % par la Sécurité sociale peut être encore
très cher dès lors que les praticiens ne respectent pas les tarifs

1. 39 litres d'alcool par adulte et par an, devant l'Italie qui ne
consomme « que » 14 litres, près de 16 000 morts en 1958 contre 3 000
en 1946 à l'issue des années « sèches », un coût social global de 200 milliards de francs par an. Sans compter les accidents et des conséquences
psychiatriques que la France est incapable de contrôler : 1 psychiatre
pour 4 400 médecins, 5 000 lits pour 10 000 malades en 1958, 10 000
psychoses alcooliques en 1957 contre 1 000 en 1947. Les effets des
mesures législatives de 1954 ont été très faibles.

ou refusent de signer avec les caisses une convention qui dévoilerait au fisc leurs véritables revenus : dans la région parisienne et les très grandes villes, la médecine ignore pratiquement la convention, tandis qu'en milieu rural et dans les petits centres la pression sociale a été assez efficace pour la lui imposer[1]. Si l'on ajoute que l'enseignement médical somnole, mandarinal et coupé de toute formation hospitalière pour les étudiants qui butent sur les concours d'externat, que la recherche semble tarie, que la formation permanente est faible et que toute nouveauté thérapeutique (avec, en tête, les antibiotiques) et praticienne vient le plus souvent des États-Unis, qu'enfin les professions voisines sont sévèrement contingentées avec la complicité des pouvoirs publics (9 000 dentistes en 1946, 15 000 en 1958, 12 000 et 14 500 pharmaciens aux mêmes dates), on appréciera mieux l'effort public.

Il porte d'abord sur les hôpitaux, dont le nombre et l'équipement étaient très insuffisants. Assurément en 1958 toutes leurs tares n'ont pas été effacées : surencombrement à Paris et les grandes villes, faiblesse des services psychiatriques tandis que les sanatoriums fort heureusement ont 7 % de places vacantes après 1955, locaux peu fonctionnels, personnels médiocrement payés. Mais, fort des 400 000 lits publics et des 200 000 privés, l'hôpital, dans l'élan général qui valorise la technicité, améliore dans l'opinion sa médiocre image héritée du XIXe siècle, multiplie les consultations, forme d'excellents praticiens, expérimente et guérit mieux : le taux d'hospitalisation des Français progresse de 37 à 52 pour mille de 1946 à 1958. Par ailleurs, la généralisation de la médecine préventive s'organise : pour les enfants, on l'a vu, avec l'ordonnance de novembre 1945, pour les scolaires en octobre 1945, sur tous les lieux de travail par la loi du 11 octobre 1946, contre les fléaux sociaux. Les règlements d'urbanisme surveillent les conditions d'hygiène et l'alimentation en eaux des nouvelles constructions. Ces progrès de l'hygiène, il est vrai, sont singulièrement favorisés par l'aide financière aux soins et à la prévention : la France engrange les bienfaits

1. Voir l'enquête « Les médecins vous parlent de la médecine », *Esprit*, février 1957.

de sa Sécurité sociale, qui couvre en 1958 plus de 40 % des dépenses
médicales (455 milliards sur 1133), l'aide médicale aux non-
assurés sociaux touche 1 500 000 personnes et rembourse 9 %
des dépenses totales (104 milliards), un très fort développement
des mutuelles complémentaires garantit un bon dédommage-
ment des 574 milliards qui demeurent à la charge directe des
particuliers [1]. Ces derniers parachèvent volontiers cette offensive
bien engagée contre la maladie et la mort : garanties à 50 %
par les aides diverses, leurs dépenses d'hygiène et de soins progressent de 8 % par an, passant de 344 à 1 288 milliards de 1950
à 1958, soit 4,7 à 8 % de leurs budgets. Leur rythme d'accroissement est le plus fort de toutes les consommations [2].

De cette double évolution de la natalité et de la mortalité
résulte un net accroissement naturel de la population, qui oscille
autour de 300 000 individus par an, avec une forte pointe de
1946 à 1950. Dans le même temps, sont accueillis près de 700 000
étrangers venus travailler en France, le rythme de leurs entrées
demeurant assez lent jusqu'en 1956, et bien moins vif qu'avant
la guerre, les Italiens en fournissant près de la moitié, suivis
par les Espagnols, les Portugais et les Nord-Africains. Si bien
qu'au total on enregistre un gain d'environ 4 millions de Français
sous la IVe République : c'est un record et une revanche sur
un siècle de difficultés démographiques. Ce renouveau pourtant
crée des déséquilibres, par la distorsion qu'il introduit dans la
structure par âges. On a vu combien l'économie a pu souffrir d'un
manque chronique de main-d'œuvre : la population adulte de 20 à
65 ans en âge de travailler est laminée par la croissance, aux deux
extrémités de la chaîne, des jeunes plus nombreux et plus longue-
ment scolarisés et des personnes âgées dont le nombre lui aussi croît
par héritage, mais qui tendent à se retirer plus tôt de la vie active.

Ces dernières posent des problèmes particuliers, assez bien
perçus mais très mal maîtrisés : la France moderne se détourne

1. Les mutuelles sont aussi à la pointe du nouveau combat, régle-
menté par le décret du 9 mars 1956, pour la convalescence : les 4 500
places actuelles dans les maisons de repos sont ouvertes pratiquement
toutes avant 1958.
2. Voir G. Rösch, « Les dépenses médicales en 1956 », *Consommation. Annales du CREDOC*, juill.-septembre 1958, p. 47-66.

le ce qu'on ne nomme pas encore le « troisième âge ». Ces 4,5
à 5 millions de vieux ont en effet grande difficulté à vivre en
harmonie avec leurs compatriotes. Ce n'est pas qu'ils ne s'efforcent pas de se rendre encore utiles : un tiers d'entre eux, des
hommes principalement, conservent une occupation ou se livrent
au travail noir après 65 ans, un agriculteur sur deux s'active
encore à 70 ans. Mais cette retraite elle-même, si souhaitée et
si redoutée à la fois, rien n'est fait pour les y préparer. Et ses
lendemains financiers sont amers. A la hâte, il a été tenté à la
Libération de généraliser l'assurance-vieillesse par une loi du
22 mai 1946, complétée pour les non-salariés le 17 janvier 1948
puis pour les agriculteurs le 10 juillet 1952. Malgré de nets efforts
revalorisant celles des cadres, la législation des retraites et des
pensions demeure extrêmement compliquée, la Sécurité sociale
assure un minimum, mais l'incohérence des réglementations
d'avant la guerre, l'insouciance des employeurs ou des salariés eux-mêmes rend les calculs aléatoires, l'inflation enfin pul-
vérise régulièrement les taux revalorisés la veille. Régimes multiples (plus de 5 000 en mai 1957 quand le CNPF, la CFTC et
FO, sur incitation de la CGT, tentent par un accord d'en limiter
le nombre!) et anarchiques, affaiblissement des solidarités familiales, impuissance à épargner, économies et placements envolés
avec la hausse des prix : les personnes âgées sont pénalisées de
tous côtés. Seul le Fonds national de solidarité de 1956 a su
secourir les plus démunis. Mais, en 1956, 77 % des vieillards
isolés et 82 % des ménages âgés ont un revenu annuel inférieur
à 200 000 francs [1], contre à peine un tiers de la population totale :
le Fonds national en aide 2 700 000, soit près de la moitié de
cette catégorie de la population. Malgré l'existence de ressources
d'appoint et l'aide des enfants, ce chiffre très élevé révèle l'ampleur du drame social de la vieillesse dans les années cinquante.
Égarés dans un changement qui les déconcerte, beaucoup moins
que les autres touchés par les politiques du logement, de l'aide
ménagère ou du loisir, incertains du lendemain (le taux des places
en hospice ou maison de retraite ne dépasse pas 35 pour mille),

1. 64 % selon une enquête de l'INSEE en 1955 portant sur les déclarations d'impôts.

les « petits retraités », ou, plus férocement, les « petits vieux » réduisent leurs dépenses d'habillement et de vacances, s'enferment dans les logements les plus vétustes au loyer heureusement protégé par la loi de 1948, rognent même sur l'hygiène et l'alimentation, craignent le changement et parlent bas dans une France qui les marginalise. Car l'essentiel n'est plus d'avoir accumulé une expérience et une sagesse transmissibles, mais d'adhérer au mouvement qui rajeunit la société.

Par choix délibéré, ce sont donc l'enfant-roi et le jeune piaffant qui sont privilégiés. Les petits du *baby-boom* sont tout à la fois promesses fermes pour demain et bonheurs quotidiens, dons exceptionnels qui fatalement combleront leurs géniteurs. Ils ont bientôt leur Salon de l'Enfance, la nation accepte allégrement les charges d'éducation qu'ils lui créent [1], les dépenses pour les jouets se multiplient par 3,5, et le bébé Cadum bien nourri et bien cajolé rivalise encore victorieusement avec les stars de cinéma pour placer les savonnettes. Rarement société aura à ce point adoré ses enfants, fait autant confiance à leur créativité et à leur spontanéité : quelques réveils seront durs en mai 1968. Les jeunes de l'immédiate relève, issus des classes creuses de l'avant-guerre et de la guerre, eux aussi profitent de l'engouement. Les magazines s'inquiètent de leurs espoirs, de leurs amours et de leurs privations, on cherche anxieusement à repérer des différences entre générations : la « nouvelle vague » est attendue [2], tandis que les bébés grandissent.

Cette population plus juvénile est en outre devenue singulièrement plus mobile, géographiquement et professionnellement. Le phénomène marquant est à cet égard la croissance soutenue de la population urbaine [3] : 52 % de la population totale en 1936, 53,2 % en 1946, 56 % en 1954 et 61,7 % en 1962. Ce sont les villes qui profitent le plus de l'accroissement démographique, qui reçoivent la majorité des immigrés, donnent son plus fort

1. Voir *infra*, p. 295 *sq.*
2. Voir l'enquête de l'IFOP sur les jeunes de 15 à 29 ans dans *l'Express* d'octobre à décembre 1957, et R. Kanters et G. Signaux, *Vingt ans en 1951, enquête sur la jeunesse française*, Julliard, 1951.
3. A savoir, jusqu'au recensement de 1962, celle des communes d'au moins 2 000 habitants agglomérés au chef-lieu de la commune.

rythme à la natalité et préviennent mieux la maladie et la mort : ce dynamisme dissipe définitivement les derniers relents de grouillement suspect ou de somnolence balzacienne qui pouvaient encore entourer le phénomène urbain. La ville maîtrisant son espace est la vitrine de la modernité. Ce triomphalisme socio-psychologique a de solides bases économiques et humaines. C'est en effet la part la plus solide du tissu urbain national qui s'anime et se dilate. Dans les 12 grandes villes dépassant 250 000 habitants, et particulièrement Paris, Marseille et Lyon, qui avaient seules absorbé les nouveaux venus au temps de la stagnation démographique, les gains sont très lents. Les plus peuplées, congestionnées, régressent même : l'agglomération de Paris rassemblait 28,8 % de la population urbaine à son zénith de 1936, elle n'en abrite plus que 28,1 % en 1954 et 25,8 % en 1962 ; les métropoles régionales, elles, stagnent aux mêmes dates avec respectivement 18,6, 18,4 et 17,5 %. Les petites villes de moins de 50 000 habitants se maintenant tout juste à flot, il faut par conséquent créditer les agglomérations de 50 000 à 250 000 habitants, branches les plus vivantes de la ramification urbaine sur le territoire, des plus forts gains et des plus nets succès : elles comptent 23 % de la population urbaine totale en 1936 et 30,4 en 1962, après un brutal changement de rythme d'accroissement après 1952. Toujours moins urbanisée que ses voisins européens, la France installe à sa manière la modernisation en gonflant ses villes moyennes, tout en maintenant le poids de ses très grandes cités : partout, la pâte lève.

Ce que gagnent les villes est symétriquement perdu par les campagnes. Mobilité et déracinement sans précédent, intimement liés à la croissance : près de 7 millions de Français changent de commune de 1954 à 1962. Va-et-vient inédit par son ampleur [1],

---

1. Sa géographie est sans surprise. Les zones de répulsion sont les campagnes du Massif central à l'exception de la région de Clermont-Ferrand, de l'Aquitaine, du Poitou et de la Vendée, de la Bretagne, de la Normandie, du Bassin parisien et des plateaux de l'Est. Celles de très forte attraction sont, outre la région parisienne, la région Rhône-Alpes et la Côte d'Azur (les retraités!) et, bien entendu, toutes les zones de villes moyennes dynamisées. Carte dans P. Sorlin, *la Société française*, t. 2 (1914-1968), Arthaud, 1971, p. 24.

bien chiffré aux deux recensements de ces années-là : 2 400 000
départs des campagnes, pour l'essentiel des jeunes actifs en quête
d'un meilleur emploi, 1 300 000 retours de retraités, soit une
hémorragie continue des communes rurales avec 1 100 000 personnes perdues au rythme de 130 000 par an. En fait, l'exode
a repris dès la fin de la guerre, avec 90 000 pertes par an jusqu'en
1954, rendant plus dramatique encore la conséquence qualitative
de ces départs massifs : la déruralisation des campagnes, avec
affaissement des services, le commerçant, l'artisan, le journalier
se faisant rare, déstabilisation des communautés et affadissement
de leurs sociabilités. Renforçant désormais l'exode rural, c'est
d'un exode agricole qu'il faut parler. Des agriculteurs en surplus,
incapables de se moderniser mais jeunes et décidés, gagnent la
ville moyenne la plus proche autant que leurs aînés d'avant-
guerre la grande métropole ou Paris : un agriculteur exploitant
sur 10 disparaît ainsi de 1949 à 1954, près de 3 sur 10 de 1954 à
1962. De cette diminution de la population rurale résultent de
profondes modifications dans la répartition de la population
active, puisque ce réservoir est le seul où puisse être amorcée
la mobilité tant que la masse globale des actifs demeure stagnante. En 1936, 1964 et 1962, le secteur primaire décline, rete-
nant respectivement 37, 27,4 et 20,6 % des actifs, le secondaire
se renforce avec 30, 36,2 et 38,6 %, le tertiaire prend son envol
avec 33, 36,4 et 40,8 %. Tous les chiffres, même si leur concordance pose problème [1], confirment à la fois l'approfondissement
de l'industrialisation et la poussée des services et de l'administration : dès les années cinquante, 4 actifs sur 10 gèrent ce que les
autres produisent (voir le tableau ci-contre).

1. Ce ne sont que des estimations globales : la codification des branches d'activité et des catégories socioprofessionnelles par l'INSEE
diffère, du *Tableau économique de l'année 1951* au *Code* de 1954 et à
l'enquête de 1956-1957 menée avec le CREDOC; les renseignements
sont médiocres pour l'après-guerre; les chiffres discutés du chômage
rendent difficile la distinction entre actifs et actifs occupés; les calculs
rétrospectifs sont bâtis sur des bases dont la comparaison est aléatoire.

LA POPULATION ACTIVE

1. PAR BRANCHES D'ACTIVITÉ

	1938 milliers	%	1949 milliers	%	1954 milliers	%	1963 milliers	%
agriculture et forêts	5 900	31,4	5 580	28,9	5 030	26,1	3 650	18,4
industries	5 280	28,1	5 610	29,1	5 550	28,8	5 920	30
services	5 180	27,6	5 360	27,8	5 750	29,8	6 780	34,3
administrations	1 450	7,7	1 890	9,8	2 130	11	2 620	13,2
total de la population active occupée	18 760		19 260		19 250		19 730	

2. PAR CATÉGORIES SOCIOPROFESSIONNELLES

	1954 milliers	%	1962 milliers	%
agriculteurs exploitants	3 966	20,7	3 044	15,8
salariés agricoles	1 160	6	826	4,3
patrons de l'industrie et du commerce	2 301	12	2 044	10,6
professions libérales et cadres supérieurs	553	2,9	765	4
cadres moyens	1 112	5,8	1 501	7,8
employés	2 066	10,8	2 396	12,4
ouvriers	6 492	33,8	7 060	36,7
personnels de service	1 017	5,3	1 047	5,4
autres catégories	513	2,7	564	2,9
	19 184	100	19 251	100

Sources :
1. J.-J. Carré, P. Dubois et E. Malinvaud, *La Croissance française*, Éd. du Seuil, 1972, p. 122.
2. *Le Mouvement économique en France, 1949-1979*, INSEE, 1981, p. 21.

Patrimoines, revenus et consommations.

Nous voici dans les eaux mal connues, dans le secret des stratégies jalouses des individus et des groupes, dans un domaine
plus que jamais privilégié par une société qui s'éveille à la consommation de masse sans s'être départie de ses vieux réflexes thé-
sauriseurs : tout ce qui touche à l'argent, hérité, gagné, dépensé
et jalousé chez le voisin. N'ayons pas trop d'illusion sur la fiabi-
lité de nos connaissances, et pas davantage sur l'efficience des
transcriptions sociales d'un décompte de revenus, d'épargne ou
de profits. Les déclarations d'impôts, même visitées par l'INSEE,
n'apportent pas de renseignements plausibles, quand on sait
l'état de la justice et de la morale fiscales ; l'administration ne
peut qu'évaluer forfaitairement des revenus d'entreprise qui ne
lui sont communiqués qu'en ronchonnant ou en truquant ; les
patrimoines ne sont pas tous au soleil, les comparaisons entre
salariés et non-salariés n'ont pas grand sens, la comptabilité
nationale se fait moins triomphante : l'argent conservant ses
capacités de jouissance et de pouvoir, on ne peut guère parler
du portefeuille des Français, ou plutôt ceux-ci ne parlent volontiers que de celui des autres. Fort heureusement, diverses enquêtes
de l'INSEE et du CREDOC, et particulièrement celle de 1956-
1957 sur la consommation des ménages, nous permettent de
donner un instantané, à partir duquel toute rétrospective est
néanmoins hasardeuse.

Les progrès du mieux-être matériel sont incontestables. Et
il suffit d'accoupler quelques indices pour conclure qu'ils sont
indissociables de l'essor économique :

	1949	1952	1954	1956	1958	1965
production industrielle	57	68	74	88	100	141
PNB par tête	71	82	87	96	100	132
consommation par tête	71	81	87	96	100	130

Grossièrement, les revenus et la consommation ont progressé d'un tiers de 1949 à 1958 [1], avant de poursuivre leur gonflement de 30 % supplémentaires jusqu'en 1965, à un rythme supérieur à celui du mouvement économique général pour rattraper les retards accumulés lors de la reconstruction : une sorte de volontarisme social a jeté les Français dans une vie plus facile.

L'examen de la fortune nationale le confirme, autant qu'on puisse l'estimer d'assez près et qu'on puisse comparer ses chiffres à diverses époques. Il semble bien qu'en 1954 le patrimoine français s'était reconstitué au niveau de 1914, après deux guerres, une crise et deux reconstructions [2]. Puis de 1954 à 1963 le capital s'accroît brutalement d'environ 50 % pour les entreprises, de 20 % pour les ménages et de 60 % pour les administrations, les ressources annuelles de ces mêmes agents se développant elles aussi respectivement de 50, 50 et 14 % : le patrimoine encaisse la croissance. D'autre part, ses structures évoluent. En 1954, la fortune privée représente 64 % de la fortune nationale et se répartit approximativement pour 28 % en propriété foncière, 28 % en capital industriel et commercial, 22 % en propriété bâtie et 15 % en mobilier et biens personnels, l'or et les actifs financiers étant exclus du calcul [3]. Déduction faite du capital des entreprises, on peut

---

1. Les chiffres de l'enquête du CREDOC publiée en 1958 permettent en fait de conclure à une hausse de 40 % de la consommation de 1950 à 1957.

2. Voir F. Divisia, J. Dupin et R. Roy (114), p. 82.

3. D'autres estimations donnent la structure suivante, en % :

	1929	1950	1960
terres	26,5	22,8	22
logements	20	24,7	23,5
autres constructions }	37,8	20,5	16,4
biens d'équipement }		16,2	19,3
biens de consommation durable	4,2	4,2	6,1
stocks	6,8	10,2	11
cheptel	4,1	1,4	1,7

L'or et les actifs financiers auraient représenté par ailleurs un supplément de patrimoine estimé à 80 % du montant de ces biens réels en 1929, 103 % en 1950 et 125 % en 1960. Voir les chiffres dans *le Mouvement économique en France, 1949-1979*, INSEE, 1981, p. 37.

estimer que les ménages ont à disposition 32 % du patrimoine national, ventilés à 35 % pour la propriété foncière, 33 % pour la propriété bâtie et 24 % pour le mobilier et les biens personnels. On assiste en fait dès 1954 à l'effondrement, qui sera porté à son paroxysme dans les années 1960, des rentes, intérêts, dividendes, fermages et cheptel dans les fortunes, le relais étant assuré par les valeurs sûres : la terre, qui ment moins que jamais, la pierre si précieuse par temps de crise du logement et, loin derrière, l'équipement du ménage. C'est alors qu'on s'interroge sur le choix décisif, qui privilégie la consommation sur la formation de capital, l'épargne ou l'investissement financier[1]. A partir de 1954 en effet, tandis qu'entreprises et administrations misent toujours sur l'effet positif du patrimoine arrondi et augmentent leur capital, on l'a vu, de 50 % jusqu'en 1963, le patrimoine des ménages progresse plus de deux fois moins vite pour le capital. On devine aisément les causes multiples de ce relatif désengagement : loyers trop bas pour justifier une extension du capital en immeubles, spéculation sur les terrains à bâtir qui rend la construction moins rentable, faiblesse chronique des sollicitations du marché financier qui fait négliger les placements en actions ou obligations[2] et, à l'inverse, part grandissante de l'État, des collectivités et des entreprises dans la formation et le drainage de l'épargne et de l'investissement. Autrement dit, insensiblement s'enregistre une révolution des mentalités sociales : non seulement le patrimoine perd une part de sa fonction de capital générateur de rentes pour être plus activement mobilisé pour des fonctions d'usage et d'agrément, mais on prend moins

1. Hésitation bien visible dans un « manuel » de l'époque, R. Truptil, *l'Art de gérer sa fortune*, Hachette, 1957, qui reprend une enquête de *la Vie française* du 5 juin 1953.

2. Ce qui explique, selon Ch.-A. Michalet (111), p. 232, le développement symétrique de la part de l'immobilier dans le patrimoine privé : 44 % en 1941-1945, 59 % en 1951-1955. Dans les portefeuilles de valeurs les obligations chutent plus vite (50 % des portefeuilles en 1945, 18 % en 1957-1959) que les actions qui progressent régulièrement. Ces chiffres sont confirmés par P. Cornut (112) pour la composition des successions : en 1934, 1949 et 1953, la part des valeurs mobilières y représente respectivement 31, 20 et 16 %, tandis que les biens immobiliers s'élancent de 42 à 54 puis à 59 % dans les héritages analysés.

garde à l'accroître comme jadis pour sacrifier à la consommation visible et à la liquidité facilement mobilisable : entre l'avoir des grands-pères et le jouir des jeunes, la fortune française hésite encore mais sait qu'elle peut succomber.

D'autant que ce patrimoine est désormais soumis à de plus grands aléas dans sa transmission et son usage. S'exerce sur lui l'effet de la nouvelle mobilité géographique et, en partie, sociale de la population. Les règles de succession sont transgressées et les cessions de patrimoine s'accélèrent dès lors que l'endogamie régresse. L'homogamie géographique reste très forte : en 1958, parmi les Français qui convolent, 52 % sont nés et 81 % habitent dans le même arrondissement. Et l'homogamie sociale est tout aussi prégnante : un ouvrier sur 2, 2 agriculteurs sur 3 se marient dans leur milieu d'origine[1]. Mais jusque dans les régions montagneuses ou rurales les plus reculées des Hautes-Alpes, de la Corse ou de la Corrèze, on mesure en 1956-1958 des chutes spectaculaires de l'endogamie, de 6 à 54 points pour une base 100 en 1926, de 34 en moyenne : autrement dit, un mariage sur 3 ne se conclut plus en obéissant aux vieilles habitudes des isolats forts qui avaient eu depuis des décennies des effets si tangibles sur le rassemblement patient des patrimoines. On peut donc affirmer raisonnablement qu'une brise s'est levée sur le patrimoine des ménages français : la mobilité sociale et surtout géographique le touche davantage, ses possesseurs hésitent entre le dévaloriser par la consommation immédiate ou le survaloriser en se soumettant aux vertus cumulatives et ancestrales de l'épargne. Les inégalités de son acquisition et de sa distribution ne sont pas près de s'effacer, mais la vieille valeur refuge est un peu plus disponible pour le changement[2].

Cette image moins sécurisante et un peu plus brouillée du patrimoine révèle *a contrario* qu'il faut chercher ailleurs l'accroissement de l'aisance : elle jaillit au plus près de la production

1. Voir A. Girard, *le Choix du conjoint*, PUF, 1954, p. 189.
2. Voir J. Cuisenier, « Accumulation du capital et défense du patrimoine », dans Darras (107), p. 350-381.

et du travail au jour le jour. L'examen des revenus des ménages [1] le confirme. Ces derniers sont en effet les meilleurs indicateurs, puisqu'ils recueillent depuis 1949 avec une très remarquable stabilité environ 94 % du revenu national. Le tableau en pourcentage de leurs ressources et de leurs emplois, dressé à partir des *Comptes de la nation*, enregistre de très importants changements :

	1949	1952	1954	1956	1958	1963
RESSOURCES						
salaires	37	38	39	39,5	40,5	42,5
prestations sociales	11,5	13,5	14	14,5	15	17
intérêts, dividendes fermage, métayage	4,5	4,5	4,5	4,5	4	3
transferts	4,5	4	4	4	3,5	4
recettes extérieures	2	2	2	2	2	2
revenu brut des entrepreneurs individuels	37	35	32,5	32	32	27,5
résultat brut d'exploitation des ménages	3,5	3	4	3,5	3	4
EMPLOIS						
consommation	81	81,5	80	79,5	79	73,5
salaires et cotisations sociales	1,5	2	2	2	2	2
impôts	4	3,5	4	4	5	5
opérations diverses	2,5	3	3	3	3	3,5
épargne brute	11	10	11	11,5	11	11

1. A savoir, dans la définition qu'impose alors la comptabilité nationale, « l'ensemble des personnes présentes sur le territoire métropolitain en tant qu'elles effectuent des opérations liées à leur vie domestique ».

En 1949, les salaires entrent pour 37 % seulement dans la composition de leurs revenus, à égalité avec les revenus bruts des entrepreneurs individuels : dès 1951, ils les dépassent puis creusent un écart de 8 points en 1958 et de 15 en 1963, non seulement parce qu'ils s'accroissent régulièrement mais parce que la part des revenus des entrepreneurs individuels est en baisse. Les prestations sociales, plus assurées chez les salariés, croissant elles aussi, et, symétriquement, intérêts, transferts et ressources diverses stagnant, on assiste donc dans les années cinquante à une évolution décisive : la victoire tardive mais indiscutée du salariat, salariés et fonctionnaires représentant 65 % des actifs en 1958, sur toute autre forme de revenu, de l'entreprise ou de la propriété, de la rente, du profit ou du placement. 2 ménages sur 3 y puisent désormais leurs ressources, deviennent en un sens plus dépendants de ceux qui leur dispensent salaires et prestations sociales, mais dans l'autre recueillent mieux les fruits du travail dont la suprématie est enfin reconnue sous sa forme salariale. Par contre, on ne manquera pas d'être frappé par la fixité avec laquelle se perpétue la ventilation des emplois de ces revenus : la consommation oscille très faiblement autour de 80 %, l'épargne est étale à 11 %, le poids de la fiscalité augmente à peine. Voici concrètement enregistré un trait social aussi important que les victoires de la croissance ou du salariat : le retard de la dépense, de la consommation, de l'épargne, phénomènes plus sociaux et mentaux, sur l'évolution du revenu, phénomène plus strictement économique. Bref, les Français sont progressistes pour le gain et conservateurs pour la dépense. Formule qu'il faut, il est vrai, aussitôt corriger en introduisant la dysharmonie des attitudes. L'enquête de l'INSEE sur les revenus déclarés en 1956 permet en effet de classer les ménages en trois catégories [1] : la première rassemble les ouvriers, les ouvriers agricoles, les employés, le personnel de service, les cadres moyens et les inactifs qui vivent plus dans le souci de l'immédiat, employant plus de 85 % de leurs revenus à consommer et moins de 6 % à épargner; la deuxième comprend les groupes qui assurent la pérennité des vieilles attitudes et

1. Voir J. Cuisenier, art. cité, (107), p. 358-359.

RÉPARTITION DES REVENUS DISPONIBLES ENTRE LES CATÉGORIES SOCIOPROFESSIONNELLES EN 1956

	% pop. active 1954	revenu milliards de F 1956	% du total
exploitants agricoles	20,7	1 723	10,3
salariés agricoles	6	303	1,8
patrons de l'industrie et du commerce	12	2 613	15,7
cadres supérieurs et professions libérales	2,9	1 169	7
cadres moyens	5,8	974	5,9
employés	10,8	919	5,5
ouvriers	33,8	3 455	20,8
personnels de service	5,3	216	1,3
autres catégories	2,7	400	2,4
inactifs et non-résidents		2 015	12,1
total du revenu disponible des ménages		13 787	82,8
revenu disponible des administrations		790	4,8
épargne brute des sociétés		1 569	9,4
revenu disponible des institutions financières		191	1,1
solde des opérations de répartition avec l'extérieur		311	1,9
total des revenus		16 648	100

Source : d'après J. Lecaillon, *Croissance et politique des revenus*, Cujas, 1964, p. 169.

qui sont moins touchés par l'urgence, exploitants agricoles, patrons du commerce et de l'industrie, dont la consommation représente respectivement 79 % et 54,5 % des dépenses, et l'épargne 16 % et 31,5 %; la troisième, réduite aux seules professions libérales et cadres supérieurs, gagnants sur tous les fronts, qui consomment pour 62 % et épargnent pour 20 %.

Encore faudrait-il pouvoir avancer aussi des éléments de réponse à la question centrale déjà évoquée : la croissance a-t-elle réduit les disparités des revenus ou accru leurs inégalités? Mais nous connaissons très mal les ressources totales de catégories essentielles : agriculteurs peu soumis à la pression de la déclaration fiscale du revenu et pouvant compter largement sur l'autoconsommation ou le « main à la main », professions libérales discrètes sur ce point, artisans sans factures ou commerçants au forfait mal révisé, petit entrepreneur ou patron réservés — bref, tous les non-salariés, c'est-à-dire ceux qui reçoivent 43 à 50 % des revenus distribués. Cette réticence sociale regrettable en elle-même fausse en outre toute comparaison sérieuse avec les performances supposées ou réelles du salariat. On peut toutefois repérer les grandes masses par intermittence, lors des enquêtes de l'INSEE et du CREDOC ou à la lecture des travaux de Lecaillon et Marchal. Le tableau ci-contre en propose une coupe transversale en 1956. Sans préjuger des inégalités internes de chaque catégorie représentée, il permet d'établir un rapport global entre la part du revenu total reçu et le poids démographique de chacune d'entre elles. Il s'en dégage une brutale hiérarchie : sont avantagés dans le partage les patrons de l'industrie et du commerce, les cadres supérieurs et les professions libérales; demeurent à flot autour de l'honnête moyenne ou de l'écart raisonnable les cadres moyens, les personnels de service, les employés, les ouvriers agricoles; sont nettement défavorisés les ouvriers et les exploitants agricoles. Prime au secteur tertiaire, retard des plus forts bataillons du secteur primaire et secondaire, radiographie saisissante des nouveautés économiques et des sanctions sociales durables! Les mêmes enquêtes révèlent d'autre part avec une belle concordance pour 1956 puis pour 1962 que les courbes de dispersion relative des revenus des ménages dont le chef est salarié ou dont le chef est indépendant sont parallèles [1]. Autrement dit, le blocage est plus social qu'économique : la hiérarchisation est toujours aussi stricte, même si l'échelle est un peu plus courte et si, pour certains, les barreaux sont moins hauts [2].

Cela n'est statistiquement confirmé que chez les salariés pour lesquels on maîtrise mieux les chiffres du revenu salarial, des transferts et de la fiscalité. Tout démontre d'abord que l'écart moyen des salaires entre les branches d'activité s'est réduit de 1952 à 1962, et très vraisemblablement dès 1946, surtout par la progression des rémunérations moyennes : l'éventail général s'est un peu resserré. Constat statistique macro-économique, trop objectif et abstrait pour avoir des répercussions sociales. Car les salariés sont d'abord sensibles à l'inégalité la plus proche. Or, avec autant de certitude statistique, mais cette fois vérifiable quotidiennement, on observe par contre que les indices de disparité des salaires à l'intérieur de toutes les branches non agricoles sont à la hausse : écart absolu moyen de 15,8 en 1947, 18,1 en 1952, et de 20,3 en 1962. S'installe dès lors une durable et conflictuelle contradiction sociale. La masse salariale augmente régulièrement avec l'expansion, tous les salariés sont gagnants en pouvoir d'achat : on peut chiffrer le gain à 43 % environ de 1949 à 1957, le salaire horaire moyen passant alors de l'indice 100 à l'indice 228 et le coût de la vie de 100 à 159 (voir le graphique). Cet heureux effet de la croissance est pourtant socialement ruiné. Car l'inégalité s'accroît entre les salariés les plus proches les uns des autres, l'effet d'ascension général accélérant même la vitesse de dispersion hiérarchique. Les employeurs manquant de main-d'œuvre avantagent en fait la compétence professionnelle, la

1. Voir G. Seibel et J.-P. Ruault dans Darras (107), p. 96-97.
2. A titre indicatif, voici quelques salaires et traitements mensuels masculins bruts en 1956, en moyenne pour l'ensemble de la France et dans le déroulement de la vie de travail ou la carrière (en milliers de francs de 1956) : cadre supérieur 175, indemnités d'un député 151, directeur d'administration centrale 145, colonel 89, cadre moyen 85 (femme 56), professeur agrégé 85, juge de paix 60, employé 50 (femme 40), mineur de fond 49, percepteur 46, ouvrier professionnel 43, instituteur 38, ouvrier spécialisé 36, manœuvre 29, ouvrier agricole 25, femme de ménage 23. Le SMIG est alors à environ 25 000 francs par mois.

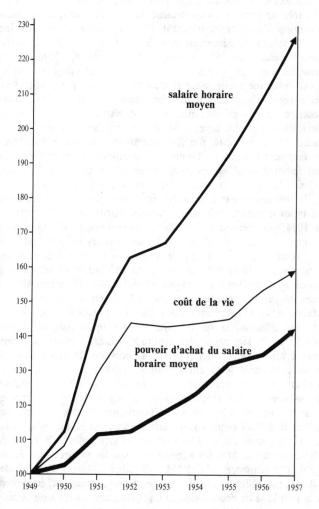

Salaire, coût de la vie et pouvoir d'achat de 1949-1957
base 100 en 1949, France entière

salaire horaire
moyen

coût de la vie

pouvoir d'achat du salaire
horaire moyen

1949 1950 1951 1952 1953 1954 1955 1956 1957

Source : d'après *le Mouvement économique en France de 1944 à 1957*,
Imprimerie nationale et PUF, 1958, p. 283.

formation et la compétitivité personnelle du salarié en respectent très strictement les classements hérités. Si bien que les rémunérations s'améliorent d'autant plus vite dans la compétition que le salaire de départ est plus fort : 39,5 % de hausse réelle pour les cadres de 1956 à 1964, 32 % pour les employés, 25 % pour les ouvriers qualifiés et 3,8 % pour les smigards. Avec, il est vrai, une intéressante flexion chronologique : avant 1954, cette règle s'applique moins brutalement; après 1954, l'État desserre un peu sa surveillance, la demande de main-d'œuvre qualifiée se fait plus urgente, la libre entreprise sélectionne durement. Cette inégalité foncière sanctionne en outre bien plus brutalement les salaires féminins, la qualification professionnelle des femmes étant en moyenne inférieure à celle des hommes.

Seuls les salaires ouvriers dérogent quelque peu à cette règle de la dispersion par la qualification. Non pas que l'écart entre les types d'activité soit moins fort qu'ailleurs dans l'industrie : en 1954, pour un indice 100 dans l'ensemble du salaire industriel, les typographes sont à l'indice 131, les ouvriers de la mécanique, de l'électricité et de la chimie autour de l'indice 115, ceux du bâtiment à l'indice 102, ceux du textile à l'indice 90, les cuirs et peaux et l'habillement végètent à l'indice 81. Ni même que la capacité professionnelle y soit moins bien rémunérée qu'ailleurs. Mais c'est que l'intervention de l'État et la pression syndicale sont ici plus efficaces, la surveillance des politiques patronales plus étroite et la lacération des contrats collectifs plus facilement portée sur la place publique : la négociation, la vigilance et la grève combinent leurs effets positifs. Avec ici encore un clivage évident avant et après 1954. Le retour à la libre négociation des salaires à partir de février 1950 a fait signer de très nombreuses conventions collectives sérieuses, tandis que les pouvoirs publics créent le SMIG pour assurer aux manœuvres et aux plus défavorisés un salaire décent et font des efforts pour qu'il serve de référence stable dans les négociations sur les salaires plus élevés qu'il faut réajuster. L'arrêté du 30 juillet 1946 sur l'égalité des salaires masculins et féminins est assez bien respecté, et, en amorce à la politique de décentralisation, les abattements réels de salaires dans les zones délimitées en province par rapport aux salaires parisiens sont effectivement appliqués par les employeurs. Par contre, après 1954, l'ensemble de la régulation perd une bonne part de son efficacité. Sans doute l'État a-t-il donné l'exemple, après le coup de semonce des grèves de l'été 1953, en améliorant les grilles indiciaires de la fonction publique, et en resserrant l'éventail des traitements en 1956 de 1 à 8 à 1 à 6, mais une liberté pernicieuse gagne dans le secteur privé, les abattements n'ont plus d'effets tangibles. Car le SMIG devient de plus en plus irréel : c'est sur son estimation, on s'en souvient, que jouent les manipulations indiciaires les plus indécentes dès lors que son maintien à un bas niveau permet de verrouiller la porte de toute négociation collective en cascade pour l'ensemble des salaires; les 213 articles de première nécessité qui composent la panoplie du salarié de base et permettent de calculer son indice deviennent de plus en plus obsolètes ou folkloriques (il fallut batailler, par exemple, pour introduire la cuvette de plastique ou la lavette à vaisselle) et soumis à d'opportunes « détaxations »; surtout, les sursauts inflationnistes et les écarts du secteur privé rendent son montant dérisoire et dès 1952 il a pris un retard de 35 % sur la hausse du coût de la vie. Si bien que cette mesure courageuse et efficace de 1950 devient au fil des ans un carcan mal toléré, un sujet permanent de revendication syndicale, une commodité pour les employeurs obtus : il enserre en 1956, à 25 000 francs par mois, 2 ouvriers sur 10, 1 employé sur 3, surtout des jeunes avant le départ au service militaire, des femmes, des travailleurs de très petites entreprises et de régions déjà déshéritées[1].

Les pouvoirs publics laissent donc s'installer peu à peu un régime de liberté salariale tacite et d'affrontement toujours possible, tout en rigidifiant la réglementation et en favorisant après

---

1. Sa cahotique évolution est la suivante : 100 francs de l'heure en février 1954; les gouvernements Laniel, Mendès France et Faure le relèvent respectivement de 15, 6,50 et 4,50 francs, ce qui le porte à 126 francs en avril 1955, alors que les syndicats et la Commission des conventions collectives réclament 157 francs; après 9 détaxations d'articles de son indice de mars 1956 à mars 1957, il faut bien se résoudre après 28 mois de blocage à le porter, sous le feu de la hausse des prix, à 133 francs en août 1957, à 139 en janvier 1958 et à 144 en mars. En octobre 1956 par ailleurs, 74 % des ouvriers et 63 % des employés ont gagné moins de 40 000 francs par mois pour 200 heures de travail (*Études et conjoncture*, janvier 1957).

1955 la signature d'accords par branche garantissant la paix
sociale sur le modèle du contrat acquis chez Renault. Est-ce
faillite d'une politique, alors que la gauche socialiste revient au
pouvoir en 1956? Ou absence d'une pression sociale suffisante
pour imposer le maintien de la surveillance? Les deux sans doute,
encore que la seconde hypothèse ne soit pas à écarter. Peut-être
en fait l'État se contente-t-il sans regret d'exercer une pression
par d'autres moyens plus efficaces et plus modernes : en accélérant
les transferts. C'est à l'évidence la solution choisie par le gouvernement Mollet, qui les hausse à un niveau inégalé de 18,1 % du
PNB en 1956, contre 14,6 % en 1958 et 17,6 % en 1960. Le tableau
ci-contre détaille la variété et l'ampleur de ses aides. Celles de
l'urgence : la vieillesse et l'invalidité, qui demeurent légitimement
en tête. Celles dont on n'a pas encore compris la rentabilité future
ou qu'on ne peut pas sur l'heure développer : logement et enseignement. Près de 60 % d'entre elles sont en fait dans la logique
des politiques antérieures, amorcées à la Libération et au temps
du Front populaire : politique familiale, santé et congés payés.
L'ensemble des prestations sociales, qui constituaient à peine 2 %
des revenus des ménages en 1938, en fournissent 16 % en 1958.
Particulièrement efficace chez les salariés (37 % du revenu des
salariés agricoles, 23 % pour tous les autres bas salaires), elle a
été étendue à d'autres catégories moins nécessiteuses : 7,5 % des
revenus des cadres supérieurs et professions libérales, 5 % de
ceux des patrons de l'industrie et du commerce. Les retraités,
on l'a vu, en retirent souvent près de la moitié de leurs revenus.
Mais les exploitants agricoles, cette fois encore, sont défavorisés :
8 % du revenu. Au total, si l'on additionne les dépenses publiques
et celles des collectivités locales à ces prestations sociales, c'est
35 % du PNB dès 1954, 37 % en 1957 que maîtrise le secteur
public. Considérable changement d'échelle par comparaison
avec le pauvre État libéral du XIXᵉ siècle : la décennie 1950 installe
une puissance publique qui dispense chaque année en aides sociales à peu près autant que ne gagnent tous les ouvriers réunis et
qui dispose d'une panoplie d'intervention sophistiquée et efficace
pour redistribuer plus du tiers de la richesse nationale produite.
La société tout entière ne peut qu'en subir de forts effets. Quand
les entreprises retrouvent une part des assurances du marché

L'EFFORT SOCIAL DE L'ÉTAT EN 1956
en milliards de francs de 1956

	milliards	% de l'effort	% du PNB
aides à la famille	873	26,3	4,6
dont :			
prestations familiales de Sécurité sociale	754		
prestations familiales complémentaires	45		
assurance maladie et accidents du travail	678	20,4	3,6
dont :			
prestations d'assurances sociales maladie	453		
accidents du travail	128		
aide sociale aux malades	73		
aides vieillesse invalidité	986	29,8	5,3
aides aux travailleurs salariés	456	13,7	2,4
dont :			
congés payés	397		
aides aux œuvres sociales d'entreprise	53		
aides au logement	83	2,5	0,4
enseignement	244	7,3	1,8
	3 320	100	18,1

Source : N. Questiaux, dans P. Laroque, *Succès et faiblesses de l'effort social français*, Colin, 1960, p. 72. Ce tableau ne tient pas compte des aides des collectivités locales, des professions ou des entreprises.

libre, que les travailleurs profitent de l'élan général pour se laisser assez volontiers tenter par la compétition fructueuse qui distingue la compétence et impose les heures supplémentaires, que décidément les hiérarchies se cristallisent et que les inégalités résistent bien au souffle de la croissance, seuls les transferts publics peuvent réussir ce que la pression sociale n'a pas imposé : réduire, au moins pour les petits salariés, l'éventail des revenus moyens de 5,7 à 5 après prestations familiales et 4,6 après impôts. Réduction en souplesse pour les plus modestes d'un cinquième ou presque de l'inégalité sécrétée par la machine économique : la IVᵉ République, sur ce point, n'a pas trahi les espoirs de la Libération.

Après les revenus, c'est l'usage qu'on en fait qui permet de saisir le mieux-être : pour 80 % de leurs dépenses, on l'a vu, les ménages succombent à son appel en consommant[1]. Bien connue par toutes les enquêtes du CREDOC, leur consommation a dans l'ensemble progressé de 40 % de 1950 à 1957, peut-être de 45 % de 1949 à 1958, à un rythme annuel proche de 6 %, plus fort que celui de l'investissement, de la production et du revenu. Et la France distance dans son appétit tous les pays développés (Italie, 4,6 % par an ; États-Unis, 3,8 % ; Royaume-Uni, 1,1 %) à l'exception de la République fédérale allemande (8,4 %). La hausse régulière du pouvoir d'achat et des ressources financières n'est pas seule capable d'expliquer cette puissance de la demande. La diffusion du crédit à la consommation, sur laquelle nous sommes, hélas, trop mal renseignés encore, a accompagné sa croissance et encouragé à acquérir des réflexes d'anticipation : phénomène désormais autant social qu'économique, irriguant toutes les professions même s'il est évidemment plus accessible aux revenus élevés et surtout fixes, le crédit séduit en permettant de conjuguer immédiatement l'être et le paraître, assouvit sans attendre. La multiplication, on l'a vu, du volume des prêts par trois entre 1954 et 1958 est un signe particulièrement net de la mutation française. Une vieille nation parcimonieuse et sage entend moins « se priver », s'habitue à vivre avec l'inflation et le

---

1. Émerge alors la notion de « consommateurs ». Voir Cl. Quin, J. Boniface et A. Ganssel, *les Consommateurs*, Éd. du Seuil, 1965.

flot des produits de consommation courante, en admettant que s'endetter n'est plus déshonorant et est parfois même commode. Seuls demeurent très réticents les ménages d'agriculteurs, qui doivent, eux, si souvent s'endetter pour s'équiper en matériel et sauver leur exploitation : ils ne constituent en 1957 que 1 % des acheteurs à crédit, alors qu'ils représentent 27 % de la population. Mais toutes les autres catégories sont en voie de succomber : les ménages ouvriers dans une bonne moyenne (32 % des acheteurs à crédit pour 33 % de la population), les ménages de patrons et de commerçants raisonnablement (14 et 12 %), ceux des professions libérales et des cadres supérieurs avec entrain (6 et 4 %) les ménages d'employés et de cadres moyens avec boulimie, dans un détonant mélange de frustrations et d'espoirs sociaux (26 et 15 % pour les premiers, 10 et 5 % pour les seconds [1]). Sans être encore au niveau de ses voisins européens ou des Américains, chaque Français s'endette de 3 000 francs en moyenne en 1957, contre 5 000 francs pour chaque Belge et 9 000 francs pour chaque Anglais.

Mais la consommation ne s'est pas développée uniformément, et son analyse structurelle est riche d'enseignements sociaux. Ainsi, l'alimentation n'est qu'en lente progression, passant de l'indice 100 en 1950 à l'indice 129 en 1957, même si son poids est toujours aussi lourd dans les dépenses des ménages. Développement mesuré de 3,7 % l'an, qui enregistre avec satisfaction une baisse moyenne de 6 % des prix au long de ces années, qui n'est secoué de brusques flambées de stockage fébrile qu'avec les crises internationales, comme la guerre de Corée ou l'affaire de Suez. La règle générale est à la substitution de produits de qualité supérieure et plus élaborés par l'industrie alimentaire aux anciennes consommations plus sommaires. Ainsi, le beurre laitier pasteurisé et la margarine s'imposent face au beurre fermier et au saindoux, les potages en sachet ou en cube relaient mieux les soupes d'antan, le pain fantaisie, les biscottes et les pâtisseries détrônent le gros pain de ménage vendu au kilo. Sont de plus en plus demandés la viande rouge de bœuf à griller ou à

1. Voir P. Thibaud et B. Cacérès (118) p. 153, et M. Drancourt, *Une force inconnue, le crédit*, Hachette, 1961.

rôtir, le veau, les volailles et le poisson, tandis que progressent
moins vite les produits de triperie, le porc et les bas morceaux à
mijoter : ambitions d'une France du steak face à celle du pot-au-
feu, encore brimées par les insuffisances de la production de
viande qui maintiennent de hauts prix. De même, une hausse de
70 % des cours des fruits et légumes traduit à la fois une très
forte demande et une production et une distribution encore ina-
daptées. Plus moyens sont les progrès des consommations d'habillement (indice 145 en 1957), de chaussures (133), des dépenses
d'hôtel, de café et de restaurant (137); seules lingeries, chemiseries
et layettes s'envolent à l'indice 178 : les pénuries d'objets de
première nécessité ont été vite rattrapées, un choix plus guidé
par la mode se dessine.

Ce sont les consommations en progrès très rapide qui permettent en fait de mieux cerner le modèle social qui chemine de 1950
à 1957. Toutes celles qui touchent à la santé et à l'hygiène corpo-
relle, qui gonflent de 86 %. Celles du *home*, moins par de plus
fortes dépenses en loyer et en charges, qui ne progressent que de
29 %, que par l'irrésistible ascension bien orchestrée par la publicité de tout ce qui touche à l'équipement du logement, en hausse
de 110 % à un rythme annuel de 15 % à partir de 1955 : produits
d'entretien multiples et surtout appareils ménagers. Ces derniers
sont devenus les symboles de l'honnête et utile aisance dès 1950,
année où le Salon des « Arts ménagers » prend son essor, mais
n'ont entamé leur ascension rapide qu'à partir de 1954 (voir le
tableau ci-contre). A cette dernière date, 7,5 % seulement des
ménages possèdent un réfrigérateur, un quart à peine dispose
d'un chauffe-eau, 18 % d'un aspirateur et 10 % d'une machine
à laver, mais près de 90 % ont à la fois un moulin à café électrique
et un poste de radio. Autrement dit, et un sondage de l'IFOP
pour le Commissariat au Plan à l'été 1954 le confirme, la marche
vers le mieux-être commence chez soi, dans le confort familial
discret et quotidien plus que dans les dépenses de prestige extérieur : parmi les dépenses supplémentaires qu'ils feraient s'ils
gagnaient 20 % de plus, les Français interrogés choisissent l'équipement ménager (32 % des nouveaux achats) bien avant l'achat
d'une maison, d'un appartement ou d'une voiture (5 %) et ils
renoncent encore sans peine à l'évasion des vacances ou du poste

TAUX D'ÉQUIPEMENT DES MÉNAGES
en % des ménages de la catégorie

	AUTOMOBILE			POSTE TV			RÉFRIGÉRATEUR			MACHINE A LAVER		
	1954	1959	classement[1]	1954	1959	classement	1954	1959	classement	1954	1959	classement
agriculteurs exploitants	29	35,5	7	0,2	3,3	8	2,4	9,6	3	7,3	15,4	6
salariés agricoles	3	12,1	1	—	2,1	7	0,5	3,2	1	1,8	13,4	1
patrons de l'industrie et du commerce	52	50,1	8	2	15,6	4	18	34,7	7	13,2	32,8	5
cadres supérieurs et professions libérales	56	74,3	6	4,7	24,8	6	42,8	66,7	8	23,4	45	8
cadres moyens	32	57,8	3	2,5	16,1	5	15,5	39,7	6	16,4	33,1	7
employés	18	30,1	4	1,3	13,1	2	9,9	31	5	6,7	25,3	2
ouvriers	8	21,5	2	0,9	9,7	2	3,3	16,8	2	8,5	23,2	4
non actifs	6	9,8	5	0,4	5,8	1	3,7	12,1	4	3,8	11,2	3
	21	28,4		1	9,5		7,5	20,5		8,4	21,4	

1. En fonction du rythme de multiplication de l'équipement de 1954 à 1959.

de télévision (2 %). Mais tout démontre qu'après le confort du foyer, c'est l'automobile qui sera le premier rêve à réaliser. Dès 1954, 21 % des ménages en possèdent une. Malgré la pénurie d'essence de 1956-1957 et le tribut de la vignette, les achats de voitures neuves — sans parler d'un florissant et anarchique marché des occasions — font un bond en avant de 1950 à 1955, se ralentissent à peine ensuite, se multiplient au bout du compte par 2,53, avec une prédilection pour les petites cylindrées de moins de 8 CV plus économiques : une automobile pour 17 habitants en 1951, une pour 10 en 1955, une pour 7 en 1958. Enfin, les dépenses de culture et de loisir, en progrès de 42 %, s'annoncent déjà comme l'étape post-automobile de la course au mieux-vivre. Les ventes de postes de radio ou de télévision, de disques 78 tours ou microsillons, de jouets, d'appareils photographiques et d'équipements sportifs ont été, elles aussi, multipliées par 2,5, plus que celles des livres ou la fréquentation des spectacles qui ne progressent que de 40 % [1].

Au total, les Français ont incontestablement préféré consommer plutôt qu'investir ou épargner et, dans l'ensemble, plus que leurs voisins européens [2]. Ce qui ne veut pas dire ni que cet engouement né de la croissance a été bien partagé ni qu'il a affaibli les tensions sociales. Ici encore, comme pour les revenus, la perception de l'inégalité peut faire nier le progrès général. De fait, les écarts de consommation sont considérables. Le tableau double-page qui suit résume les meilleurs renseignements disponibles pour 1956. Les écarts de revenus sont, on le voit, fondamentaux : pour des ressources moyennes par tête dans l'ensemble des ménages équivalant à 304 000 francs par an, le manœuvre de l'industrie, sa femme, ou son enfant, ne dispose que de 190 000 francs, contre 526 000 pour le cadre supérieur, l'indice de dispersion s'écarte de 62 à 173 autour de la moyenne 100. Mais, fait social et mental très important, les habitudes acquises et les nouveaux modes de

1. Voir le numéro spécial de *Consommation. Annales du CREDOC*, 1958-2, dont sont tirés nos chiffres.
2. Pour une base 100 française, les Allemands sont à l'indice 97 pour la consommation et 133 pour l'investissement ou l'épargne, les Belges aux indices 103 et 143, les Italiens à 56 et 64, dans une enquête de l'OECE en 1955.

consommation accentuent l'inégalité financière : l'indice de disparité pour la consommation totale oscille, lui, entre 74 et 202, l'éventail s'ouvre, les plus favorisés par l'argent accentuent leur avance à la consommation par une plus-value culturelle de groupe mieux intégré à la société nouvelle. Autrement dit, la consommation donne des dimensions socioculturelles nouvelles à l'inégalité économique : gain insupportable pour les exclus, dans une société où les médias, la publicité, tous les éléments de la culture de masse excitent à consommer en répandant à la fois le mythe de l'accessibilité de tous à tous les biens proposés et celui d'un prestige social tout aussi égal assuré à leurs acquéreurs. La fréquentation sociale des différentes consommations donne le spectre complet de l'inégalité, avec ses tonalités salariales de base et sa gamme très sélective de couleurs plus liées à la mode et à la pression sociale. Pour l'alimentation, les écarts sont attendus et proches de la moyenne générale : la taille du rôti n'est pas proportionnelle à la surface sociale et il n'existe pas cinquante manières de préférer le beurre pasteurisé. Avec l'habillement, les disparités sont déjà un peu plus nettes, le goût du paraître distinguant déjà les cadres et les employés. Le logement demeure assez proche de la moyenne, mais, une fois encore, le tertiaire se détache bien. Par contre, sanctions et prestiges sociaux deviennent éclatants au poste culture et loisirs, l'écart passe de un à 8 dans la propension à consommer et reproduit avec une cruelle fixité la hiérarchie sociale; puis à celui des vacances et de l'automobile, où il se creuse pratiquement de un à 11. Dure sélection : cadres supérieurs et professions libérales caracolent sur les sommets de la consommation réfléchie, les agriculteurs, les manœuvres et les inactifs sont perdants sur toutes les rubriques, les ouvriers s'accrochent à la moyenne mais demeurent pénalisés pour la culture et le loisir, toutes les couches du tertiaire et du travail indépendant consomment en revanche plus et mieux qu'ils n'amassent du revenu.

Chaque catégorie, les yeux fixés sur la voisine et mobilisée par l'attrait des biens les plus immédiatement accessibles, est donc aspirée par le mieux-être généralisé. Et les plus défavorisés au départ sont les plus ardents à rattraper leur retard. Dans le classement des ménages qui accélèrent leur équipement en automobiles, postes de télévision, réfrigérateurs et machines à laver, salariés

PRINCIPALES CONSOMMATIONS

	ressources annuelles par tête dans chaque ménage		consommation totale	alimentation	
	francs	2**	2	1*	2
professions libérales et cadres supérieurs	526 600	173	202	27,2	118
industriels et gros commerçants	418 000	137	161	35,6	117
cadres moyens	365 000	120	143	36,6	111
petits commerçants	334 500	110	133	39,6	112
employés	272 300	89	107	45	102
artisans	256 600	84	101	44,3	97
ouvriers	231 200	76	90	50,4	97
inactifs et retraités	224 500	70	90	50,6	99
agriculteurs	214 700	70	85	49,2	106
manoeuvres	190 000	62	74	54,2	87
moyenne pour l'ensemble des ménages	304 000	100	100	46,3	100

* 1 : % des dépenses annuelles de consommation des ménages.
** 2 : indice de disparité (rapport ressources ou la consommation par tête de chaque catégorie/les ressources ou la consommation moyenne par tête de l'ensemble = 100).

habillement		logement		transports vacances		hygiène santé		culture loisirs divers	
1	2	1	2	1	2	1	2	1	2
12,2	211	20,3	203	16,7	384	5,8	241	16,3	377
12,9	175	20	126	16,2	311	6,3	207	8,7	201
13,1	159	19,1	190	13,6	225	5,5	195	12,1	200
11,1	124	12,1	105	14,1	213	6,6	154	7,7	126
13,3	120	18,3	120	7,5	87	6,1	112	9,8	125
11,3	96	11,3	93	10,8	142	5,4	101	8,5	92
12,4	93	17	102	6	61	5	89	9,2	88
10,5	79	9,1	71	4,7	47	6,5	64	7,5	69
10,5	75	16	67	5,7	68	5,6	106	6,2	44
11,8	73	16	64	3,9	35	5,2	94	8,9	68
11,9	**100**	**10.8**	**100**	**8,4**	**100**	**5,8**	**100**	**9**	**100**

Source : d'après *Consommation. Annales du CREDOC*, avr.-juin 1960, p. 106-109.

agricoles, ouvriers, employés et inactifs caracolent en tête, bien suivis par les cadres moyens mais distançant les patrons, les cadres supérieurs et professions libérales déjà passablement saturés et les agriculteurs lâchés très loin : cette consommation de prestige social et d'utilité domestique est résolument populaire. Les Français vivent donc mieux. Mais n'en conviennent pas : en 1956, alors que le revenu réel par tête a augmenté de près de 6 %, 92 % d'entre eux estiment que leur niveau de vie a diminué ou est resté stationnaire [1]. L'élan et la frustration vont de concert. Mieux : ils se nourrissent l'un l'autre.

Frustrations et revendications.

Ainsi, la consommation généralisée n'est pas synonyme de démocratisation. Et la hausse constante de tous les revenus a même développé de nouvelles rancœurs qui tiennent à la manière dont chaque catégorie gagne les siens et à la facilité avec laquelle elle croit que la catégorie voisine arrondit sans peine son aisance. En 1954, 45 % des ménages affirment avoir du mal à boucler leur budget [2]. L'efficacité des transferts sociaux atténue sans doute quelques aigreurs, mais la société française est saisie par cette combinaison d'injustice ancienne et de demandes nouvelles qui entretiennent la grogne. Tous les besoins de consommation étant en comptabilité globale autant de demandes à la population active, aux entreprises et aux collectivités publiques, on comprend que tous ces acteurs aient été si facilement séduits au long des années 1950 par l'appel de l'expansion économique : elle seule apportera le mieux-être. Cependant, ces mêmes agents économiques peuvent tout autant et très contradictoirement mettre en œuvre des dispositifs de défense pour leurs propres revenus : la pression organisée qui organise le freinage par le maintien des avantages acquis est l'autre face de la hardiesse productiviste. La France devient ainsi sous la IVe République un forum de

1. (78), p. 743. Voir en outre L.-A. Vincent, *Études et conjoncture*, février 1959, p. 143-150.
2. 71 % des ménages de manœuvres, 49 % d'ouvriers, contre 34 % d'employés et 12 % d'ingénieurs. Voir P. Thibaud et B. Cacérès (118), p. 28.

groupes de pressions qui assiègent alternativement ou simultanément les entreprises, les autres professions, les collectivités et les pouvoirs publics. En 1956-1957, Jean Meynaud[1] recense ainsi près de 300 groupements, associations ou syndicats divers, des jeunes avocats aux vieux parachutistes, des géomètres aux limonadiers, des sinistrés agricoles aux gardiens d'immeubles, qui informent et intimident, défendent leurs intérêts et tentent de se faire reconnaître un statut intangible. A terme, cette agitation converge toujours sur l'État, soumis à l'interpellation ultime. On comprend aisément que les vendeurs d'équipement ménager n'aient nul besoin d'entrer dans cette logique ou que les producteurs de fruits encore peu entraînés à la revendication se tiennent cois. Mais que les sidérurgistes et les producteurs de blé aient dès longtemps expérimenté avec succès leur pression sur l'administration, aient affûté leurs stratégies pour se faufiler avec aisance dans la législation fiscale, contribue à brimer l'élan des forces neuves et des branches productives, se répercute un jour sur la production et le prix du réfrigérateur ou du kilo d'abricots. Un même volontarisme soude en France le progrès et le retard, l'épanouissement et la frustration. Grand collecteur de cette contradiction, l'État devient ainsi le bouc émissaire, qu'on accuse des tares de l'économie de marché et dont on ne manque jamais de souligner les propres insuffisances : voici fondés bien des silences populaires de mai 1958. Ce qui ne décharge pas les gouvernements de la IVe République de la responsabilité de n'avoir pas construit en nombre suffisant hôpitaux ou lycées, mais les accable au-delà de leur propre pouvoir.

La douloureuse question du logement illustre parfaitement ces phénomènes et résume toutes les contradictions de la transition vers la modernité. Chacun sait que le problème est primordial pour l'avenir du pays, les études se multiplient, les pouvoirs publics sont dès longtemps mobilisés, et pourtant aucune solution d'ensemble ne se dégage : blocage tenace, pénalisation prolongée pour ceux que Claudius-Petit nommera tristement des « victimes de la vie » succédant à celles de la guerre. Les chiffres parlent d'eux-mêmes. Sans doute en 1954 existe-t-il 14,5 millions de

1. Voir J. Meynaud (29).

logements en France pour 13,5 millions de ménages, mais ce parc
est très inégalement réparti : 75 % des logements inoccupés sont
dans des communes rurales qui n'en ont guère l'usage, tandis
qu'en ville 35 % des logements de une à 5 pièces et 50 % de ceux
qui n'ont qu'une ou 2 pièces sont surpeuplés. Avec plus d'une
personne par pièce, la France bat un triste record européen :
toutes les mesures légales de 1945 et de 1948 pour ventiler la
pénurie ont échoué. En outre, ce parc est vétuste : à Paris, 85 %
des logements ont été construits avant 1914, 63 % dans toutes
les autres villes de plus de 50 000 habitants; nombre de villes
étalent la lèpre de plusieurs îlots insalubres, à Paris par exemple,
dans le IIe arrondissement où 80 % des appartements n'ont pas
l'eau courante, mais aussi à Rouen, à Grenoble, à Lille, à Rou-
baix, à Vienne. En 1959, on dénombrera encore plus de 350 000
taudis et 41 % de logements sans poste d'eau, 73 % sans WC
individuels et près de 90 % sans douche ni baignoire. Entasse-
ment et infamie : comment s'étonner que tant de Français, avec
l'acharnement du désespoir, harcèlent les administrations qui
tiennent les listes d'attente pour l'attribution des logements
sociaux, lorgnent avec envie sur le trois-pièces occupé par une
personne âgée, inaugurent un prodigieux système de débrouillardise familiale, de manœuvres tortueuses et de flatteries auprès
des gérants, des syndics et des concierges, guettent chaque jour
l'« occasion ». En 1955, 27 % des ménages souhaitent déménager
au plus vite (et 52 % de ceux dont le chef est âgé de moins de
30 ans), 38 % en milieu ouvrier contre 25 % pour les professions
libérales [1].

Les causes profondes de cette purulence sociale sont claires.
La France n'a pratiquement plus construit de logements dans
l'entre-deux-guerres, les loyers sont bloqués depuis août 1914,
leur moratoire reconduit par la loi de 1948 décourage l'investissement des particuliers dans la construction; les destructions de
1939-1945 se combinent avec le renouveau démographique et
urbain pour provoquer une très forte demande à laquelle la pro-

---

1. Voir *Consommation. Annales du CREDOC*, 1962-3, et le numéro
spécial « Nos maisons et nos villes », *Esprit,* oct.-novembre 1953, qui
fourmille d'exemples concrets.

fession du bâtiment répond mal, les financements sont insuffisants, l'État se cantonnant dans la seule aide aux HLM. L'accumulation de ces contraintes décuple les besoins insatisfaits, estimés à 3 millions de logements nouveaux et rendrait nécessaire dès 1954 la construction de plus de 300 000 logements par an pendant vingt ans pour abriter décemment tous les Français. Le premier bienfait de la croissance, la clé de l'épanouissement pour tous, chacun en convient alors, c'est un toit.

Depuis 1945 on a paré aux urgences, mais sans pouvoir éviter les goulots d'étranglement. Le législateur de 1948 espérait amorcer une revalorisation bien encadrée des loyers et convaincre les ménages de consacrer plus de 2 % de leur consommation au logement, l'industrie de la construction amorçait une mutation technologique inspirée de l'exemple américain qui lui permettra de bâtir plus vite (il lui faut 3 600 heures de travail en 1952 pour construire un logement et moins de 2 000 en 1959) et moins cher. Mais la machine productive, sollicitée ailleurs par les priorités du Plan, ne pouvait pas répondre à la demande, et l'État mesurait mal ses responsabilités financières et humaines en refusant au logement toute priorité budgétaire. On reconstruisit donc à l'identique, sans imposer une politique urbaine qui aurait dérangé les habitudes, en dehors de quelques quartiers pilotes du Havre, de Caen, de Marseille, de Lyon ou de Maubeuge : une « Cité radieuse » de Le Corbusier, sur le modèle révéré de la Charte d'Athènes, pour les milliers de replâtrages sans âme; quelques centres urbains éventrés, livrés à la symétrie monotone, aux facilités de la circulation et aux loyers de prestige, pour des centaines de banlieues truffées d'immeubles neufs posés au hasard des terrains disponibles qui renforcent la ségrégation sociale. Et surtout, on ne construisait pas assez : moins de 40 000 logements par an jusqu'en 1949, 56 000 cette année-là, le cap des 100 000 n'étant difficilement franchi qu'en 1953. Bref, à peine le sixième des besoins couverts, tandis que les familles plus nombreuses et les jeunes ménages partaient à l'assaut du moindre mètre carré vacant ou accessible. La révolte s'annonçait-elle? On put le croire, quand par exemple le mouvement des squatters, fort de l'ordonnance du 19 octobre 1945 qui permettait de réquisitionner les logements vacants et bien encadré par le Mouvement populaire

des familles, multiplia les opérations de commando jusqu'en
1950, quand des ouvriers comme les « Castors » entreprirent de
bâtir eux-mêmes leurs cités, à Pessac en Gironde, quand surtout,
dans les froidures de février 1954, un prêtre émacié en gabardine
sale, flanqué de ses chiffonniers de la zone, l'abbé Pierre, entreprit
une croisade de la charité en faveur des sans-logis transis et, usant
fort bien de la radio, révéla les drames des bidonvilles de Nanterre
et de Saint-Denis. En quelques semaines, une énorme collecte
nationale de vêtements et d'aides diverses révèle une nervosité
générale et une volonté d'action. Horrifiés et pourtant avertis,
les Français cependant ne donnent pas d'allure politique à cette
croisade du mécontentement : cette crise est trop généralisée,
frappe indistinctement trop de couches sociales pour qu'un poujadisme des mal-logés s'impose.

D'autant qu'au même moment, et dans une dialectique qui
révèle les fortes capacités de cette société à désamorcer ses conflits,
une nouvelle politique publique s'est instaurée, qui affronte la
crise du logement sous tous ses aspects. Le goulot d'étranglement
financier est forcé : le décret-loi du 9 août 1953, aussitôt après la
vague de grèves, impose aux employeurs une cotisation de 1 %
sur les salaires pour financer le logement de leurs salariés, qui
effectivement permettra d'en offrir 60 000 par an; un système de
primes et d'épargne indexée sur les prix du bâtiment est proposé,
la Caisse des dépôts réactivée par Bloch-Lainé est mobilisée pour
financer à bon escient des sociétés d'économie mixte de construction et d'aménagement. L'État ne se contente plus d'aider la
construction d'HLM : un décret du 16 mars 1953 définit le
« Logéco », économique et familial pour revenus moyens. Le
goulot foncier saute à son tour. La loi du 6 août 1953 multiplie
les possibilités d'expropriation pour cause d'utilité publique :
les municipalités et les promoteurs trouveront désormais du
terrain à bâtir. Enfin, on normalise : avec des coûts réduits, un
calibrage du moindre placard et de la minuscule loggia, une
homogénéisation de la « cellule d'habitation » de Dunkerque à
Perpignan, et en particulier le dessin d'un très performant « F 3 »
de 52 m² pour ménage type, cette politique promeut systématiquement, de préférence dans les banlieues, le « grand ensemble »
interchangeable et perçu par tous à l'époque, ne l'oublions pas,

comme le comble de la modernité rationnelle. Dès lors, tout va mieux. Le financement d'HLM passe de 53 milliards en 1953 à 130 en 1955, l'ensemble des aides publiques croît de 120 milliards par an, le rêve de la Libération, 300 000 logements en une année, est pratiquement atteint en 1958 et dépassé en 1959. Le nombre des constructions « primées » dépasse largement, et pour plus d'une décennie, celui des logements individuels du secteur libre. En 1954, le « plan Courant » complète le dispositif en offrant de grosses avances (jusqu'à 80 % du financement) aux candidats à l'achat de leur logis par le canal du Crédit foncier : la copropriété, sur le neuf comme sur l'ancien, prend son envol. Le cauchemar semble se dissiper.

C'était sans compter sur les pesanteurs sociales. Car ces facilités nouvelles n'ont fait qu'enhardir les plus aisés, qui tentent aussitôt l'aventure de l'achat d'un logement neuf ou de la pression efficace pour obtenir un passe-droit : en 1960, 40 % des constructions neuves ont été attribuées depuis cinq ans aux cadres supérieurs et moyens, aux professions libérales et aux gros commerçants, 40 % aux employés, artisans, petits commerçants et ouvriers qualifiés, 20 % seulement aux OS, aux manœuvres, au personnel de service et aux inactifs. L'échelle hiérarchique est fidèlement reconstituée. Les promoteurs et les collectivités placent plus volontiers des « Logécos » en accession à la propriété aux jeunes ménages qui s'endettent; dans les HLM se presse une population mêlée, cas sociaux et bas revenus voisinant avec des ménages à revenus moyens en solution d'attente, parfois un ingénieur ou un agrégé chargé d'enfants, sans compter les multiples locataires venus du « système D » et de la pression sur un élu ou un administrateur. Tandis que la spéculation s'élance, ayant enfin compris que la pénurie est rentable, que les logements sociaux ne vont pas tous aux plus démunis, que les chantiers s'ouvrent, nombre de foyers qui accepteraient de consacrer plus de 4 % de leurs dépenses au logement rongent leur frein ou financent d'autres secteurs de la consommation : ils dépensent 90 milliards en 1957 pour vivoter, ils en proposent 200 pour pouvoir déménager, mais les coûts et les financements sont tels qu'ils doivent renoncer [1].

1. Voir (78), p. 744.

La frustration par le logement est toujours vive, la foire d'empoi-gne continue, les moins forts se résignent.

De fait, la révolte étant désamorcée par un sursaut public, la revendication ne s'exprimant guère de façon cohérente tant les intérêts sont divers, ne sont à portée que la débrouillardise indi-viduelle ou la pression ponctuelle organisée. Le logement a mul-tiplié les groupes d'intérêts, qui prospèrent et bourdonnent. Chez les locataires, la vieille Confédération nationale des loca-taires (CNL) fondée en 1916 est combattue par la Confédération générale du logement (CGL) issue des bonnes volontés regrou-pées par l'abbé Pierre, les communistes butinent chez l'une comme chez l'autre, le harcèlement des élus et des médias est systématique. Les propriétaires rassemblés dans l'Union de la propriété bâtie de France et dans des chambres syndicales jouent l'apaisement et le civisme. Syndicats de salariés, organisations familiales et patronat argumentent et informent, tandis que les constructeurs se déclarent tous « sociaux ». Un « front du loge-ment » est donc exclu, mais une pression aussi diversifiée et catégorielle ne peut manquer d'avoir l'audience des partis poli-tiques qui les « travaillent » en sous-main, du Parlement qui les entend, des ministres qui les craignent et des municipalités qui savent son poids électoral. C'est dire que la frustration orchestrée a peu posé les questions d'ensemble, a freiné les solutions plani-fiées mais a réglé nombre de cas particuliers et excité l'indignation catégorielle contre l'État[1].

L'exemple du logement révèle crûment une impuissance majeure de la société française : sa difficulté à transformer la frustration en revendication, puis à négocier celle-ci avec persévérance. De multiples signes portent à croire cependant que les Français s'apaisent et que les mécanismes d'intégration sociale jouent mieux. Dans le choix du conjoint, on l'a vu, on desserre un peu la pression du clan et du terroir. Crimes et délits sont en recul constant (336 000 en 1948, 197 000 en 1958), la délinquance juvénile, si forte à la Libération, s'apaise avant de resurgir

---

1. Voir J. Meynaud et A. Lancelot, « Groupes de pression et politique du logement », *Revue française de science politique*, décembre 1958, p. 821-860.

après 1955 dès lors que salariés agricoles, manœuvres, OS, familles nombreuses et grands ensembles sécrètent quelques « copains » à blouson noir : la déviance se marginalise dans les sous-catégories les plus défavorisées économiquement et les moins intégrées à l'idéologie de la croissance consommable, la violence se dilue ou s'exporte en Algérie. Pourtant, l'impératif du groupe, déjà observé après la guerre, se perpétue : non seulement l'individu aspire à un encadrement systématique, mais tous les partenaires sociaux ainsi constitués préfèrent en appeler à l'autorité suprême de l'État plutôt que de dialoguer et construire entre eux. Nous retrouvons ici des mouvements de fond : la dislocation des communautés rurales est plus que compensée par les solidarités du salariat, la tertiarisation de l'économie exige de promptes mesures d'encadrement des nouveaux venus. L'impuissance à gérer la frustration conduit toutefois à s'interroger sur la représentativité et l'action des organisations qui prétendent représenter ces groupes volontaires. Et tout particulièrement à examiner l'action syndicale.

Or, en ce domaine, il faut parler de « piétinement dans une impasse[1] ». Le syndicalisme des ouvriers et des fonctionnaires, le plus ancien, le plus conscient, le plus fort de tous les groupements sociaux et qui a reçu de nouveaux pouvoirs à la Libération, digère mal ses traumatismes de la guerre froide et subit sans en évaluer la force le choc de la croissance. Il hésite sur l'action à entreprendre ou à cautionner. L'action directe, comme à Saint-Nazaire en 1955? La négociation avec le patronat, branche par branche et en arguant du respect des conventions collectives? Assiéger les pouvoirs publics, avec les succès d'un groupe de pression, mais aussi les aléas d'un statut de partenaire privilégié et peut-être demain de rouage dans une concertation généralisée sous la houlette de l'État-Providence? Si les luttes locales ou catégorielles demeurent vives, en 1953, en 1955, en 1957, comment analyser l'étrange torpeur qui saisit les syndicats quand le gouvernement Mendès France en octobre 1954 relève le SMIG mais refuse de se substituer à eux pour négocier la répercussion de cette hausse sur toute l'échelle des salaires? Le CNPF attend, à tout hasard, les confédérations de salariés hésitent : la base se

1. Voir G. Lefranc (151), p. 115-145 et 201-224.

dérobe, satisfaite par la hausse palpable du niveau de vie. Cette impuissance à penser la nouveauté aggrave les dissensions internes : après 1953, la métallurgie de Force ouvrière s'agite, le groupe « Reconstruction » part à l'assaut de la majorité de la CFTC[1], à la CGT les Fonctionnaires et le Livre conduits par Le Brun tentent en vain de faire comprendre au Congrès de 1955 à Frachon qu'il est un peu rapide de s'en tenir aux thèses de la paupérisation absolue de la classe ouvrière et de succomber aux incantations de l'action « sans s'occuper de ce que cela coûtera aux capitalistes » pour mieux « détruire le régime ». Impuissant et divisé, le syndicalisme ouvrier est en latence : aux élections aux conseils d'administration des caisses de la Sécurité sociale en 1955, la CGT demeure étale avec 43 % des votants, la CFTC et FO piétinent à 20 % et 16 % tandis qu'un fort contingent de listes étroitement corporatistes raflent des voix. Après la vague de la Libération, le voici de nouveau réduit à ne représenter que 15 % à peine des salariés qu'il prétend entraîner. En juin 1957, un appel à l'unité du mouvement syndical, lancé par Denis Forestier du Syndicat national des instituteurs, échoue lamentablement, et l'unité d'action demeure un vœu pieux à l'échelle nationale.

En revanche, la syndicalisation catégorielle a le vent en poupe. L'émiettement progresse : tous « autonomes » et « indépendants », brandissant la Charte d'Amiens, farouchement hostiles aux communistes, voici que s'affirment des cartels qui organisent leur fief, syndicats d'ingénieurs de la SNCF, de la police, de l'enseignement supérieur, des journalistes, des chauffeurs routiers, des conducteurs de métro ou des médecins. La Confédération générale des cadres s'installe confortablement et surveille son domaine. La CGPME digère assez bien les poujadistes. Les enseignants de la FEN réclament des moyens sans s'interroger sur les fins. Sans oublier le CNPF où Georges Villiers a bientôt compris l'utile rôle de contre-feu de l'accord Renault de septembre 1955 et qui négocie en douceur l'acceptation de la politique contractuelle chez ses troupes : en juillet 1957, une cinquantaine d'accords contractuels ont été signés, surtout dans la métallurgie.

1. Voir P. Vignaux (154), et G. Adam (153).

Une étrange règle s'impose donc, incompréhensible pour un syndicalisme ouvrier qui depuis le XIXᵉ siècle aspire à prendre en charge l'ensemble de la transformation sociale : plus la frustration est typée, plus la revendication potentielle est étroite, plus l'union est facile et l'action efficace. Et plus le syndicat devient simple groupe de pression : les défavorisés, par exemple les agriculteurs, y viennent sur ces bases nouvelles. Partout ailleurs, à l'exception de petits groupes comme « Reconstruction » à la CFTC, qui se retrouvent parfois dans le mendésisme et s'efforcent de maîtriser les nouvelles valeurs sociales, les syndicats renoncent à leur mission éducatrice, désormais prise en charge par d'autres associations, des comités d'entreprise ou les pouvoirs publics, et se cantonnent, désemparés, dans une gestion sans projet de la frustration économique. Le syndicalisme ouvrier en particulier paie durement le poids de ses divisions politiques, la CGT endossant les coûts de l'isolement du PCF, il doit apprendre à compter systématiquement sur le poids de l'opinion publique et des médias modernes dans les conflits : amaigri, il s'ankylose dans une société en mouvement [1].

Cet émiettement et ce repli sans projet des forces dites représentatives de la dynamique sociale laissent donc le champ libre à la pression, corporatisent les positions acquises, inhibent et bloquent. Que cette offensive généralisée de l'intérêt particulier s'exerce sur un pouvoir politique menacé et faible aggrave encore les déséquilibres : comment les pouvoirs publics corrigeraient-ils des défauts sociaux auxquels eux-mêmes, par le jeu des partis, participent ? Rude question, que pose le rapport Armand-Rueff en 1959 : l'absence de consensus sur l'avenir, la sectorisation de l'intérêt général font obstacle à l'expansion économique et au progrès social [2]. La France autant qu'hier demeure terre de hiérarchie et de commandement, la distance sociale y est considérable, le face-à-face y est fui et l'État est préposé aux solutions

---

1. La chute des effectifs est particulièrement nette à la CGT, qui distribue 3 millions de cartes en 1951, 2,1 en 1954 et 1,6 en 1958. Force ouvrière se stabilise à 500 000 adhérents environ en 1958. Seule la CFTC progresse, passant de 350 000 à 415 000 cotisants de 1952 à 1958.
2. Voir S. Hoffmann (108), p. 253.

qui ne sont pas de son ressort[1]. Un indiscutable mieux-être a apaisé la société française sans la pacifier. Sans doute parce que le changement est encore trop neuf. Un point est néanmoins acquis : il affecte déjà en profondeur tous les Français, les gagnants comme les perdants.

1. Voir M. Crozier, « La France, terre de commandement », *Esprit*, décembre 1957, p. 779-797.

7

La société
débloquée ?

Le mieux-être épandu n'a pas dilué les inégalités, la distance sociale est maintenue : l'observation faite sur les individus et les ménages est-elle vérifiable sur les groupes sociaux anciennement constitués ? Dans ce mélange de dynamisme et de rancœur, les enjeux sont-ils ceux de classes en luttes ou de catégories en compétition ? Que des nouveautés économiques favorisent les uns et pénalisent les autres n'est pas nouveau. Encore faut-il être assuré que désormais les batailles perdues ne sont pas défaites consommées et que les triomphes ne renforcent pas des avantages acquis. En bref, y a-t-il quelques chances nouvelles de mobilité dans cette vieille société fouettée par le progrès ?

Des paysans en péril.

Que les paysans aient été les grands perdants de l'expansion, les chiffres l'ont montré abondamment : rassemblant 25 % des actifs, ils se partagent 12 % du revenu national, et leur revenu par tête, de l'indice 100 en 1949, plafonne à l'indice 123 en 1958, contre un indice 141 pour l'ensemble des Français; ils traînent en queue de liste pour les disparités de consommation, sur tous les postes en dehors de l'alimentation; ils subissent et entretiennent les inégalités régionales. Mais leur amertume sociale outrepasse ce déficit comptable et déteint sur l'ensemble de la société rurale. L'épicier de village qui ajoute à sa charge les tournées en camionnette chez les clients écartés, l'instituteur isolé dans sa classe unique, la fille de ferme qui hait l'esclavage de la terre et rêve de la ville en lisant *Confidences*, l'exploitant rivé à de multiples tâches pendant 14 heures chaque jour, et sans vacances, pour au bout de l'an s'apercevoir qu'il a tout juste autoconsommé médiocrement et payé ses traites bancaire, tous — à l'exception des professions libérales ou assimilées qui prospèrent, pharmaciens, médecins, vétérinaires, notaires ou conseillers agricoles — souffrent d'être des « citoyens à part » et veulent dans un élan émouvant devenir des « citoyens à part entière », pour reprendre les formules de l'époque. Les rêves pétainistes s'effondrent, la relative aisance des temps de marché noir et de pénurie disparaît : la terre ne pourvoit pas à tout, la compétition parachève l'éclatement du monde rural. Avec le progrès, valeurs et héritages s'effilochent. Dans les campagnes désertées, les paysans devenus agriculteurs vivent le plus intensément l'angoisse de l'adaptation.

Ils n'ont pourtant pas ménagé leur peine pour produire davantage et mieux. On a vu l'ampleur des gains de productivité de l'agriculture, réalisés grâce à la motorisation, une meilleure conservation des produits stockés et l'utilisation massive d'engrais chimiques. Le tracteur a été le symbole de cette volonté de sortir de la routine. Se substituant aux chevaux et aux vaches attelées, fonctionnant quelquefois à l'essence mais bien vite au fuel et bénéficiant ainsi d'intéressantes détaxes sur les carburants maintenues par tous les gouvernements, souvent mal adapté en région de montagne ou de trop forte parcellisation, parfois d'une trop faible puissance inférieure à 10 CV, dans un *rush* vers la « miniaturisation » imposée par les fabriquants anglo-saxons comme Massey et Ferguson qui inondent le marché, il s'impose néanmoins partout. Moteur, on lui fait tout faire, pour peu que l'outillage complémentaire et onéreux — la barre de coupe et la charrue d'abord — ait été prévu : une petite usine ambulante et qui peut s'adapter à toutes les tailles d'exploitations. Outil individuel, il libère son possesseur de pénibles servitudes : dans les petits matins frais, dans le bruit ou les intempéries, l'exploitant est son maître sur son engin familier. Avant la presse, la machine à traire ou la moissonneuse-batteuse qui réclame une main-d'œuvre plus nombreuse, il trône dans la cour de ferme, aussi puissant que celui du voisin, signe d'une promotion tant souhaitée. Mais il faut souvent s'endetter pour l'acquérir, les autres investissements sont négligés, la concurrence se fait plus vive dans les communes, il faudra trop tôt le remplacer par un engin plus fort ou mieux équipé : le tracteur entraîne l'agriculteur dans la course sans issue du financement et de la rentabilité. D'autant plus que les coopératives d'utilisation du matériel agricole (CUMA) lancées avant 1939 ne se développent guère avant 1955 : sauf pour les moissonneuses-batteuses, la possession solitaire de la motofaucheuse, du motoculteur et du tracteur demeure signe d'indépendance et de hardiesse.

Cette motorisation très individualiste est le meilleur révélateur de cette « révolution silencieuse [1] » qui a saisi la campagne. Désormais tout y est lié, la technique, la main-d'œuvre, la structure des exploitations, la qualité, l'importance et le prix des productions, dans une très capitaliste interdépendance. L'arrivée du tracteur pose brutalement le problème de la taille optimale de l'exploitation : à moins de 15 ou 20 hectares au sud de la Loire, à moins de 50 dans les plaines limoneuses du Nord, et partout bien distribués en grandes parcelles remembrées, le seuil de rentabilité n'est pas atteint. Les entreprises marginales sont donc impitoyablement éliminées, à un rythme encore assez lent jusqu'en 1955, plus soutenu ensuite avec près de 30 000 disparitions chaque année : 245 400 exploitations en 1942, 170 000 de moins en 1955, près de 400 000 autres en 1963. Celles de moins de 10 hectares se replient en bon ordre, cultivant encore 16 hectares sur 100 en 1955 contre 22 en 1942, puis s'effondrant d'un coup; celles de 10 à 20 hectares croient pouvoir résister jusqu'en 1955, travaillant un hectare sur 4, puis reculent à leur tour, liquidées lorsque leur exploitant, après plus de dix années de combat sans issue, s'exile, prend sa retraite ou meurt. Par contre, la croissance des exploitations de plus de 20 hectares est régulière : 47 % des hectares cultivés en 1942, 60 % en 1955, 66 % en 1963, grandes usines céréalières de plus de 100 hectares du Nord ou du Bassin parisien mêlées à l'exploitation « moyenne » de 20 à 50 hectares, spécialisée et équipée, dont le modèle type s'impose dans toutes les régions aux agriculteurs « dynamiques ». La motorisation amorce donc une phase de transition accélérée qui

1. Voir M. Debatisse, *la Révolution silencieuse* : *le combat des paysans*, Calmann-Lévy, 1963.

bouleverse sans assez le redistribuer le capital foncier. Tout
autant, elle contribue à sélectionner les hommes, permet d'envisager avec calme l'inévitable dépeuplement qui progresse,
avec 130 000 départs par an après 1955, sanctionne le découragement des plus faibles et installe dans l'espoir ceux qui pensent
avoir franchi le seuil de la rentabilité.

Pour ces derniers, la mentalité d'entrepreneur et la soumission
au marché sont en fait les seules issues. Loin des vieux réflexes
d'autoconsommation et de parcimonie, l'abondance des produits qu'on peut désormais cultiver leur apprend à se soumettre
aux aléas des prix, à intégrer leur production dans un ensemble
national et européen qui tient compte des industries agro-alimen-
taires, de la croissance générale de l'économie et des besoins
nouveaux de la consommation urbaine. Tandis que le maïs part
à la conquête du nord de la Loire et que le blé « Étoile de Choisy »
glisse victorieusement vers le Sud, que s'amorce vers 1950 une
révolution fourragère qui imposera la culture de l'herbe, l'effort
porte sur les productions les plus demandées, viande, produits
laitiers, fruits et légumes. Surgissent alors deux menaces : l'une
qui tient à la capacité d'absorption du marché, la saturation
pouvant venir très tôt et entretenir une surproduction, l'autre
qui soumet le travail de l'agriculteur à la dictature des prix.
A l'achat d'engrais, de matériel, d'aliments pour bétail et même
de terre — la spéculation foncière reste active —, il est perdant :
les prix, très libres, demeurent élevés. Par contre, à la vente des
productions agricoles, le poids des intermédiaires, la surveillance
des pouvoirs publics, bientôt les réglementations européennes,
la concurrence, la faiblesse des coopératives de distribution,
tout contribue à faire baisser régulièrement les cours pour les
vendeurs. L'agitation de 1953 n'a pas d'autre cause. Pressuré
aux deux extrémités de la chaîne, empêtré dans des besoins d'argent incompressibles pour payer ou amortir un matériel acheté
à crédit, pour consommer lui aussi autrement, l'agriculteur ne
peut miser que sur son travail et sa productivité. C'est possible
pour les grosses exploitations à demi industrialisées, produisant surtout du blé, du maïs ou de la betterave, dont les syndicats surveillent très efficacement les cours, où il est possible de
sélectionner investissements et produits les plus rentables sur

le moment. Cela devient de plus en plus impossible pour les petits exploitants endettés et empêtrés encore dans les poly-cultures familiales avec quelques ventes d'appoint en argent frais. Par contre, la pression des prix privilégie pour un temps l'exploitation moyenne, où un travail de forçat, la participation multiple de l'épouse qui apprend à tenir les comptes tout en prê-tant la main, le choix d'une série de productions animales moder-nisées et une mécanisation assez légère permettent encore de réali-ser très vite de forts gains de productivité. Tous sont tributaires des cours, tous peuvent à l'occasion être solidaires sur un marché en mutation. Mais les mécanismes de strangulation sont en place : le métier et la gestion valent plus que le sol, il faut devenir entrepreneur et technicien, le capital d'exploitation l'emporte sur un capital foncier en difficile renouvellement, les nécessités du financement accroissent la charge de travail individuel ou familial. La frustration est toujours possible. De mauvais prix peuvent la faire tourner au drame.

D'autant qu'à leur manière les agriculteurs ont pris goût à de nouvelles façons de vivre imposées par la ville. Avec mille nuan-ces, retards ou résistances, mais irrésistiblement. Quelques nota-bles entreprenants, des couples de militants de la JAC ou du syndicat, trois commerçants et artisans décidés suffisent pour donner l'exemple dans chaque commune. La publicité à la radio, plus tard à la télévision, la grande presse régionale, les « vacan-ciers », le cousin de Paris, le retraité ou le nouveau possesseur d'une résidence secondaire sont les meilleurs agents de l'accou-tumance, rêvée puis réelle, au moulin à café et au rasoir électri-que, à la mise en plis et à la douche, au chauffage central et à la rengaine à la mode. Mais avec quelle prudence encore! En 1958, si l'électrification s'achève, une maison rurale sur 4 seulement à l'eau courante, une sur 6 des WC intérieurs, sans compter de dures inégalités régionales : 45 % d'entre elles ont encore en Bretagne un sol de terre battue, 15 % en Limousin conservent la lampe à pétrole ou l'unique et minable ampoule de 25 watts au-dessus de la table commune. On s'en tient longtemps en fait à l'essentiel. La voiture, d'abord d'occasion, et souvent conduite aussi par l'épouse, ou la fourgonnette, indispensables outils de relations économiques et humaines avant que de prestige : en

1958, après la région parisienne, c'est le riche Vaucluse qui a la plus forte circulation automobile départementale. Puis l'eau sur l'évier, la cuisinière à gaz butane, la table de Formica, un carrelage ou un linoléum dans la pièce commune, les premières douceurs aux enfants. Plus tard arrivent le réfrigérateur et l'équipement ménager, le sanitaire et le chauffage central, le départ des vieux meubles rustiques au grenier, l'installation dans le moderne « salon-salle à manger » des ensembles mobiliers normalisés en style Lévitan, puis la motorisation et la sonorisation des jeunes, l'achat systématique de l'habillement sur catalogue de « La Redoute » ou à la ville voisine plus que chez le commerçant local ou sur les bancs de foire. De l'accumulation de nouveaux biens, on glisse ainsi très vite à l'acquisition de nouvelles habitudes et de mentalités mixtes, les jeunes entraînant la collectivité entière. Vivre en couple séparé des vieux parents, préférer la biscotte beurrée à la soupe trempée le matin, écouter la radio autant que les commères chroniqueuses de la sociabilité intime du village, courir les réunions plus que les veillées, conduire le gamin en voiture à l'école ou l'installer au fond des premiers cars de ramassage scolaire, observer le « Parisien » qui brûle d'être un jour conseiller municipal, faire l'escapade d'une visite au Salon de l'Agriculture et d'une excursion organisée, attendre le téléphone et apprendre à démonter prestement un carburateur, mille petits chocs accumulés qui bouleversent les valeurs. La famille se fait plus nucléaire, la terre n'est plus le seul horizon, les sociabilités folkloriques sont remplacées par celles du garagiste, du syndicat ou de la coopérative, les bistrots de village s'encrassent un peu plus, la maison s'illumine au néon.

A petites touches patientes, cette révolution du quotidien rend impossible tout retour en arrière chez ceux qui ont tenté le pari de l'évolution et désarçonne ceux qui le refusent. C'est donc sur une société non plus seulement diverse mais profondément divisée, un pied dans chaque civilisation, que s'imposent les critères de rentabilité. Pris dans les contradictions du progrès, les agriculteurs ont toutefois su se donner des nouvelles élites d'encadrement qui prennent au sérieux le choix national, modernisation ou décadence : le groupe social le plus malmené par la croissance trouve la force de tenter sa propre mutation. En mettant d'abord progressivement en accusation les anciennes élites professionnelles qui prétendaient le représenter. La CGA ayant échoué dans ses ambitions d'unification plus démocratique et étant réduite à partir de 1953 à un rôle anodin de consultation officielle, les leaders corporatistes de la FNSEA avaient refait surface et salué enfin la République au début des années cinquante. Sous l'impulsion de leur président, René Blondelle, ils engagent les agriculteurs à pratiquer l'« action civique », en élisant des parlementaires « agricoles », c'est-à-dire indépendants et paysans et en instituant les chambres d'agriculture rétablies en 1949 en groupes de pression : malgré l'obtention du décret de décembre 1954 qui les autorise à lever des « centimes additionnels » et leur permet de financer de nombreux services concrets, les chambres et leurs présidents se contentent peu à peu d'organiser discrètement les élections sénatoriales, d'aider le centre et la droite, sans mesurer l'ampleur des mutations amorcées. Face aux élites agrariennes ankylosées, surgissent alors des missionnaires et des militants neufs[1]. Ceux qui veulent maîtriser le choc de la technique, ingénieurs agricoles, exploitants dynamiques qui lancent quelques centaines de centres d'études techniques agricoles (CETA) pour former des groupes rassemblant les exploitants de « pointe ». Ceux qui croient que des paysans majeurs, débarrassés des tutelles de la notabilité et de l'assistance publique, peuvent aider à transformer le monde, essentiellement des membres de la Jeunesse agricole catholique (JAC), bien encadrés par d'excellents aumôniers, filles et garçons décidés à s'épanouir en couple, avertis des problèmes mondiaux (la faim du Tiers Monde les angoisse), des rouages capitalistes et des recettes de la gestion d'entreprise. La conjonction de ces nouvelles forces débouche en 1954 sur la transformation de leurs cercles jusqu'alors abrités au sein de la CGA en un Centre national des jeunes agriculteurs (CNJA) qui bien vite, sous l'impulsion de forts leaders comme Michel Debatisse, apparaît comme la seule force capable de renouveler un syndicalisme agricole sclérosé. Acceptant l'inévitable moderni-

---

1. Voir P. Muller, « La naissance d'une nouvelle idéologie paysanne en France, 1945-1965 », *Revue française de science politique*, février 1982 p. 90-108.

sation qui revalorise le métier de paysan, eux-mêmes très engagés dans l'efficacité technicienne sur leurs exploitations, acceptant l'exode rural et la fin de l'agriculture familiale mais voulant rassembler la terre autour des meilleurs professionnels, ouverts au monde mais solidaires de leur milieu, défendant à la fois l'aspiration au changement et l'autonomie du producteur libre, aussi « capitaliste » qu'« anticapitaliste », bref, bousculant les usages sans rejeter les normes, ses militants deviennent la conscience vivante des campagnes en mue.

Ces aventuriers de l'entreprise agricole, conscients des solidarités de toutes les branches de l'économie, rencontrent avec succès les agriculteurs décontenancés. Non pas les gros exploitants du Bassin parisien très spécialisés dans les productions céréalières, qui peuvent stocker et attendre : une bonne politique des prix, l'existence de l'Office national interprofessionnel des céréales, celle d'associations de défense du produit qui campent au cœur de la FNSEA leur suffisent. Mais tous les autres, pariant sur l'herbe et l'élevage, modernisateurs dans les campagnes médiocres, rassemblant péniblement les 20 à 40 hectares de la rentabilité, chrétiens ou non, ne se contentent plus d'une protection des cours : ils exigent l'organisation des marchés, le respect des accords internationaux, de la formation et de la dignité pour tout entrepreneur. Or, visiblement, les pouvoirs publics ne savent pas redéfinir à leur usage une politique agricole. Dès 1953, quand le Comité de Guéret, animé par des socialistes et des communistes, fait barrer les routes et trembler les assoupis de la FNSEA pour défendre les cours de la viande, le lancement en décembre à l'initiative du gouvernement Laniel d'une Société interprofessionnelle du bétail et des viandes (SIBEV), suivie en 1954 et 1955 d'une tentative du même ordre pour le lait, associe la profession et les pouvoirs publics pour tenter d'organiser ces marchés : en vain. Après quelques mois d'accalmie, maquignons et sociétés industrielles laitières réimposent leur loi. Dès lors, avec la fureur de mieux vivre, la profession agricole est gagnée par la turbulence qui annonce les violences des années soixante. En mars 1956, le CNJA adhère à la FNSEA et y bouscule les gros agrariens et les anciens leaders dont 70 % ont plus de 50 ans. En 1957, Debatisse, ancien secrétaire général de la JAC, s'installe aux commandes du CNJA et affine la stratégie de prise de pouvoir au sein de la FNSEA : tandis que les derniers gouvernements de la IVᵉ République, par les décrets de septembre 1957, offrent une indexation généralisée des prix agricoles, négocient au mieux la place de l'agriculture française dans le cadre du Traité de Rome mais subissent la pression des producteurs de blé et de betterave, les nouvelles voix du syndicalisme réclament qu'on distingue les prix et les structures, qu'on apprenne à maîtriser l'intégration dans la nation d'une minorité bousculée. Ces nouvelles élites représentatives n'entraînent assurément pas avec elles la majorité des agriculteurs, mais elles diffusent des thèmes offensifs qui ne peuvent manquer à terme de la toucher. Une vive bataille est engagée, que seule la loi Pisani d'orientation agricole en 1964 apaisera, car le vieux réflexe de recours à l'État, à la campagne comme ailleurs, est plus vivant que jamais. Dans la crise qui se noue, l'État, croit-on, doit soutenir un monde qui a définitivement perdu son unité et que guette la paupérisation. Malgré l'ampleur des aides publiques à l'agriculture [1], les dirigeants de la IVᵉ République n'ont pu que tenter de contenir la chute des prix sans pouvoir organiser en profondeur les marchés : ils n'ont pas imposé la moderne politique qui leur eût acquis le soutien des campagnes.

Les ouvriers en marge.

Comme les paysans, les ouvriers subissent au long des années cinquante les étapes d'une mutation, profonde mais inégale suivant la taille des entreprises, les branches et les régions industrielles. Toutefois, plus que celle de l'adaptation volontaire à la modernisation, l'héritage historique d'un monde ouvrier campant au sein de la société suscite une interrogation centrale différente, qu'affrontent alors toutes les enquêtes scientifiques : les progrès des techniques, des revenus et des consommations ont-ils contribué à intégrer davantage les ouvriers à la communauté nationale, la

---

1. Voir P. Alphandery *et al.*, *les Concours financiers de l'État à l'agriculture de 1945 à 1980*, rapport INRA-CORDES, 1982 (3 fascicules ronéotés).

conscience ouvrière s'est-elle modifiée? Autrement dit, l'ouvrier de l'abondance serait-il moins sensible aux exigences d'une lutte des classes dont il ne constituerait plus le groupe moteur?

A vrai dire, la définition même du monde ouvrier n'est plus si évidente et c'est une « nouvelle classe ouvrière » que plusieurs sociologues du travail font cohabiter avec l'ancienne. La référence au travail manuel ne suffit plus : les machines-transfert qui accomplissent plus de quinze opérations à la file, l'ordinateur lourd, les dispositifs d'automatisme et de commande numérique qui assurent le passage de la chaîne à l'automation dans certaines grandes entreprises, la parcellisation des tâches noyée dans un dispositif intégré, autant d'éléments très visibles dans la chimie, l'électronique, le pétrole ou la métallurgie, qui imposent l'image de l'ouvrier en blouse levant et baissant des manettes, responsable d'un contrôle nerveusement épuisant mais qui engage moins la force physique ou l'habileté du tour de main. Entre la monotonie des tâches sur une machine préalablement réglée et la part d'initiative et de prévision nécessaires à la rentabilité d'un ensemble intégré, les frontières posées depuis le début du siècle par le taylorisme ne sont plus aussi strictes : tous les personnes affectées à une production, mécanographe, analyste, surveillant, technicien, agent de maîtrise, ouvrier professionnel ou spécialisé cohabitent davantage, visages toujours hiérarchisés mais remodelés de la nouvelle organisation du travail, salariés maîtrisant mieux l'ensemble des données de la fabrication et de la concurrence. Hier monotone fatalité, le travail ouvrier peut être amorce de promotion individuelle, impératif de nouvelle qualification : beaucoup de jeunes, plus instruits, titulaires de CAP ou de diplômes supérieurs, baignant davantage dans l'environnement culturel de la société, pourront-ils tenter leur chance et éviter l'abrutissement de la chaîne? L'enquête menée par Pierre Naville en 1957-1959 ne pousse guère en fait à l'optimisme : 80 % des personnels travaillant sur les outillages automatiques sont des OS et les entreprises ne maîtrisent pas toujours la nouveauté [1].

Une vision progressiste et très linéaire d'une nouvelle couche de salariés producteurs n'est sans doute pas fausse. Mais l'enche-

1. Voir P. Naville (134).

vêtrement des structures industrielles en France, le conservatisme technique de nombreuses entreprises, la rendent encore très marginale. Plus que jamais, en effet, si l'atelier disparaît, la très grosse usine dépassant 500 ouvriers et capable de supporter les mutations technologiques de l'automation ne s'impose guère. A la différence des États-Unis, l'industrie en France trouve sa respiration et ses nouveaux élans dans les entreprises moyennes de 100 à 500 salariés, au besoin financièrement intégrées dans un groupe ou vivant de ses sous-traitances mais conservant leur autonomie dans les méthodes de fabrication et d'exploitation du travail ouvrier; grosses ou moyennes, les entreprises n'automatisent qu'un secteur limité de leur production. Si bien que les années cinquante voient davantage l'épanouissement du système technique de production fondé sur l'ancien système professionnel que sa dislocation sous le choc de l'automation. Partout en fait s'est imposé le modèle de la division rationnelle du travail, de la fabrication simultanée des différentes pièces assemblées ensuite en chaîne, conçues par les techniciens des bureaux d'étude, usinées par des OS servis par des manœuvres sur des machines mises au point par des régleurs. Avec des intensités encore inégales selon les branches, dans la cacophonie technicienne des usines françaises : dans les industries alimentaires, le papier-carton, le verre ou le bois, en 1954 les manœuvres représentent encore plus de 40 % des effectifs, les professionnels de 20 à 30 % et les OS 30 %, tandis que dans le textile, la sidérurgie et la mécanique, les manœuvres sont passés à moins de 30 %, les professionnels de 25 à 40 % mais les OS en expansion sont installés au cœur du processus et forment 45 % de la main-d'œuvre; seuls quelques secteurs comme le bâtiment, l'habillement ou le livre conservant près de 50 % de professionnels à l'habileté manuelle indispensable. Pour l'ensemble des entreprises de plus de 10 salariés, la ventilation générale est, toujours en 1954, 29 % de manœuvres, 36 % d'OS et 35 % de professionnels. L'OS devient l'ouvrier type, soumis aux cadences, sans initiatives, usinant à la demande des pièces que le contremaître peut lui refuser pour « loupé », chronométré et payé aux pièces avec « boni » possible. Très strictement encadré, interchangeable, freinant volontiers les rythmes de production imposés mais happé par l'engrenage des heures supplémentaires qui alourdissent une semaine déjà très chargée mais qui arrondissent la paye, associé dans les besognes d'exécution à son manœuvre, flattant le régleur mais détestant le « petit chef » qui chronomètre, surveille et réceptionne le travail, il constitue la réserve de conscience et de révolte. Mais, au hasard des embauches et des restructurations, il côtoie encore le professionnel du vieux métier ou le technicien de l'avenir : multiplicité des statuts, qui complique les relations de travail et les conflits sociaux, trouble et souvent paralyse l'action de classe. Ces nuances, si perceptibles au masculin, doivent être renforcées encore dans le cas des ouvrières, qui subissent non seulement les hiérarchies et les rivalités des hommes mais aussi quelques brimades supplémentaires, dont quelques-unes graveleuses, et sont moins bien payées à travail égal. La morne condition d'OS étale sa grisaille à l'ensemble de la profession, émoussant les réflexes de combat chez les uns — les immigrés surtout — et poussant chez d'autres à la revendication, humiliante pour tous. Plus que jamais, la forme du travail forge la conscience.

Les ouvriers demeurent en fait très largement un groupe clos, subordonné et peu mobile. En 1954, on recense 6 800 000 personnes constituant la « population industrielle », c'est-à-dire le secteur secondaire, soit 36 % des actifs contre 34 % en 1931. Il faut y ajouter certains salariés du tertiaire, ceux des transports en particulier, en retrancher les contremaîtres proches des cadres et nombre d'ouvriers du secteur public à mentalité de fonctionnaire : au total, la notion plus élastique d'ouvrier regroupe alors tout juste 6 millions de personnes, rendues moins conscientes d'elles-mêmes par le travail manuel que par la soumission aux ordres et aux règles, la dépendance économique du salaire toujours inférieur à celui des employés et encore si souvent, on l'a vu, proche du SMIG, enfin l'expérience quotidienne de l'exclusion sociale. Sans doute faut-il faire une très large part à la psychologie du groupe dans l'appréciation du mieux-être à usage ouvrier. Interrogés par l'INED en 1956, 36 % des ouvriers estiment que la vie est plus difficile qu'avant la guerre, 63 % d'entre eux interrogés par l'IFOP en décembre 1955[1] répondent qu'il y a beaucoup

1. *Sondages*, 1956, n° 2.

trop d'injustice dans l'état actuel des choses. Néanmoins, suivant les calculs de Jean-Marcel Jeanneney [1], le salaire réel hebdomadaire net d'un ouvrier métallurgiste avait encore en 1955 à Paris un pouvoir d'achat inférieur à celui de 1937, alors que la production industrielle dans ce secteur s'est accrue, elle, de 75 % sur 1937 : l'exclusion par le revenu se combine avec celle du travail dominé. Et l'amélioration générale des salaires en 1956 et 1957, toujours décalée dans le temps sur les hausses de productivité de l'industrie et des revenus des catégories sociales supérieures, est ralentie par le retour de l'inflation jusqu'en 1961. Ce constat portant sur une branche modèle dont on vante depuis les accords Renault l'ouverture « sociale » suffit à relativiser les couplets sur « l'embourgeoisement » de la classe ouvrière.

La hausse indiscutable de son niveau de vie, liée en fait à des gains salariaux en progression sur la longue durée (6,3 % par an en moyenne de 1949 à 1957) mais très sensible aux variations conjoncturelles malgré la multiplication des conventions collectives signées après 1952, l'échelle mobile, la meilleure volonté d'un patronat qui dispense moins chichement du pouvoir d'achat en période d'expansion, un marché stable de l'emploi qui atténue la vieille hantise du chômage, les transferts sociaux, l'amorce d'une politique des revenus, ont cependant lancé un mouvement irrésistiblement ascendant de son revenu. Les ouvriers des très grosses entreprises de plus de 1 000 salariés profitent plus que d'autres de ces nouveautés : en 1958, à qualification égale, leurs salaires horaires sont supérieurs de 28 % à ceux des établissements de moins de 20 salariés. Les régions anciennement industrialisées sont en revanche passibles de sorts inégaux : le Nord conserve de bas salaires face à la Lorraine et

1. Voir J.-M. Jeanneney (81), p. 187. Est-ce la paupérisation «absolue» de la classe ouvrière même par temps de « capitalisme éclairé », comme le soutiennent, on l'a vu, les communistes et la CGT en fondant leur analyse sur le seul « métallo » célibataire? La polémique se poursuit mais les transferts et les hausses de salaire ont déjà rendu caduque son argumentation pour les ouvriers pères de famille. Voir les arguments pour et contre dans P. Montjoie, « La paupérisation absolue et la classe ouvrière », *Économie et politique*, juin 1956, et N. Jacquefont, « La paupérisation : dogme ou réalité? », *Esprit*, décembre 1955.

à la région parisienne, telle usine décentralisée « au vert » peut avantager ses salariés mieux que l'ancienne fabrique locale. Les provinciaux et les pères de famille nombreuse rattrapent leur retard[1]. L'abondance des biens matériels et culturels jetés sur le marché ne peut donc pas manquer d'exciter le désir de consommer chez les ouvriers comme dans toutes les autres catégories. Néanmoins cette accession à la consommation a ses limites. Elle est moins bien perçue par les ouvriers que chez d'autres, elle n'est durablement acquise qu'à crédit, elle bouleverse moins les genres de vie que chez les agriculteurs, et surtout une conscience de classe minimale se perpétue sur un durable constat : l'ouvrier n'a pas la maîtrise de son avenir économique, à la différence du paysan ou du travailleur indépendant qui tente l'aventure de la productivité, car, l'exploitation du travail étant toujours active, le progrès technique n'entraîne pas automatiquement une élévation du revenu; l'aisance doit être arrachée par la négociation ou le conflit, protégée contre la hausse des prix, indéfiniment menacée et reconquise pied à pied. Dans un système qui l'enserre, l'ouvrier plus que jamais ne peut que vendre sa force de travail et défendre ce qu'en échange on lui concède de mauvaise grâce.

C'est au jour le jour qu'il faut apprendre la patience et intérioriser sa différence. Seuls les nouveaux venus se font encore d'utiles illusions. Les ouvriers d'origine agricole[2] qui ont eu l'audace de rompre avec leur milieu croient plus que les autres aux ténacités individuelles qui bousculeront les barrières sociales

---

1. Pour l'ensemble des ouvriers, l'évolution en indice du pouvoir d'achat du revenu mensuel net est la suivante (indice 100 en 1962) :

PARIS	1949	1956
célibataire	56	86
père de 2 enfants	66	91
père de 5 enfants	74	94
PROVINCE		
célibataire	57	84
père de 2 enfants	67	84
père de 5 enfants	72	93

2. Voir A. Touraine et O. Ragazzi (130), p. 117.

et les hiérarchies de travail. Leur entrée à l'usine comme manœuvre ou OS est la première victoire de l'ascension, ils transposent un reste d'optimisme sur leurs enfants qu'ils « poussent » : la mobilité conserve ici une part de la vitesse acquise par la rupture initiale. Par contre, pour toutes les couches plus anciennes du monde ouvrier, les possibilités de sortir de sa condition, fût-ce par enfants interposés, sont faibles : en 1958, un fils d'ouvrier a 4 chances sur 5 de rester salarié, 3 sur 5 de demeurer ouvrier; les centres de formation professionnelle pour adultes piétinent lamentablement, accueillant 23 000 stagiaires en 1949 et 27 000 en 1958, l'enseignement technique n'a pas d'âme et les conservatoires des arts et métiers laissent filtrer goutte à goutte quelques promotions par cours du soir. Comme, on l'a vu, le mouvement syndical n'entend plus se substituer aux pouvoirs publics dans la formation technique et culturelle de tous ses adhérents, que les employeurs répugnent à accorder les « congés-éducation » prévus par la loi en 1957, bien des issues sont bouchées. Mais cette impasse sociale n'entretient pas la résignation : une caractéristique fondamentale de la condition ouvrière, toutes diversités confondues, comme l'ont alors bien montré Andrieux et Lignon [1], et quoi qu'en disent ceux qui entendraient figer la classe prolétarienne dans son seul avenir messianique, est le désir forcené d'en sortir, soi-même ou à la prochaine génération, en gagnant plus, en s'établissant à son compte, en grignotant du loisir plus ou moins rentable, par absentéisme, jardinages ou bricolages au noir, en rêvant que la frustration n'aura qu'un temps.

La vie quotidienne maintient toutefois de solides barrières sociales. L'enquête menée par Paul-Henry Chombart de Lauwe et son équipe en 1950-1954 [2] relève souvent des conditions lamentables. Au travail, après les grandes grèves de 1947-1948 qui ont laissé le souvenir d'une amère déception, la reprise en main accentue le sentiment de dégradation et d'instabilité du métier : un ouvrier sur 2 souhaite s'élever professionnellement et bute sur les hiérarchies, 3 non-qualifiés sur 4 préféreraient changer

1. Voir A. Andrieux et J. Lignon (135).
2. Voir P.-H. Chombart de Lauwe (133).

de métier, mécontents et mal à l'aise. C'est le plus souvent impossible, par manque de perspective dans l'entreprise ou dans la profession, d'autant que le conflit est toujours latent avec la femme et la famille, qui attendent une paye peut-être médiocre mais sûre pour consommer mieux, équiper le ménage ou acheter l'automobile. La faiblesse du chômage ne résout pas par ailleurs la question de l'emploi : 2 ouvriers sur 3 interrogés ont changé de 4 à 11 fois de place depuis qu'ils travaillent, quand une promotion est refusée ou qu'un chef s'est acharné sur eux, qu'un sentiment de régression ou d'humiliation a porté au coup de tête du départ brusqué ou qu'un renvoi a réglé de vieux comptes. De même, avec d'infinies variantes qui tiennent à la force du syndicat dans la « boîte », les mal qualifiés soulignent la distance qui s'est installée entre eux et les délégués ou responsables syndicaux; les militants vivent toujours aussi difficilement leur vie de réunions et de menace sur l'emploi si la femme n'est pas d'accord ou suit mollement; beaucoup sont très désabusés sur le rôle d'alibi des comités d'entreprise[1], dont les pouvoirs économiques et de consultation s'amenuisent et qui deviennent insensiblement des gérants d'œuvres sociales utiles, arbres de Noël et colonies de vacances pour les enfants dans les grosses firmes, petite coopérative, bibliothèque ou caisse de secours. Le travail est toujours le point de référence qui marque une vie et l'épreuve quotidienne qui la gâche.

Mais le foyer, la famille et le loisir auxquels ne peuvent être consacrées que trois heures en moyenne par jour, plus le sommeil, constituent toujours l'autre pôle de l'existence. Chez un jeune couple, la femme travaille souvent, plus sensible encore au bruit, aux cadences, aux rivalités et aux humiliations de l'usine, surexploitée dans le cas d'un travail à domicile. Que viennent des enfants et qu'elle conserve un emploi à l'extérieur, c'est le harassement par la charge supplémentaire du travail domestique : la semaine de travail dépasse 80 heures, l'entretien du ménage se fait plus lourd et conduit très souvent à l'abandon du travail à l'extérieur

---

1. Voir M. Montuclard, *la Dynamique des comités d'entreprise*, CNRS, 1963, et M. Combe, *l'Alibi. Vingt ans d'un comité central d'entreprise*, Gallimard, 1969.

quand un mi-temps n'est pas envisageable. Journées plus hachées encore que celles de l'homme, à peine coupées de quelques pauses entre femmes autour d'un café, d'un tricot ou de la presse du cœur. L'enfant non scolarisé enferme davantage le couple sur la vie à la maison, il grandit dans des conditions parfois difficiles de promiscuité et de tension, subit plus fortement un système d'interdits et de récompenses moralisants, sans que les parents rompent nécessairement avec l'ouverture du foyer à la camaraderie et à l'humour. Les conditions très difficiles de logement assombrissent toutefois ces dispositions heureuses. Logée «normalement», une famille de manœuvre n'a que 7 m² par personne dans la région parisienne; les minables hôtels meublés, les immeubles vétustes et, pis, les bidonvilles pour les étrangers abritent encore beaucoup de familles ouvrières avant 1954. En 1956, 36 % des logements ouvriers sont surpeuplés, contre 24 % pour les employés et 16 % pour les cadres moyens. Si la situation ensuite s'améliore avec la politique des grands ensembles et l'aide des entreprises, se loger décemment et à loyer honnête demeure le souci fondamental, l'accession à la propriété restant encore exceptionnelle. Ségrégation toujours solide des quartiers dans les centres urbains, départs nécessaires vers les banlieues nouvelles, allongement des temps de transport, isolement scolaire et moins bonne qualité des services collectifs, malgré les efforts des municipalités : la ségrégation ouvrière joue ici à plein comme jadis, seule la frange la plus favorisée pouvant la briser.

Dès lors, on comprend mieux le désir d'évasion, professionnelle et familiale, l'automobile résumant déjà toutes les aspirations à la promenade du dimanche ou à l'entretien des sociabilités locales, puisque les vacances ne sont pas encore de règle : en 1958, si 90 % des ouvriers ont pris un congé payé, 30 % seulement ont quitté la maison pendant sa durée. On perçoit aussi que ce foyer souvent médiocre puisse être le conservatoire des habitudes de classe autant que le reflet des modes de consommation. Son équipement, facilité par le crédit accessible et tout particulièrement par les bons de « la Semeuse », est normalisé par la production de masse : ustensiles, appareils, ameublement, décoration distinguent moins le logement ouvrier qu'auparavant. Mais les pratiques alimentaires quotidiennes, partiellement abandonnées le dimanche et pour les repas de fête, ont moins évolué. La famille ouvrière peut consacrer moins de dépenses à son alimentation que d'autres catégories sociales, au moins jusqu'en 1955, mais a dès longtemps choisi ses aliments types : la viande rouge indispensable pour « tenir le coup » au travail, les légumes secs qui « tiennent au corps », moins de fruits et de légumes verts mais beaucoup de salade, le sucre, le vin, tout ce qui soutient et « fortifie », dans une soumission aux impératifs du travail dont on a tiré fière habitude. De même, face à l'envahissante culture de masse qui les touche particulièrement, quelques groupes issus d'un long passé de particularisme culturel peuvent encore maintenir des formes de loisir originales, liées au statut de travailleur manuel mais offrant d'indispensables compensations sociales. Dans le Nord, l'Est ou le Centre, conservatoire des coutumes des vieilles classes ouvrières, fanfares, réseaux de colombophiles, cercles ou clubs sportifs, une foule d'associations en déclin et dont la maîtrise glisse aux mains des enseignants ou des classes moyennes, témoignent, un peu erratiques, de la résistance d'un loisir proprement ouvrier[1]. Ainsi, jusqu'au cœur de la vie privée, les ouvriers demeurent dans les années cinquante en situation de transition. Le groupe se diversifie, sous la double pression des modifications du travail industriel et de l'aisance relative qui favorisent clivages internes et intégration globale à la société nouvelle. Et pourtant, les mécanismes d'exclusion économique et socioculturels jouent encore pour l'isoler derrière de solides barrières. Plus à l'aise mais mal intégrés, les ouvriers ne peuvent pas profiter pleinement des fruits de la croissance.

L'expansion des classes moyennes.

Par contre, dans la nébuleuse des classes moyennes, mobilité et progrès sont dans l'ensemble mieux à l'aise. L'évolution de

---

1. Voir, par exemple, J. Frisch-Gauthier, *la Colombophilie chez les mineurs du Nord*, CNRS, 1961. Cette résistance est assurément plus forte qu'en milieu rural, où les vieilles sociabilités et le folklore s'éteignent, livrés aux notables et aux érudits, dédaignés par les paysans modernisés. Avant un réveil dans les années soixante. Voir M. Agulhon et M. Bodiguel, *les Associations au village*, Actes Sud, 1981.

l'économie et de la gestion de la société justifient son extension : multiplication des services, bureaucratisation de toute production, essor de l'information, de la protection sociale, de l'administration et du savoir, promotion du salariat et de sa mensualisation. Cette tertiarisation accrue de l'activité dynamise cette zone malléable de la stratification sociale. On sait la traditionnelle hétérogénéité de cet ensemble, qui mêle des salariés et des professions indépendantes, des activités de production et de service, des travailleurs manuels et intellectuels, receveurs ou fabricants de plus-value, et que ne soude pas tout à fait la fierté de posséder un bien qui met à l'abri du besoin, un diplôme qui définit une compétence et un exercice du travail personnel qui permet une relative liberté de choix et d'initiative. L'échec progressif d'un « Comité national de liaison et d'action des classes moyennes », lancé en 1947 pour refuser l'alignement sur le régime général de Sécurité sociale, concrétise l'incompatibilité de leurs intérêts matériels face aux aléas de la production, de l'inflation et des politiques salariales. Cette « petite » ou « moyenne » bourgeoisie que les marxistes insèrent si mal dans leurs classifications [1] est plus que jamais rebelle à l'analyse dans les années cinquante. Mais son expansion délimite un large espace à la respiration sociale, ses doutes et ses crises après l'euphorie d'après-guerre ont des répercussions politiques immédiates, visibles dans les agitations du secteur public ou dans le mouvement Poujade, l'État persévère à reconnaître son autonomie et son particularisme en agissant très faiblement et en douceur en dehors de la sphère du secteur public. Moins bien connues que les ouvriers et les paysans, les classes moyennes reflètent pourtant plus que toutes autres le dynamisme français. Avec toutefois une rude ventilation des perdants et des gagnants. Des quatre groupes sociaux qui les composent, les artisans et petits patrons de l'industrie et du commerce, la plupart des employés, les professions libérales et les cadres, seuls les deux derniers sont nettement avantagés par l'expansion, on l'a vu dans leur consommation et leurs revenus. Ailleurs, l'adaptation est conflictuelle.

1. Voir la meilleure tentative de C. Baudelot, R. Establet et J. Malemort, *la Petite Bourgeoisie en France*, Maspero, 1974.

Chez les 2 300 000 patrons de l'industrie et du commerce de 1954 selon la classification de l'INSEE, dont il faudrait pouvoir défalquer avec exactitude grands patrons et gros commerçants appartenant à l'évidence à la classe supérieure, la notion de classe moyenne ne s'applique utilement qu'à environ 1 450 000 petits et moyens commerçants et à 750 000 artisans, soit 11,5 % de la population active. Ils traversent à partir de 1950 une crise dont on a vu les effets politiques à l'heure du poujadisme, dès que l'échoppe et la boutique sont concurrencées par les magasins à succursales, l'industrialisation de certaines fabrications, des concentrations multiples, la fin des pénuries et un tassement de l'inflation : en 1962, la catégorie a globalement perdu 300 000 personnes, petits commerçants et artisans se répartissant seuls également les pertes. La libération des échanges, la multiplication des biens, de nouvelles habitudes chez le consommateur, jettent tous ces vendeurs dans une concurrence généralisée et proprement capitaliste à laquelle les facilités des années de restriction ne les avaient guère habitués. Ils s'en plaignent, invectivent, mais ne sont pas nécessairement toujours perdants, entraînés malgré eux dans les choix expansionnistes après 1953-1954, s'adaptant au prix de mille efforts. Mais, plus que les classes supérieures ou les ouvriers, cette génération bousculée, dont 38 % des membres observés en 1964 avaient succédé à leur père, craint un naufrage général et accentue donc en faveur de ses enfants ses ambitions sociales : elle force pour eux les portes de l'enseignement supérieur, les pousse vers les professions libérales et les cadres, mais n'enraie pas un processus de prolétarisation qui frappe déjà en 1959 pratiquement 4 d'entre eux sur 10, qui deviennent employés ou ouvriers. Ce groupe traditionnel désormais instable vit donc très intensément les chances et les aléas du progrès, sa viscosité y multiplie les chances de promotion et d'échec. Il installe une zone de turbulence sociale, est tenté par l'activisme voyant comme par l'acharnement discret à « s'en sortir ».

La situation est inverse mais tout aussi fluide dans le monde des employés [1]. Il est en forte expansion numérique avec 2 mil-

1. Voir R. Sainsaulieu, « Les employés à la recherche de leur identité », dans Darras (107), p. 296-308.

lions de salariés en 1954, 2,4 en 1962, soit 10,7 puis 12,4 % des actifs; il devient le troisième groupe professionnel en nombre après les paysans et les ouvriers et l'élément le plus nombreux des classes moyennes, y supplantant les petits patrons. Jadis leur petit nombre garantissait aux employés le privilège du mimétisme social. Au fond de la boutique, dans l'ombre du patron, ils aspiraient à lui succéder; voyageurs et représentants pouvaient devenir cadres. Mais les employés de commerce, gagnés eux aussi par la plasticité sociale de leurs employeurs, sont désormais très nettement supplantés par les employés de bureau, qui emplissent les entreprises et les administrations. On perçoit à l'époque, et les enquêtes sociologiques affineront cette prise de conscience [1], quelle mutation du travail et quelle chance d'ascension sociale affirment leur omniprésence. Dans l'entreprise, l'employé classe et fait le courrier, démultiplie l'information et la mémoire, expérimente les techniques de gestion : si l'on hésite à ranger la dactylo dans les classes moyennes, la mécanographe bien formée, le comptable sur machine, déjà l'informaticien, le statisticien ou le dessinateur de bureaux d'étude en font partie sans nul doute, par le revenu comme par la mentalité ou le statut assumé. Le secteur public, si longtemps à la traîne depuis Courteline, installe lui aussi, dans l'extension des pouvoirs de l'État-Providence et des collectivités locales, les mêmes préposés à la régulation et à l'étude sur des nouvelles bases technologiques : Sécurité sociale, urbanisme, secteur nationalisé, démultiplient le rôle des bureaux d'étude, des services d'information et de statistique. Assurément, bien des besognes demeurent d'exécution et l'usage de techniques nouvelles n'a pas toujours créé des compétences, la définition très strictement hiérarchisée des emplois et de la vie de bureau diminue les chances de promotion interne. Que ces professions soient à plus de 50 % féminines entretient la pratique des bas salaires et n'offre qu'aux hommes la priorité pour accéder au statut de cadres. Cette féminisation peut être aussi signe et effet d'une perte de prestige professionnel. Et bien des employés ont perdu, au moins pour le salaire, une part de

---

1. Celles tout particulièrement de Michel Crozier. Voir (140).

leur prestige ancien face aux ouvriers qualifiés[1]. On pourrait donc hésiter à les agréger aux classes moyennes. Pourtant, tout les pousse à en imiter les comportements et à en partager le statut. Un meilleur équipement des ménages pour l'automobile, les appareils ménagers ou l'habillement, les logements de 50 % moins surpeuplés, le niveau d'instruction et l'appétit de consommation culturelle, le loisir et les vacances, les éloignent du monde ouvrier. A l'aise dans leur travail, malgré ses aspects monotones, soucieux de faire carrière, sécurisés par la mensualisation et souffrant moins du chômage, disposant du bagage intellectuel qui les intègre plus facilement à la culture dominante et au moule scolaire, ils cultivent à la fois malaise face aux ouvriers et volonté d'identification aux classes supérieures. Statut type d'une catégorie intermédiaire. Le monde des employés est en fait un sas qui fonctionne bien, la mobilité sociale y est plus grande que dans tout autre milieu socioprofessionnel, il constitue la couche inférieure fertile des nouvelles classes moyennes.

Les cadres, eux, ont le nombre : ils représentent environ 40 % des effectifs des diverses catégories moyennes. Leur masse les rend capables de modifier les équilibres internes, d'afficher les mentalités les plus conquérantes, d'être des modèles pour toutes les couches moyennes. Salariés dotés de grandes responsabilités, ils ne maîtrisent pas cependant la marche de l'entreprise ou du service. Mais leur poids dans les firmes est proportionnel au degré de modernité de la branche : ils forment 3 % des salariés dans les mines, 5 % dans le textile mais 15 % dans la mécanique et près de 20 % dans l'électricité, le pétrole et les banques. Ils tirent leur force de leurs connaissances et de leurs aptitudes techniques mises au service d'un ensemble productif et gestionnaire où ne se dessine guère encore la « technostructure » qui se façonne aux États-Unis. Mais tout les met en valeur et en vedette dans la course à la promotion et à l'identification sociales, leur détachement face à la propriété ancienne et à la tradition profession-

---

1. Ils peuvent alors mener comme les ouvriers de forts mouvements revendicatifs. Ainsi la grève de juin-juillet 1957 des employés de banque, animée par la CFTC, FO et la CGT, qui s'achève sur une demi-victoire (5,5 % d'augmentation des salaires sur les 12 % demandés).

nelle, si vives encore chez les commerçants et les artisans, leur consommation ostentatoire et bien guidée par la mode, leur sens du *management* à l'américaine [1], leur opiniâtreté surtout à défendre la sécurité de leurs revenus et la garantie collective des risques sociaux. En 1957, 82 % des cadres supérieurs et 37 % des cadres moyens ont un revenu mensuel supérieur à 85 000 francs, contre 3 % des employés et 2 % des ouvriers : prestige par l'argent. C'est leur CGC fondée en 1945, plus que les faibles syndicats de cadres insérés dans les centrales ouvrières, qui a mené la lutte contre l'État pour obtenir un régime complémentaire de Sécurité sociale et d'assurance-vieillesse en 1947 et 1948, tandis que les autres groupes des classes moyennes, les commerçants et les artisans en particulier, se défendent mal et restent en dehors du système de garantie minimale du risque maladie et que les employés s'alignent sur les autres salariés du régime général : corporatisme modèle. Prestige du diplôme, bon usage d'une culture d'héritiers, une femme de ménage et peut-être une bonne, la voiture pour éviter les transports en commun, les magazines, les disques microsillons, souvent le bridge et le tennis, bientôt la télévision, la résidence secondaire et déjà la propriété de l'appartement principal et le téléphone : enviable isolement par la culture, la sociabilité, le loisir et le mode de vie. Les cadres, insensiblement, font entrevoir aux couches moyennes les rives d'une nouvelle bourgeoisie de salariat.

Puisamment rassemblé par une fière idée d'eux-mêmes, ils ont néanmoins des statuts très divers. Les cadres moyens sont en pleine expansion : 1 100 000 en 1954, 1 500 000 en 1962. Et au cœur des nouveaux processus de productivité : les techniciens, agents de maîtrise et contremaîtres donnent le gros des nouveaux venus, doublant leurs effectifs de 280 000 à 560 000 aux mêmes dates. Sont en essor moins spectaculaire mais tangible les cadres administratifs (520 000 à 590 000), les instituteurs et les professions paramédicales ou intellectuelles « diverses » (environ 300 000 à 350 000), conglomérat tiraillé, strictement salarié,

---

1. Voir L. Boltanski, « America, America... Le plan Marshall et l'importation du *management* », *Actes de la Recherche en sciences sociales*, mai 1981, p. 19-41, et (143).

hiérarchisé, plus attaché à l'entreprise et qui ne répugne pas néanmoins à la compétition et à la formation continue. Les cadres supérieurs progressent au même rythme : 430 000 en 1954, 630 000 en 1962. La valeur absolue de ces chiffres révèle l'ardeur des entreprises et des administrations à se donner des états-majors techniques étoffés et compétents, et l'effort pour diffuser un bon enseignement de haut niveau (aux mêmes dates, 77 000 à 120 000 professeurs et professions littéraires et scientifiques, 353 000 à 510 000 ingénieurs et cadres administratifs supérieurs). Sans se laisser abuser par la taxinomie grossière et parfois incohérente de l'INSEE qui fonde ces ordres de grandeur, que le nombre des ingénieurs de fabrication, des directeurs, des chefs de bureaux d'études, des agrégés et des chercheurs, des énarques et des fonctionnaires supérieurs s'accroisse proportionnellement quatre fois plus vite que celui des ouvriers et des professions libérales révèle l'ampleur de la révolution du *management* privé et le dynamisme de la gestion publique dans la France nouvelle. Que 55 % de ces décideurs habitent la région parisienne laisse par contre à penser sur l'avenir de la décentralisation. Qu'ils reçoivent à eux seuls 10 % de la masse salariale totale montre en revanche qu'on n'est pas ingrat avec eux.

Gardons-nous cependant d'une vision trop euphorique de la situation des cadres : le choc de la modernisation impose des priorités et des adaptations brutales, les héritages et les privilèges acquis entretiennent encore un malthusianisme néfaste. Leur statut professionnel peut être incertain et menacé. Ainsi, la profession de journaliste, restaurée à la Libération sur les fragiles bases du statut de 1935, ne s'est pas toujours adaptée à la nouveauté. L'amateurisme ou le cumul y prolifèrent, elle est mal protégée : au recensement de 1954, près de 12 000 personnes affirment en faire partie, alors qu'en 1958 le chiffre total des journalistes salariés ou pigistes atteint tout juste 8 000. Unité précaire, très large renouvellement et rajeunissement de 50 % de ses membres depuis 1945, éparpillement des salaires et des responsabilités de Paris à la province, de la presse écrite à la radio-télévision, formation hétérogène (l'écart se creusant entre l'amateur à la plume agile et le vrai professionnel formé par le jeune Centre de formation des journalistes), une syndicalisation faible :

es journalistes naviguent encore à vue entre deux mondes[1]. Les chutes de prestige social ne sont pas rares, en particulier dans la fonction publique. Par exemple, les 5 000 magistrats de 1954 conservent une bonne cohérence sociale et géographique (80 % d'entre eux sont issus des classes moyennes ou supérieures et plus de la moitié sont originaires du Midi). Mais le corps des officiers subit toutes les difficultés, un recrutement socialement très étroit (près de 60 % sont fils de militaires ou de fonctionnaires) et de niveau plus médiocre, un blocage des carrières après la guerre, un pouvoir d'achat des soldes qui se restreint, des vies familiales et sociales déséquilibrées au hasard des affectations, sans parler de la crise psychologique et morale que font naître les guerres coloniales et l'isolement dans la nation[2]. Enfin, les besoins nouveaux de la société peuvent être mal compris. C'est ainsi que dès 1956 il aurait fallu 28 000 ingénieurs nouveaux s'ajoutant aux 110 000 en activité pour peupler et développer encore les bureaux de méthode, les services de marketing, les sièges sociaux et les ateliers. Or, avec 4 000 nouveaux diplômés par an, les Grandes Écoles et le Conservatoire des arts et métiers assurent tout juste le remplacement des départs à la retraite et les urgences : à ce rythme, il faudrait plus de trente ans pour donner au pays ces cadres indispensables. La profession vieillit (près de 60 % des ingénieurs ont plus de 45 ans et ont été formés dans l'euphorie des années vingt), elle piétine, avec des effectifs à peine supérieurs à ceux de 1937 : cette pénurie offre de bons salaires à ceux qui sont en activité mais trahit une mauvaise adaptation du corps à ses missions nouvelles et un filtrage social par les concours tout à fait stérilisant[3].

On retrouve souvent sélection, corporatisme et privilège chez les professions libérales ou à statut. Celles-ci rassemblent approximativement 125 000 personnes en 1954, à peine 135 000 en 1962, pas beaucoup plus que dans les années trente. Le poids du passé et celui de groupe ici se conjuguent pour défendre les

1. Voir B. Voyenne, « Les journalistes », *Revue française de science politique*, décembre 1959, p. 901-934.
2. Voir R. Girardet (70).
3. Voir F. Jacquin (144), et A. Thépot, « Quels ingénieurs pour la modernisation ? », dans (8).

avantages acquis. On en a vu un exemple à propos du corps
médical face aux impératifs sociaux de la santé[1]. Mais Vichy
a organisé en ordres quasi féodaux une quinzaine d'autres professions, et la IVe République a entériné, leur déléguant de considérables pouvoirs d'organisation, de réglementation et de recrutement, les assurant de tous les bienfaits de la protection sociale
mais fermant les yeux sur une fraude fiscale très répandue et
portant vraisemblablement sur 25 % des revenus, alors qu'à
statut égal les cadres salariés sont bien plus surveillés. Se péren-
nisent ainsi, bien protégés, les 37 000 membres en 1954 des professions libérales : juristes, notaires, avoués, experts-comptables,
avocats aux effectifs stagnants; conseillers juridiques et fiscaux,
professions techniques, géomètres et architectes amorçant leur
expansion numérique. Ce monde du *numerus clausus* engrange
les bienfaits de la croissance mais ne contribue pas toujours à
les accroître.

Le kaléidoscope des classes moyennes révèle ainsi la force
de la modernité, mais tout autant la lourdeur de privilèges anciens.
Favorisées ou non, ces couches centrales qui s'identifient plus
que toutes autres aux nouvelles normes d'une société d'expansion
économique et de mieux-être social, reproduisent sans le savoir
les vieilles règles de la mentalité bourgeoise telles que Goblot
les posait en 1925, celles de la barrière et du niveau. Toutes croient
à la sanction du diplôme, pour elles ou pour leurs enfants, sont
très sensibles au statut, à l'avantage acquis et au paraître. Mais
doivent adapter toutefois ces vieux impératifs aux formes nouvelles de la reconnaissance sociale. La frontière du salariat y
sépare désormais brutalement les gagnants et les perdants, professions libérales exclues : victoire de l'élan collectif vers l'expansion. La force du groupe leur permet de tenir tête à l'État
envahissant : privilège de la compétence. Mais dans le même temps,
leur mentalité et leur mode de vie imbibent une fonction publique
aux effectifs stables (1 300 000 en 1956 comme en 1947) et mieux
ventilés vers les activités de formation ou d'encadrement de la
production, protégée par un solide statut en 1946, soumise davantage à l'exigence du diplôme, même si sa situation matérielle ne

1. Voir *supra*, p. 218-219.

progresse guère. Enfin, leur insertion gourmande dans la consommation de masse sait préserver d'indispensables « signes de niveau ». Malléables et expansionnistes, sans valeurs propres mais forte caisse de résonance des modes et des aspirations communes, elles maîtrisent pour une bonne part l'avenir social.

La mobilité sociale et les élites.

Cette description statique des catégories socioprofessionnelles devrait évidemment être animée : on rêve de pouvoir mesurer sur une longue durée le rythme et l'ampleur de la mobilité sociale et d'y faire la part de l'expansion économique. Nous ne disposons, hélas, pour la période antérieure à 1958 que de quelques instantanés, pour l'essentiel un sondage de l'INED portant sur 3 000 hommes en 1948, un autre de l'INSEE en 1953 sur 6 000 personnes, alors que la croissance des années soixante a suscité des enquêtes plus largement échantillonnées, en 1964 et en 1970, toujours par l'INSEE[1]. Ces rares coupes transversales n'adoptent pas toutes la même classification et ne poursuivent pas les mêmes buts; leur comparaison historique est délicate et leurs chiffres doivent être reçus comme des ordres de grandeur et de simples indications sur des mouvements lents et diversifiés à l'extrême. Elle n'a quelque signification que sur un seul calcul, celui de la proportion des fils exerçant la profession de leur père ou appartenant à la même catégorie qu'eux : la mobilité qui s'en dégage est donc corsetée dans des classements grossiers, fondée sur le seul critère de l'activité professionnelle et ne tient pas compte des mille nuances non comptabilisables de la respectabilité, des sociabilités socioculturelles ou des relations familiales, de cette appartenance à des réseaux aussi

---

1. Voir M. Bressard et A. Girard, « Mobilité sociale et dimension de la famille », *Population*, 1950, n° 3 et 1951, n°1; *Bulletin mensuel de statistique*, oct.-décembre 1954, supplément; M. Praderie, R. Salais et M. Passagez, « Une enquête sur la formation et la qualification des Français (1964) », *Études et conjonctures*, 1967, n°2, et M. Praderie, « Héritage social et chances d'ascension », dans Darras (107), p. 330-348; R. Pohl, C. Thélot, M.-F. Jousset, « L'enquête formation-qualification professionnelle de 1970 », *Démographie et emploi*, INSEE, 1974.

importante sans doute que le revenu et le travail pour apprécier
la mobilité d'un individu ou d'un groupe. Il faut bien s'en contenter en attendant d'autres travaux, mais sans être tout à fait dupe.

Le tableau ci-contre propose une approximation pour 1953. On y
distingue aisément les zones étanches de circulation sociale. Les
agriculteurs battent tous les records de fixité, avec plus de 90 %
de fils succédant à un père terrien, suivis par les ouvriers agricoles, les ouvriers d'industrie, les artisans et les commerçants,
pour lesquels la proportion est d'environ 50 % : l'exode rural
et la crise de la distribution ne frappent pas encore au vif ces
catégories traditionnellement enfermées dans leur ghetto, mais
artisans et commerçants sont capables déjà de recevoir 40 %
de leurs effectifs du monde agricole ou ouvrier, sans doute dans
la multiplication des détaillants aussitôt après la Libération.
A l'autre extrémité de la chaîne, industriels et professions libérales au taux de reproduction dépassant 40 % sont déjà très
repliés sur eux-mêmes, n'accueillant en nombre appréciable
que des fils d'artisans et commerçants. Au cœur du dispositif,
le rôle décisif du secteur tertiaire dans la mobilité est donc visible,
dans l'ouverture de l'éventail des chiffres : les personnels de
service sont en état de transit, bien alimentés par les artisans et
commerçants, les ouvriers et les agriculteurs en déclassement ;
les cadres moyens puisent dans les catégories les plus proches,
employés, artisans, commerçants et ouvriers, les trois quarts
de leurs effectifs et sont capables à 90 % de se reventiler à la
génération suivante ; les employés jouent comme eux le rôle
de sas, un peu plus facilement encore, puisqu'ils sont issus à
90 % des catégories les plus voisines d'eux ; les cadres supérieurs
amorcent une crispation comparable à celle des professions libérales mais sont encore capables de puiser assez loin leur énergie,
les ruraux exceptés. Au total, une mobilité médiocre, puisque
en moyenne de toutes les catégories 42 % des fils demeurent à
la même place que leurs pères, et d'amplitude faible, l'essentiel
de la circulation se limitant au passage d'une catégorie à la catégorie voisine, supérieure ou inférieure, les classes moyennes jouant
le rôle moteur dans le brassage.

Ces règles ne sont pas rendues caduques par l'expansion économique : préface à ce blocage de la société française si sou-

LA MOBILITÉ SOCIALE EN 1953

CATÉGORIES SOCIO-PROFESSIONNELLES DES ENQUÊTÉS	PROFESSIONS DES PÈRES en pourcentage								
	industriels et professions libérales	cadres supérieurs	cadres moyens	employés	artisans et petits commerçants	ouvriers	cultivateurs	ouvriers agricoles	personnel de service
industriels et professions libérales	41	7	4	7	19	9	10	1	0
cadres supérieurs	11	22	10	17	15	11	6	1	4
cadres moyens	3	6	9	14	16	33	11	0	6
employés	3	4	6	13	17	33	13	4	5
artisans et petits commerçants	2	1	2	3	49	20	15	6	1
ouvriers	1	0	1	5	11	53	15	9	4
cultivateurs	0	0	0	1	3	3	88	4	1
ouvriers agricoles	1	0	0	0	6	13	32	45	2
personnel de service	1	2	4	4	12	44	19	8	5

Source : P. Laroque, *Succès et faiblesses de l'effort social français*, Colin, 1961, p. 299.

vent observé et dénoncé vers 1968[1]. En comparant grossièrement
la proportion des fils ayant la profession du père en 1953, puis
lors de l'enquête de 1964 qui porte sur des hommes de 30 à 40 ans
déjà en activité en 1959, et enfin en 1970, on observe sans doute
une accélération de la mobilité, liée à la croissance : les 42 %
des fils ayant la même profession ou catégorie que leurs pères
deviennent 34 % en 1964 comme en 1970, la mobilité a gagné
8 % dans la société et ne contourne plus qu'un actif sur 3. Mais
si son ampleur s'accroît, son amplitude diminue : l'oscillation
s'installe dans quelques zones de transit sans malaxer trop
vigoureusement une pâte sociale qui n'a pas autant levé qu'on
pouvait le croire. A ce blocage, deux raisons. L'une tient à la mar-
ginalisation persistante des ouvriers : les fils d'ouvriers seront
ouvriers à 53 % en 1953, 68 % en 1959-1964 et 61 % en 1970, per-
pétuant une terrible exclusion. L'autre est liée à la crispation des
cadres supérieurs qui rejoignent industriels et professions libérales
dans la consolidation familiale et quasi dynamique de leur supériorité sociale : 41-42 % en 1953, 35 % en 1959-1964 (c'est l'appel
d'air du second souffle de la modernisation) puis 52 % en 1970. Et
l'asphyxie gagne déjà les cadres moyens avec respectivement
9, 32 et 30 % aux mêmes dates : 9 sur 10 venaient d'autres horizons sociaux en 1953, 7 sur 10 seulement en 1970. Si bien que,
pourtant mieux oxygénée et brassant un plus grand nombre
d'individus, la respiration sociale pouvait bien ne plus être que
halètement dans les franges inférieures des classes moyennes
et les catégories inférieures. Tandis que les employés continuent
imperturbablement à aiguiller de forts contingents sans les retenir (13, 15 et 13 %, dans une remarquable fixité), artisans et
commerçants (49, 24 et 29 %), salariés agricole (45, 24 et 14 %)
et surtout agriculteurs perdant la moitié de leur capacité de
rétention sociale (88, 41 et 40 %) jettent sur le marché de la mobilité des masses considérables d'individus qui ne peuvent plus
entamer qu'une migration limitée. Ainsi le risque d'ankylose
n'est pas mince, les nouvelles élites se stabilisent vite, les classes
inférieures sont vigoureusement délestées mais les classes moyennes
ne les accueilleront qu'à moindre coût social, leur ascension

1. Voir en particulier M. Crozier, *la Société bloquée*, Éd. du Seuil, 1970.

st faible, tandis que les déclassements se font moins rares d'un
bout à l'autre de l'échelle. Ces observations, rappelons-le, ne
portent que sur la profession. Peut-être y eut-il une compensation
par la consommation et le paraître? Cette société a sans aucun
doute été bousculée par la croissance, mais les vieux réflexes
hiérarchiques y sont dès 1958 prêts à rejouer, l'accroissement
du revenu et les possibilités de mieux-être exaspérant peut-être
davantage encore chez tous les frustrés en puissance les méfaits du
prévisible grippage socioprofessionnel. Dix ans plus tard, les événements de mai révéleront la profondeur de ce *new deal* manqué.

On ne s'étonnera donc pas que les règles de la réussite sociale
soient figées dans une moralisante et antique banalité, malgré
l'excitation de la consommation de masse et de l'argent un peu
plus facile chez une majorité de Français. Les conclusions de
l'enquête menée de 1955 à 1958 sous la direction d'Alain Girard [1]
auprès de 3 000 personnalités n'auraient pas désorienté Balzac.
En effet, si les mentalités et les mœurs ont évolué, l'acquisition
de la puissance et de la considération obéissent comme hier
aux règles solides de la normalité bourgeoise. Il suffit d'être
homme, issu d'une famille point trop nombreuse et de préférence
au rang des aînés, d'avoir passé les 45 ans, d'avoir grandi et
œuvré dans une grande ville et une région dynamique, à Paris
surtout plutôt que dans quelque bourgade rurale ensommeillée,
de multiplier ses chances en ayant un père déjà hissé au niveau
immédiatement inférieur à la position sociale visée, mieux encore
en révérant un grand-père déjà atteint par le virus de la promotion,
d'être enfin un bon héritier capable de naviguer dans l'océan scolaire et de ne pas dissimuler ses motivations personnelles : plus
que jamais, Rastignac est enfant de la ténacité et comptable du
patrimoine socioculturel. Toutefois, et la nuance n'est pas mince,
en 1958 il sort plus souvent de l'ENA. Mais ces normes inchangées
de la réussite contribuent à limiter encore la mobilité incertaine
des années cinquante, accentuent même quelques travers durables
de la société : Paris privilégié, la promotion du travail sacrifiée,
et, nous le verrons, l'enseignement ne contribuant guère à la
promotion des plus faibles.

1. Voir A. Girard (147).

Au bout du compte, le pouvoir social serait-il demeuré entre les mêmes mains et les chances s'amenuiseraient-elles de renou veler sa distribution? Autrement dit, avec la reconstruction e la croissance, les classes dirigeantes se sont-elles transformées leur impérialisme est-il disputé et de nouvelles élites émergent elles? Depuis la saignée de la guerre de 1914-1918 et les soubre sauts de la crise des années trente, les élites bourgeoises tra ditionnelles du pouvoir, du savoir et de la promotion se son affaissées, mal renouvelées par des classes moyennes désemparées numériquement diminuées et incapables de sortir le pays de cett absence de consensus qui conduisit à la défaite de 1940 : à leu manière, les « non-conformistes des années 1930 [1] », les homme de Vichy et ceux de la Résistance avaient tenté de leur substitue des élites de services, des élites communautaires maîtrisant un démocratie et un État régénérés. Mais les urgences de l'après guerre et les impératifs gaulliens du réalisme d'État menèrent on le sait, les maigres troupes de la Résistance à composer ave les anciennes élites pour remettre debout le pays épuisé [2]. L retour des modérés et de la droite au pouvoir, l'euphorie écono mique accentuant ce ralliement désenchanté. Est-ce à dire que l France n'a pas changé de maîtres? En l'absence de toute sérieuse étude d'ensemble de ce problème, on ne peut qu'avancer quelque remarques, dont le rassemblement aboutit cependant à des conclu sions plausibles.

Nul doute d'abord que le critère politique et moral de l'appar tenance à la Résistance ait continûment joué. C'est patent pou les élites politiques : 80 % des parlementaires élus en 1945-1946, les deux tiers jusqu'en 1958, sont directement issus du comba clandestin. Belle mutation, étendue aux entourages ministériels et aux gouvernements, inscrite au reste dans la longue durée sociale, la Libération accélérant la marche assurée des classes moyennes vers le contrôle du pouvoir politique depuis les débuts de la IIIe République [3]. L'isolement des communistes après 1947

1. Voir J.-L. Loubet del Bayle, *les Non-conformistes des années 30*, Éd. du Seuil, 1969.
2. Voir J.-P. Rioux (149).
3. Voir J. Charlot, « Les élites politiques en France de la IIIe à la Ve République », *Archives européennes de sociologie*, 1973-1, p. 78-92.

prise net l'élan des nouvelles élites ouvrières, l'échec de la Corporation de Vichy ruine pour longtemps les ambitions des agrariens, la bourgeoisie classique est disqualifiée avec la droite jusqu'en 1952 : les « couches nouvelles » s'installent, protégées durablement par le label de la Résistance. Brevet de civisme, signe de reconnaissance, celle-ci favorise aussi le déroulement des carrières des fonctionnaires, particulièrement dans l'armée et les Grands Corps, mais semble moins efficace pour celles des cadres supérieurs, des patrons et des professions libérales[1]. Cette variable civique n'a pas supplanté l'origine sociale élevée et le capital culturel comme passeport pour l'élite, sauf pour la classe politique et administrative. De même, la Libération semble pour un temps avoir dégagé de vigoureuses élites syndicales, qui peuplent les commissions du Plan et le Conseil économique, gèrent la Sécurité sociale et les comités d'entreprise, contribuent à gagner la bataille de la productivité; des élites agricoles, on l'a vu; des élites de la communication et de la culture, dans l'essor de la presse et de la radio, le prestige de la science et le magistère des intellectuels de progrès. Mais on s'aperçoit très tôt que leurs ambitions sont limitées à un renouveau de l'encadrement plus qu'à un véritable pouvoir de décision et de reproduction des normes, tant l'élan ascensionnel des classes moyennes est encore fort. Et surtout parce que les anciennes élites ont à travers la reconstruction refait surface, sur des critères de compétence et d'efficacité éprouvés. Les espoirs de 1944 s'estompent : arrivent de nouveaux visages, mais la nécessité d'une élite de l'excellence et du pouvoir n'est plus remise en cause.

Est-ce à dire qu'il y eut retour à la suprématie par l'argent et qu'une bourgeoisie à l'ancienne reprit les rênes à la faveur de la mutation néo-capitaliste de l'économie? Pas si sûr. Assu-

1. Du moins dans l'échantillon, nécessairement incomplet, tiré du *Who's Who* par P. Birnbaum (148), p. 156-159. Les pourcentages d'anciens résistants s'étagent en 1954 de 33 à 48 % pour les militaires et les Grands Corps, aux alentours de 20 % pour les patrons des assurances et des banques ou les professions libérales et 10 % environ pour les patrons de l'industrie et du commerce ou les cadres supérieurs. Les proportions varient peu en 1964, mais en 1974 la relève de cette génération dirigeante est déjà très largement entamée.

rément, la grande bourgeoisie du capital financier et industriel
a retrouvé ses aises. Les Gillet, les Michelin, les Peugeot et les
Wendel composent avec leur temps, semblent diluer leur autorité
dans les formes juridiques de la société anonyme mais se réser-
vent partout les postes clés de leur empire familial. Les maîtres
de grandes banques d'affaires ayant échappé à la nationalisation
savent s'imposer et étendent leur puissance aux rivages européens
ou indochinois, comme par le passé. Et dans toutes les régions
dynamiques, nombre de chefs d'entreprise savent qu'ils ont
mission de lancer le pays dans la modernisation, de gérer la
prospérité et d'exercer leur suprématie en composant avec les
« partenaires sociaux » : la stratégie contractuelle du CNPF
entérine leur solide volonté au long des années cinquante. Mais
tous, et souvent ceux, plus humbles, qui ont su se jeter à l'eau
aux heures chaudes de la reconstruction, n'ont pas rompu avec
l'usage tapageur du pouvoir et de l'argent, manœuvrant les élus,
menant durement leur monde et maintenant leurs privilèges
avec férocité : un Marcel Boussac est à cet égard le meilleur
exemple du patronat éternel ragaillardi par l'expansion [1]. Toutes
ces affirmations mériteraient des vérifications statistiques et
des études locales que nous ne possédons pas encore.

Néanmoins, ces « dynasties bourgeoises » ne peuvent plus
se perpétuer sur les critères qui avaient livré le pays, disait la
gauche, aux « 200 familles » et à leurs milliers d'héritiers potentiels. L'État a avancé ses positions, les groupes socioprofessionnels
mieux encadrés savent exercer leur pression, les salariés aspirent
à être représentés et parfois à contrôler. Au pouvoir brutal de
l'argent et du nom se mêle désormais celui, différent, de la gestion. S'amorce en effet dans les entreprises la révolution des directeurs et des P-DG. Pour la moitié pourvus d'un fort diplôme
d'ingénieur, plus sensibles à l'investissement qu'au patrimoine,
plus soucieux de productivité à long terme que de coupons ton-
dus avec régularité, marquant leur autorité face aux actionnaires
et apprenant à passer contrat avec les salariés, les directeurs
des grandes et moyennes entreprises sont des salariés autant que
des capitalistes, des *managers* autant que des patrons. L'autorité

1. Voir *supra*, p. 182, note.

sociale n'est pas mieux partagée qu'avant, son exercice peut être aussi brutal, mais sa légitimité gestionnaire et technicienne a toutes chances d'être mieux acceptée avec la croissance que les tyrannies ou les paternalismes du seul capital, observés si souvent encore dans d'autres entreprises. L'affirmation de leurs nouveaux pouvoirs dans la lente transition des années cinquante déclenche une furieuse compétition chez les candidats à la puissance, ces classes moyennes dont on a vu l'impatience, et tout particulièrement les cadres supérieurs. Flanqués déjà de quelques hauts fonctionnaires, ils fournissent la quasi-totalité des nouveaux venus de la classe dirigeante, plus que les professions libérales dont on a noté la relative ankylose et que les commerçants ou les cadres moyens incapables encore de sauter si haut à la première génération. En 1954, sur l'échantillon recueilli par Pierre Birnbaum, 59 % des cadres supérieurs couchés au *Who's Who* achèvent leur carrière à des postes de directeur, de P-DG ou de patron, 51 % encore en 1964. Ces « emplois de direction » qui en 1954 mobilisent près de 300 000 personnes, voilà bien les nouvelles élites économiques : des polytechniciens, des financiers, des universitaires heureux (tel ce Georges Pompidou, par exemple, qui passe en 1956 du Conseil d'État à une direction chez Rothschild), des économistes, qui grignotent les positions auparavant acquises plus sûrement par la fortune personnelle, la manipulation du capital ou le mariage. Ultime victoire du savoir salarié.

On distingue même en filigrane les cheminements qui conduisent dans les années soixante ces hommes neufs de la gestion à rencontrer les meilleurs serviteurs de l'État. Car la haute fonction publique a tout autant attiré anciennes ou nouvelles élites : de 1945 à 1954, 60 % des élèves de l'ENA sont fils de cadres, de professions libérales ou de hauts fonctionnaires, 34 % d'employés, d'artisans ou de commerçants et 6 % d'agriculteurs ou d'ouvriers; de 1955 à 1962, les proportions extrêmes varieront de manière significative, respectivement 67, 26 et 7 %. En clair, le petit peuple est toujours écarté mais on a même sévèrement contingenté, après un temps de relative souplesse, l'accès des couches inférieures des classes moyennes : ce verrouillage au plus haut niveau produit une élite aux caractéristiques proches de celles les nouveaux *managers* du secteur privé. Dans toutes les

administrations et le secteur public, les administrateurs civils
sortis de la rue des Saint-Pères ont déjà montré qu'on pouvait
bousculer un peu les habitudes et ne plus assortir le grade et
l'emploi. Un millier d'énarques rôdent dans tous les bureaux
de l'État-Providence, subissent encore la routine mais s'installent peu à peu, rassemblent leur force : élite inachevée, qui n'a
pas encore ses entrées en politique ni autorité complète dans son
domaine propre. Est-ce déjà l'âge de la technocratie? Vraiment
comme le notait Siegfried dès 1956, « une aristocratie de la compétence technique gère la France [1] »? Non, assurément : jusqu'en
1958, le couplet sur la technocratie au pouvoir est anachronique
car l'administration échappe encore très largement à ses règles
et la classe politique ne s'est pas alliée ouvertement à ses vues.
Mais 40 % des énarques ont travaillé au ministère des Finances,
d'autres sont très présents au Travail ou dans les firmes nationali
sées. Des liens matrimoniaux et amicaux se nouent avec le monde
des affaires et de l'industrie. Et bien des dossiers publics ont
désormais de sérieuses imbrications avec le secteur privé. Insen
siblement, un fort esprit de caste, un souci du progrès, une compé
tence gestionnaire, une même origine sociale, forment cette nébu
leuse du pantouflage allié au sens de l'intérêt général, où s'agi
teront dans les années soixante grands commis de l'administra
tion, responsables du secteur public et *managers* du secteur
privé. Ses composantes se cherchent encore sous la IVe Répu
blique, mais les hommes sont là, et décidés.

Ils personnifient assez bien la somme des ambitions et de
échecs depuis 1944. L'élite de pouvoir est toujours installée
Elle s'est cependant renouvelée largement, a trouvé dans la
compétence un critère de recrutement bien plus efficace que la
possession du capital. Mais l'argent éternel n'a pas abdiqué
Anciennes et nouvelles couches dirigeantes ont su faire lit commun
à la faveur de l'expansion. Si les gestionnaires bousculent déjà
les chefs, c'est une promesse de victoire pour l'encadrement de
groupes plus qu'un progrès général de la mobilité sociale.

---

1. A. Siegfried (74), p. 220. Sur les ondes de choc de la Libération, voi
Le elite in Francia e in Italia negli anni quaranta, Mélanges de l'Écol
française de Rome, n° 95, 1983.

8

La « polyculture »

L'élan novateur se serait-il imposé si les individus et les groupes n'avaient pas admis que le capital culturel, autant que la productivité, le revenu ou le statut, était un enjeu et une promesse? Au feu de la croissance et de l'aisance relative, on s'interroge sur la continuité des valeurs qui mobilisent les énergies, sur les savoirs et les croyances qui pourraient en imposer de nouvelles. Car à la massification des biens, des services et des appétits correspond inévitablement celle des besoins culturels, dans un va-et-vient fécond. Sont alors posées spectaculairement de profondes questions : comment transmettre les héritages spirituels privés et publics, vivre et sentir autrement? Non sans déchirements, parfois sans vouloir l'admettre, la France moderne devient une société polyculturelle [1].

La soif d'enseignement.

Le choc atteint d'abord le lieu de transit des impératifs collectifs et des ambitions individuelles et familiales, le système scolaire [2]. On pouvait certes s'attendre que le renouveau démographique d'après-guerre lui posât problème : comment ne pas prévoir que les 800 000 enfants nés en moyenne chaque année depuis 1946, soit un excédent de 250 000 sur les effectifs des classes creuses de l'avant-guerre, frapperaient aux portes des classes maternelles et enfantines dès 1949-1950, de l'enseignement primaire en 1951-1952 et du secondaire en 1957-1958, avant de gagner le supérieur vers 1964? Il serait erroné de croire que cet assaut prit le pays

1. Voir E. Morin (187), p. 13.
2. Voir A. Prost (167), dont nous suivons ici bien des analyses toujours judicieuses.

au dépourvu et qu'une administration insouciante et sans moyen s'endormit dans une coupable imprévoyance : Yvon Delbos Pierre-Olivier Lapie et surtout André Marie, ministres rue de Grenelle de 1948 à 1954, n'étaient pas aveugles. Mais — et leu responsabilité n'en est que plus engagée — ils partagent avec une bonne part de la classe politique et des élites sociales et économi ques une étrange myopie : n'avoir pas compris à temps qu'un France modernisée exigerait du savoir, que ses hardiesses avaien une dimension éducative. Or les Français anticipent et surenché rissent sur l'inévitable accroissement de la charge qui pèsera su le système éducatif : dès 1945 les classes maternelles se gonflen avec une tranquille régularité, tout à fait indépendante du « boom » démographique; à la rentrée de 1956, le nombre des enfant accueillis dans les classes de 6e des lycées, collèges et cours complé mentaires a déjà pratiquement doublé depuis 1950, avant qu les bébés de 1946 aient atteint leurs 11 ans. La conjonction brutal de la hausse naturelle des effectifs et de la croissance spontané d'une demande de scolarisation plus précoce et plus longue acca ble l'enseignement français, qui subit ce qu'on nommera au débu des années soixante une « explosion » ou, mieux, une « révolu tion »[1], ces deux termes n'étant au reste pas couramment admi avant 1958. Rupture de charge sous la pression de la vie, change ment d'échelle sous celle de la société : l'accumulation de contraintes, fatale à moyen terme, est alors un signe d'ambition et d'optimisme collectifs.

La crise de l'enseignement est, en fait, indistinctement tentativ de nouvel apprentissage des rôles sociaux et fruit d'une évolution des mœurs, reflet de la vigueur du décollage économique et de la promotion des capacités sociales, interrogation autant structu relle que conjoncturelle. Mais la pression qui la déclenche vien incontestablement d'abord des familles. On a vu de quelles atten tions on y entoure l'enfant[2]. Les méthodes d'autorité y régressen avec toutefois de nets décalages selon les catégories sociales, o

---

1. Voir J. Natanson et A. Prost, *la Révolution scolaire,* Édition ouvrières, 1963. Pour l'enseignement secondaire, le jeu fut plus complex et l'offre précéda parfois la demande : voir A. Prost, *L'enseigneme s'est-il démocratisé ?,* PUF, 1986.
2. Voir *supra,* p. 222.

y recherche le consentement et les confidences des jeunes, on les aime autrement et on mise davantage sur l'épanouissement de leurs dons : les mères sont prêtes à accueillir le Dr Spock et les pères admettent que l'heure des chefs et de l'autorité « naturelle » est passée, qu'il faut multiplier conseils et encouragements, favoriser la promotion par le savoir et les relations. Bref, la famille-refuge respecte encore la vieille répartition des rôles mais, plus isolée du lieu de travail par la croissance du salariat, au moins en ville, mieux stabilisée par le mieux-être, malgré la crise du logement, plus repliée sur un couple décidé à vivre pleinement son amour et déjà acquise au modèle des deux enfants, elle recherche l'épanouissement de tous ses membres et valorise davantage l'école. L'allongement de la scolarité n'est plus une charge mais un investissement nécessaire. Le bonheur familial n'étant plus distingué de l'accomplissement des valeurs dominantes, le système scolaire reçoit donc la double mission de décharger les parents d'une part de leurs tâches éducatives et de refléter harmonieusement les choix domestiques [1]. Période de transition, où les contradictions de ces désirs n'apparaissent pas encore : la famille choisit toujours l'établissement et le type d'enseignement qui lui conviennent pour ses enfants, mais est déjà prête à accepter une socialisation des choix en fonction des aptitudes, à reconnaître l'utilité et la rentabilité supposées d'une orientation des enfants qu'elle ne maîtriserait plus. La révolution des filières et des tris, de la hiérarchisation des mérites par la société — et en fait par la seule société enseignante — est déjà en voie d'accomplissement dans l'esprit des parents avant que d'être officialisée par la réforme Berthoin de 1959. Observons au passage que cette confiance aveugle dans les mérites de la promotion et de l'éducation par l'école conforte assurément les vieux idéaux républicains qui posent l'instruction comme premier besoin du peuple après le pain, mais que l'ampleur des besoins rend la défense d'un mono-

---

1. Mais les parents d'élèves ne parviennent pas à organiser l'expression de leurs souhaits en dehors de la querelle laïque (les APEL sont mobilisées pour la défense de l'école libre en 1950-1951) ou d'un lien quasi organique avec les enseignants (la Fédération Cornec née en 1947 est très liée à la FEN).

pole public de l'enseignement moins aisée et que les familles
aspirent à l'acquisition d'un savoir plus qu'à une morale particulière : la querelle de la laïcité s'apaise donc après la bataille de
1951, car près de la moitié des Français sont favorables à l'école
libre, l'autre partie lui est moins hostile et l'agitation artificielle
de 1956 n'émeut pas particulièrement l'opinion[1]. Sommeil des
affrontements idéologiques, aspiration au partage des bienfaits
de toutes les écoles : l'ambition domestique rejoint l'impératif
national. Car les progrès de l'information économique et scientifique, l'allongement de la durée des études furent des atouts non
négligeables pour toute la population active dans les batailles
de la productivité et de la mobilité[2]. Avec la multiplication des
emplois tertiaires, des exigences de responsabilité, de communication et d'information dans les entreprises et les administrations,
avec l'essor des technologies, l'économie modernisée exige une
hausse générale du niveau culturel pour rentabiliser ses équipements et favoriser l'équilibre de la production et le progrès social.
Les Français lancent au monde de l'enseignement le redoutable
défi de la mobilité sociale.

L'assaut est d'abord donné par les plus petits, qu'on scolarise
plus tôt et massivement : la course sera longue, il faut s'y préparer
et acquérir les bons réflexes qui faciliteront plus tard l'adaptation
scolaire et sociale. Si les classes enfantines des écoles primaires
régressent, se pliant mal à ces impératifs nouveaux et n'adaptant
pas leur pédagogie à l'originalité d'enfants de 2 à 5 ans, les classes
maternelles rassemblées dans des écoles distinctes et systématiquement édifiées dans les nouvelles banlieues urbaines à grands
ensembles doublent leurs effectifs de 1945 à 1958, reçoivent de
400 000 à 800 000 enfants. C'est qu'elles combinent harmonieu-

---

1. Voir J.-P. Rioux (1), p. 232-233, et *supra*, p. 117. L'enseignement
privé, au reste, est en phase de repli : en 1938, il accueillait 16 % des
élèves du primaire et 32 % de ceux du secondaire; en 1958, les proportions sont respectivement de 14,9 et de 29 %. Mais il se maintient
dans la technique sur les carences du service public (44 % des élèves en
1958). L'Ouest, le Sud-Est et le sud du Massif central sont ses meilleurs
bastions. Malgré les lois Marie et Barangé, il est en situation financière
difficile et se laisse donc gagner à l'idée du contrat d'association.
2. Voir J.-J. Carré, P. Dubois et E. Malinvaud (80), p. 87-94.

sement le culte nouveau de l'enfant-roi et les impératifs de sa socialisation en douceur mais sans défaillance : un mobilier enfin adapté à la taille des bambins, une déstructuration de l'espace de la classe, une pédagogie plus fraîche avec des chansons, des dessins et des rires, des « maîtresses » dévouées et issues souvent d'un milieu social plus aisé que leurs autres collègues du primaire; mais aussi l'apprentissage subtil des rites de l'avenir, la blouse et le cartable, l'horaire fixe, la sieste obligatoire et parfois, pour les plus hardis, des lettres et des chiffres. Il s'agit bien, et la loi impose très justement l'appellation après 1950, de « jardins d'enfants », où le jeu se fait éducatif, où la sociabilité se structure, où une autre maman vous apprend la sagesse normalisée des grands. La réussite est totale. Si ses principes sont peu suivis par les autres niveaux de l'enseignement, la maternelle a conquis les cœurs, durablement : sans que l'État ait délibéré de les privilégier, les familles et les municipalités imposent la multiplication de ces îlots de bonheur utile. La pression démographique affermit ce triomphe après 1949 et la préscolarisation avant 6 ans a dépassé 40 % pour chaque génération en 1958. Avec toutefois de fortes inégalités qui, cette fois encore, avantagent les citadins, car les zones rurales n'amorcent vraiment la révolution du ramassage scolaire qu'après 1959.

Par contre, l'enseignement primaire public ou privé, lui, n'a guère changé. Obligatoire, il enregistre docilement à partir de 1953 l'arrivée des nouvelles générations plus pleines; ses effectifs, sans compter l'enseignement préscolaire, passent grossièrement de 4 300 000 en 1945 à 5 700 000 en 1959. Il peut servir d'utile voie de garage, car ses classes de fin d'études qui accueillent en 1959 plus de 900 000 élèves sont censées les préparer à l'entrée dans la « vie active » ou à l'apprentissage : l'extension de la scolarité à 14 ans depuis le Front populaire n'a pas été une totale réussite. Mais il vit à l'étroit : les créations d'écoles sont faibles, on se contente d'entasser les élèves dans les classes ou d'édifier en urgence des « préfabriqués ». Et rien ne laisse supposer qu'on veuille repenser son rôle et ses méthodes. Les classes primaires des lycées et collèges subsistent jusqu'en 1962, alors que leur suppression a été imposée par une ordonnance de 1945 : cette filière pérennise sa fonction de transit assuré des enfants des classes aisées vers le lycée. La mixité piétine, la pédagogie évolue peu, les disciples de Freinet sont toujours marginalisés, les programmes, anciens, très ambitieux et fort en avance sur les autres écoles européennes, sont à peine retouchés, les horaires conservent leur fixité militaire, l'éducation du corps est toujours négligée : le primaire, insensiblement, devient un lieu où s'accumulent les échecs, les redoublements progressent, seule la moitié environ des enfants parvenant à suivre son rythme d'acquisition des connaissances. Que les maîtres bousculés par le flux aient si vivement et victorieusement résisté à l'instruction de décembre 1956 qui supprimait les devoirs à la maison en dit long sur l'ampleur du blocage et de leur désarroi. D'autant que le corps unique des instituteurs a perdu sa cohérence d'antan. Il y règne une forte mobilité professionnelle : il gonfle avec le nombre des élèves, rajeunit et se féminise, la pression des familles fait progresser les affectations aux deux extrémités de la chaîne en maternelle et dans les cours complémentaires, un fort contingent de 140 000 auxiliaires formés sur le tas y côtoie les titulaires et les normaliens. Les « hussards noirs de la République » perdent peu à peu une part de leur prestige social, surtout en ville, et ne maîtrisent plus les effets de leur enseignement : souvent encore médiateurs heureux au plan local, ils se réfugient dans une récrimination catégorielle au plan national. Gardiens vigilants de la vérité éducative, ils incarnent une école de Jules Ferry encore bien vivante mais où l'inquiétude s'est installée [1].

La surprise vient de la massification délibérée de l'enseignement secondaire, qui double pratiquement les effectifs de ses deux cycles de 1948 à 1958, passant de 740 000 à 1 350 000 élèves. La vague de 1946 déclenche sur son premier cycle, de 1957 à 1961, un raz de marée sans précédent. Et il faut attendre 1959-1960 pour que les cours complémentaires relaient les lycées et collèges en accueillant la majorité des nouveaux venus. Devient ainsi très oppressante une demande qui montait depuis 1945 : donner au plus grand nombre de jeunes la possibilité de faire un premier cycle commun d'études jusqu'à 16 ans, former en masse de la

---

1. Voir une enquête de 1954-1955 dans I. Berger, *l'Univers des instituteurs*, Éd. de Minuit, 1964.

main-d'œuvre qualifiée. De 1945 à 1958, le taux de scolarisation des 12-15 ans passe de 20 à 45 % de chaque génération : jamais le système scolaire n'avait subi un tir aussi groupé sur un point précis de son territoire. Mais il s'avère incapable d'orienter cet assaut vers les besoins réels du pays. Les centres d'apprentissage et les collèges techniques campent toujours en marge, « déversoirs » honteux pour enfants de milieux populaires : le « technique court » double ses effectifs mais ne bénéficie pas d'une politique d'expansion qui lui aurait permis de former une plus forte proportion de techniciens et de cadres subalternes. Si bien que les premiers cycles de l'enseignement général subissent de plein fouet le plus gros déferlement, sans avoir pu s'y préparer. Le régime de Vichy avait fait la première brèche, tout en voulant renforcer les humanités classiques : en août 1941, la transformation par Carcopino des écoles primaires supérieures en collèges modernes rattachés au secondaire les avait désenclavées en permettant à leurs élèves de déboucher sur le baccalauréat; de 1936 à 1946, la proportion des fils d'artisans, d'agriculteurs et d'ouvriers dans ce secondaire élargi est passée de 8 à 31 %. A la Libération, avec le retour à la gratuité, la massification n'a plus d'entraves : jusqu'en 1951, elle se ventile assez bien entre le technique, les cours complémentaires, les lycées et les collèges; à partir de 1952 — alors que la population scolarisable de ces âges aurait dû décroître —, voici près de 300 000 élèves qui abordent le premier cycle secondaire et le primaire supérieur, soit une hausse brutale de 46 % par rapport à 1950. Dans la mêlée qui s'ensuit après 1957, lorsque la logique démographique se combine avec la demande sociale, s'ouvre une âpre compétition entre les instituteurs et les professeurs pour encadrer ces jeunes : le primaire, qui exige des équipements moins coûteux et une formation moins longue des maîtres, l'emportera en 1963, mais d'ici là le premier cycle secondaire aura été largement bousculé.

Comment, en effet, massifier un enseignement jadis conçu pour les seules élites? Les cours complémentaires survivent, eux, en appliquant mécaniquement les recettes et la discipline de la « laïque » : on peut encore y retarder les échéances. Mais dans les lycées et les collèges la contradiction entre les ambitions des programmes et le recrutement des élèves commence à se faire jour : vigoureusement défendu, l'enseignement du latin sélectionne imperturbablement les sections nobles, celles du classique, préservées du tout-venant des élèves promis aux sections modernes, les mathématiques n'imposent pas encore leur implacable sélection, les activités physiques, les disciplines artistiques et les langues sont négligées, une pédagogie pétrie d'humanisme implicite et supposé acquis par les élèves dans leur famille ne parvient pas à se transformer. Mais la soif de savoir est telle que les craquements ne sont guère entendus : le second cycle, grossi par l'afflux dans les sections modernes des élèves issus des cours complémentaires, passe sans solution de continuité de 120 000 à 270 000 élèves de 1945 à 1958, la progression s'accélérant dès 1952-1953 ; le nombre des bacheliers passe le cap des 40 000 en 1956, la section « philosophie » écrasant encore les autres, les « mathématiques élémentaires » amorçant un net fléchissement malgré l'ampleur des besoins scientifiques du pays et les « sciences expérimentales », nouvelles venues, restant stables. Les professeurs toujours recrutés par l'agrégation et la licence, auxquelles s'ajoute le concours du CAPES en 1950, conservent la meilleure part de leur prestige. Mais déjà des recrutements massifs (leur nombre passe dans les lycées et collèges de 17 400 à 22 000 de 1945 à 1955, mais de 22 000 à 30 000 de 1955 à 1959), une faible formation pédagogique, un grand nombre d'auxiliaires, entraînent une déqualification préoccupante. Au total, avec ses effectifs lourds, son « bachot » surchargé, ses méthodes inchangées et ses personnels moins sûrs, l'enseignement secondaire se dégrade. Qu'en 1957 on en vienne sous l'urgence à la fois à supprimer le vieil examen d'entrée en 6e et à recruter de bons étudiants dans les instituts de préparation à l'enseignement du second degré (IPES) pour les diriger en hâte vers le professorat est le signe des difficultés qui l'assiègent.

Seul l'enseignement supérieur est encore épargné. On y observe toutefois les effets des déséquilibres enregistrés à l'examen du baccalauréat qui permet de franchir ses portes : les facultés des lettres rassemblent près de 30 % des étudiants en 1958, celles de sciences ne croissent pas assez vite (33 %), l'année de propédeutique ne résout pas les problèmes d'orientation, les technologies ne sont guère enseignées, la formation des personnels médicaux prend du retard et les juristes n'ont pas encore tout à fait admis l'essor des sciences économiques. Mais le nombre de ses étudiants [1] s'accroît raisonnablement (123 000 en 1946, 180 000 en 1958), des débouchés leur sont assurés par la demande d'enseignants et de cadres : il peut fonctionner à l'écart de la bourrasque sociale. Le développement très maîtrisé des effectifs des classes préparatoires et des Grandes Écoles assurant par ailleurs un taux de reproduction satisfaisant des élites, l'Université délivre des diplômes valorisant et ne se départ pas de ses certitudes anciennes. Toutefois, cette quiétude n'est plus adaptée aux impératifs de la modernisation. L'élan de la recherche, si vif à la Libération, s'est en effet ralenti : malgré les succès du CEA pour l'énergie atomique, les techniques de pointe se développement mal, le CNRS se fonctionnarise, les facultés étoffent peu leurs laboratoires et acceptent mal l'institution, en 1954 puis en 1958, d'une thèse de doctorat plus courte sanctionnant un troisième cycle d'études, les recommandations des ministères techniques et du Plan sont mal comprises. Le sursaut vient des initiatives privées et de l'encouragement gouvernemental, mais tardivement. Sur le modèle des réalisations spectaculaires de la région de Grenoble, où la symbiose entre l'Université et l'industrie avait été si fructueuse, des parlementaires proches du mendésisme, de hauts fonctionnaires, des cadres, quelques patrons et des scientifiques se regroupent, trouvent un accueil favorable chez Mendès France et chez Henri Longchambon, son secrétaire d'État à la Recherche

---

1. Ces derniers, très passionnés et très divisés, on l'a vu, par la guerre d'Algérie, n'échappent pas à l'aspiration commune pour l'encadrement collectif. A preuve l'exceptionnelle audience que prend alors l'Union nationale des étudiants de France (UNEF), qui a défini en avril 1946 à Grenoble l'étudiant comme « un jeune travailleur intellectuel », mêle corporatisme étroit à base de cours polycopiés ou de gestion des œuvres (restaurants universitaires, mutuelle) et prise de conscience plus politique sous l'influence de ses « minoritaires » qui l'ont conquise à l'été 1956. Elle rassemble 18 000 étudiants en 1948, 100 000 en 1958 : une génération peu nombreuse et décidée de futurs cadres de la nation y fait l'apprentissage de la politique et de la gestion, de la laïcité mieux entendue (les chrétiens y sont très actifs) et de la solidarité de groupe. Voir P. Gaudez, *les Étudiants*, Julliard, 1961, M. de La Fournière et F. Borella, *le Syndicalisme étudiant*, Éd. du Seuil, 1957, et A. Monchablon, *Histoire de l'UNEF*, PUF, 1983.

scientifique, tandis que les commissions du Plan jettent un cri d'alarme sur les besoins en ingénieurs et en chercheurs. Ce mouvement en faveur d'une politique nationale de la science, institué en groupe de pression dans le cadre de l'Association d'études pour l'expansion de la recherche scientifique (AEERS), débouche dès 1954 sur la création d'un Conseil supérieur de la recherche scientifique et du progrès technique qui travaille aux prévisions du IIIe Plan; sur la publication en 1956 de l'alarmant rapport Landucci, « Pour assurer l'avenir, investir en hommes », et sur la tenue, en novembre 1956 à Caen et en octobre 1957 à Grenoble, de deux colloques où furent jetées les bases d'une politique d'expansion que la Ve République activera [1]. Si les impératifs financiers de 1957-1958 en ont retardé la mise en œuvre, du moins l'opinion a-t-elle été pour la première fois sensibilisée à l'importance de cet enjeu national.

Voici donc, de haut en bas, l'enseignement apostrophé. Une société dont la gestion se complique et où s'accroissent les ambitions exige beaucoup de lui, l'égalité des chances et la réussite exemplaire, l'apprentissage des normes et l'épanouissement des jeunes, le gardiennage et l'affection. Comment traduire en politique cette incohérence, fonder un nouveau consensus sur cet impératif de compétition? La IVe République a incontestablement laissé passer la chance en se déchargeant trop sur les seuls enseignants du soin de dessiner l'avenir. Non pas qu'elle ait été particulièrement chiche en moyens matériels, encore que les deux Plans n'aient guère mis en priorité l'étude de leur nécessaire développement : la part de l'Éducation nationale passe de 7 à 10 % des dépenses de l'État de 1952 à 1958, ce qui permet au moins de mener l'indispensable « politique du béton [2] ». Ni même qu'elle n'ait pas compris que le point stratégique de la crise se situait à la sortie du primaire, dans ce premier cycle secondaire si convoité. Cependant, elle ne parvient pas à imposer une réforme de structure.

1. Voir « Le colloque de Caen », *Les Cahiers de la République*, janv.-février 1957.
2. Voir J.-C. Asselain, *le Budget de l'Éducation nationale (1952-1967)*, PUF, 1969.

Cette persévérance dans la non-décision [1] a des antécédents. Sous Vichy, une demande sociale qui s'adressait prioritairement au primaire supérieur avait été détournée vers un enseignement secondaire maintenu en l'état. A la Libération, René Capitant avait installé une commission présidée par Paul Langevin puis par Henri Wallon. Mais son rapport en forme de « plan », qui prit le nom de ses deux présidents et devint à gauche la pieuse référence de tous les discours réformateurs, n'est présenté qu'en juin 1947, quand la guerre froide, la pénurie et la reconstruction détournent l'attention : nul, à l'exception des enseignants, ne prit garde à ses conclusions, au reste très mal chiffrées et se souciant peu de définir la demande d'éducation. Il actualisait en fait des thèmes avancés dans les années trente. L'école unique, avec un enseignement obligatoire de 6 à 18 ans et fractionné en trois cycles : le premier, de 7 à 11 ans, commun à tous les élèves ; le deuxième, de 11 à 15 ans, était articulé en deux années communes et deux années d'options, des maîtres de matières communes et de matières spécialisées, tous licenciés, y cohabitant tout au long ; le troisième, de 15 à 18 ans, « déterminait » en trois sections pratique, professionnelle ou théorique ce qu'on ne nommait pas encore l'orientation finale des jeunes, tandis qu'au sommet les Grandes Écoles étaient rattachées aux universités. L'école nouvelle était aussi à l'honneur : rénovation de la pédagogie, meilleure formation de tous les maîtres, limitation des horaires, modernisation des programmes, éducation permanente, tous les espoirs du temps de Jean Zay étaient pris en compte [2]. On comprend que la Troisième Force puis la droite, préoccupées de survivre, n'aient guère songé à faire appliquer ce projet, sulfureux par les engagements de gauche de ses promoteurs mais moins révolutionnaire au fond qu'on ne l'a prétendu depuis : l'immobile André Marie comprend qu'il est urgent de ne rien

---

1. Voir J.-M. Donegani et M. Sadoun, « La réforme de l'enseignement secondaire en France depuis 1945. Analyse d'une non-décision », *Revue française de science politique*, décembre 1976, p. 1125-1146.
2. Le texte a été réédité dans *l'Enseignement public*, organe de la FEN, en juin 1968. Voir *le Plan Langevin-Wallon de réforme de l'enseignement*, PUF, 1964.

faire et nul ne songe à le lui reprocher. Les épisodes de la bataille de l'école libre, qui dégénère en 1951 et menace de reprendre en 1956, achèvent de convaincre une classe politique dont les enseignants de tous horizons savent faire le siège, que le débat sur la démocratisation ne peut pas encore être dissocié de celui sur la laïcité. Dès lors, la rue de Grenelle, toute bruissante de projets mort-nés, devient une chasse gardée des radicaux et des socialistes, un paisible service bureaucratisé de gestion des personnels, parfois une annexe de la FEN, plus qu'un grand ministère au service de la société.

Ici encore, le réveil vint en 1955. Bien informés des impératifs nouveaux, Mendès France et son ministre Jean Berthoin proposent une réforme qui centre le débat sur l'école moyenne. L'année suivante, sous le gouvernement Mollet, René Billères en reprend l'essentiel : un cycle moyen de deux ans, dans des établissements autonomes, avec des maîtres issus des divers degrés, bref la prise en compte sérieuse de la demande d'enseignement et de la nécessaire orientation des élèves. En vain, par deux fois. Berthoin n'imposera une réforme qui sauve l'essentiel de l'école moyenne, le « cycle d'observation », qu'en janvier 1959, aux premiers mois de la Vᵉ République, sur un fort consensus public qui fera taire un temps les enseignants.

Car nous touchons ici au nœud du problème. La IVᵉ République n'a pas su faire face à la pression de la société enseignante, prompte à s'ériger en juge unique des destinées de l'école [1]. Puisqu'on parlait de tronc commun, il était certes légitime de débattre de la qualification des maîtres qui y enseigneraient. Mais dès 1948, avec l'institution en interlocuteur privilégié d'une Fédération de l'éducation nationale toute-puissante et où le SNI fait la loi, le jeu a été faussé : le débat national sur le savoir dans la France moderne est réduit à une empoignade entre instituteurs et professeurs par groupes de pression interposés. Le SNI veut

1. Voir, par exemple, la mise en pièce du projet Billères par J. Marchais, président de la Société des agrégés, fort influent au SNES, dans *l'Éducation nationale* du 8 novembre 1956. Et F.-G. Dreyfus, « Un groupe de pression en action : les syndicats universitaires devant le projet Billères », *Revue française de science politique*, avril 1965, p. 213-250.

contrôler le tronc commun, il impose que les écoles normales conduisent leurs meilleurs élèves vers le baccalauréat et ensuite vers les cours complémentaires; en face, le Syndicat national de l'enseignement secondaire (SNES), flanqué de la Société des agrégés et de l'association des professeurs de lettres classiques, la Franco-ancienne, se bat pour le maintien du latin et l'expulsion des instituteurs de l'école moyenne. D'un côté les lycées et collèges embaumés dans l'humanisme et pliant les masses scolarisables à ses règles bienfaisantes, de l'autre les maîtres et les méthodes du primaire pouvant seuls encadrer les enfants du peuple : dans cette querelle des anciens et des modernes qui tourne au dialogue de sourds, avec ses dimensions étroitement corporatives et ses prolongements politiques (la SFIO, où les enseignants sont si nombreux, étant inévitablement déchirée), la France laisse passer une chance qui ne se retrouvera plus. Faire taire le tapage catégoriel des enseignants et bousculer leur confort intellectuel, poser clairement les impératifs de société, réformer à froid et tant que les Français faisaient confiance à l'école : cette sagesse supposait une volonté politique que le régime n'avait plus.

Dès lors, comment s'étonner des effets pervers, des blocages et de la multiplication des échappatoires? L'accès à la scolarisation pour les jeunes après 11 ans est un immense gâchis collectif. Les régions économiquement retardées au sud de la Loire y poussent leurs enfants (voir la carte), prenant le risque de les perdre à moyen terme dès que le Nord raflera les diplômés. La hiérarchie sociale y est fidèlement reproduite, avec en 1958 un pourcentage de fils d'ouvriers qui décroît des cours complémentaires (33 %) à l'enseignement moderne (19 %) et à l'enseignement classique (9 %), la proportion étant symétriquement inversée pour les professions libérales et les cadres supérieurs (respectivement 2 %, 10 % et 25 %); pour ceux qui ont franchi la barrière, l'échec avant la classe de première guette 4 fils d'ouvriers sur 5 contre un fils de cadre sur 10. En conséquence, dans l'enseignement supérieur la démocratisation s'arrête aux fils d'artisans, de commerçants et d'employés, 6,5 % des étudiants sont en 1956 issus de familles ouvrières et paysannes et 60 % fils de fonctionnaires, de professions libérales ou de chefs d'entreprise. Ce dernier écart, de un à 10, mesure la férocité de la sélection sociale

LA POPULATION SCOLAIRE
en milliers

	1948-1949	1953-1954	1958-1959
classes maternelles et enfantines	962	1 266	1 335
classes élémentaires cours préparatoire, élémentaire et moyen du primaire	3 411	3 819	4 886
cours supérieur et classes de fin d'études du primaire	881	763	864
premier cycle secondaire lycées, collèges et cours complémentaires	583	674	1 066
second cycle secondaire classique et moderne	156	184	269
centres d'apprentissage	166	257	330
collèges techniques et écoles nationales professionnelles	120	145	179
classes préparatoires aux grandes écoles	11	15	18
élèves des grandes écoles	33	—	40
étudiants des universités	120	—	167
scolarisation des 12-15 ans en pourcentage	24	32,8	44,3
bacheliers	30	34	46
diplômés des universités	8	8,8	10,1
personnels de l'éducation nationale dont :	—	276	393
instituteurs	158	170	214
professeurs de lycées et collèges	18	21	29

Source : d'après A. Prost, *Histoire générale de l'enseignement et de l'éducation en France*, Nouvelle Librairie de France, 1981, t. IV, p. 23.

Taux de scolarisation dans le premier cycle
de l'enseignement secondaire en 1956

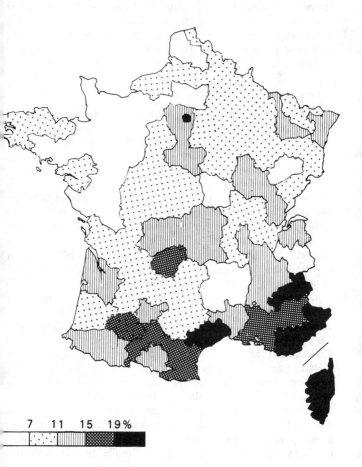

7   11   15   19 %

Source : d'après A. Prost, *Histoire générale de l'enseignement
et de l'éducation en France*, Nouvelle Librairie de France, 1981, t. IV, p. 243,
à partir d'une carte manuscrite de Christiane Peyre.

et l'ampleur des désillusions qu'elle entretient déjà chez la masse des Français qui avaient tant investi dans un système scolaire incapable de démocratiser le savoir qu'il dispense. Et de l'adapter aux temps nouveaux : sacralisation des humanités, insuffisances du technique, faiblesse de la formation professionnelle des adultes, tout concourt à mal assurer l'encadrement du pays et dispense de faire lever à l'école les germes d'une culture nouvelle.

Chrétiens à l'assaut de leur siècle.

Retrouve-t-on à propos des croyances et de la foi les appétits et les blocages qui viennent d'être obervés sur le savoir et l'éducation ? La réponse est à nuancer, mais qu'elle soit positive pour la majorité de ceux qui tentent alors d'assumer leurs engagements spirituels ne fait aucun doute. Ce qui ne veut pas dire qu'à l'occasion la crispation sur de vieilles certitudes n'aient pas survécu à l'élan général. C'est patent pour l'idéal laïc — auquel la hiérarchie catholique reconnaît enfin le droit à la vie en 1945 puis en 1958 — corseté de près par de puissantes organisations qui font manœuvrer leurs troupes, la FEN, le SNI, la Ligue de l'enseignement et la Fédération Cornec, groupées dans un cartel permanent qui deviendra le Comité national d'action laïque (CNAL) : il ne se rajeunira qu'après 1956, et souvent sous l'influence de chrétiens rencontrés dans le mendésisme puis la « nouvelle gauche ». S'étale même encore au *Canard enchaîné* ou à *la Calotte* l'anticléricalisme croissant le plus sclérosé, que ne dédaignent pas toujours de suivre *l'Humanité* ou *l'École libératrice*, à propos des enfants Finaly en 1953 ou des derniers soupirs « convertis » d'Herriot en 1957[1] : rien de neuf. Au reste, les Français ont-ils au fond d'eux-mêmes modifié sensiblement leur rapport au divin ? L'adhésion, l'hostilité ou le doute sont toujours assez équitablement partagés : interrogés en 1950 sur l'adjonction d'une référence à Dieu dans le préambule de la Constitution, 37 % approuvent, 33 % désapprouvent et 30 % sont indifférents ou sans opinion[2]. Une indécision molle semble s'étendre

---

1. Voir R. Rémond, *l'Anticléricalisme en France de 1815 à nos jours*, Fayard, 1976, chap. VIII, et *la Laïcité*, PUF, 1960.
2. Voir A. Coutrot et F. Dreyfus (158), p. 131.

dans un pays où 92 % de la population a été baptisée.

En fait, on observe une décrispation des affrontements historiques et une laïcisation des problèmes : les impératifs de la modernité contraignent à actualiser les positions dans toutes les familles spirituelles. On comprend donc que les minorités soudées par la persécution perdent une part de leur cohésion ou s'enferment en elles-mêmes, sans trouver l'équilibre d'un messianisme. C'est évident dans la communauté juive, tragiquement réduite à moins de 1 % de la population et où une très faible proportion pratique la religion. Depuis Auschwitz, le volontarisme de Diaspora qui avait jeté tant de juifs dans les combats de la liberté et de la justice a beaucoup moins cours : l'obsédant souvenir du génocide, la certitude qu'il ne fut pas un accident de l'histoire, contredisent les humanistes tranquilles. Il s'agit désormais de s'affirmer en tant que juif, de formuler une politique juive, dont la victoire du sionisme et la création d'Israël ont singulièrement compliqué les données au pays du dreyfusisme. Bien des intellectuels nient ces nouveautés et se réfugient dans le marxisme ou admettent encore les positions du Sartre des *Réflexions sur la question juive* de 1946. Mais la communauté la plus religieuse ressent confusément ce besoin de faire front : dès 1945, elle se donne un organisme collectif, le Conseil représentatif des institutions juives de France (CRIF), et le rabbinat prend position plus volontiers. Seuls le mendésisme et les combats contre la torture en Algérie apporteront des arguments nouveaux à ce débat, avant qu'en 1962 l'afflux des Français juifs d'Afrique du Nord ne pose d'autres problèmes.

Symétriquement inverse, mais avec les mêmes résultats, l'évolution des protestants affaiblit aussi leurs capacités de proposition et la force de leur pression, si précieuses pour le consensus national sous la III\ :sup:e:\ République. Leurs églises rassemblent environ 800 000 fidèles, pour 60 % réformés, soit 1,5 % de la population, appartenant pour les trois quarts à la bourgeoisie et aux classes moyennes, installés, en ville surtout, dans l'Est, la vallée du Rhône et le Languedoc, l'Ouest charentais et vendéen, la région parisienne. La Fédération protestante de France ne parvient pas à réduire les particularismes confessionnels, et principalement ceux des luthériens d'Alsace, mais son autorité grandit, tandis que les pasteurs savent faire des concessions aux laïcs : alignement sur le modèle général, qui combine encadrement et initiative. L'évolution politique de la communauté confirme cette réintégration définitive des protestants dans l'ensemble national. Sauf dans les Cévennes, dès les élections de 1951, puis très clairement à celles de 1956, ils abandonnent en effet la priorité du vote à gauche qui avait marqué leur originalité pour se ventiler sur tout l'éventail politique. Un poujadisme bien implanté dans le Gard, un vote gaulliste omniprésent, un soutien plus critique au Front républicain, marquent cette banalisation des attitudes. La haute société protestante n'a certes pas cessé de se reconnaître dans l'administration ou les affaires, l'hebdomadaire *Réforme* saura prendre parti au nom de l'esprit camisard au fort de la bataille d'Alger, mais la tendance est à l'alignement sur les consensus généraux et à l'abandon des positions acquises : qu'au *Temps* protestant ait succédé un *Monde* plus catholique est un signe. Toutefois, ce ralliement ne doit pas être dissocié au plan religieux d'un mouvement diffus, encore conflictuel et limité aux sphères théologiennes, l'œcuménisme, qui connaît au début des années cinquante un printemps prometteur [1].

Les enjeux sont dès lors circonscrits à l'intérieur de la France catholique, massivement majoritaire. Les années trente lui avaient pêle-mêle apporté le ralliement définitif à la République et la levée de l'hypothèque maurrassienne, le sentiment que la crise généralisée provoquait les valeurs chrétiennes et lui ouvrait le monde, la révélation à travers la JOC de la fécondité des mouvements d'Action catholique et, avec *Quadragesimo Anno*, une actualisation de sa doctrine sociale. Une sorte de *new deal*, qui a rallié des militants neufs [2] à la lutte pour un bien commun inséparable de l'évangélisation des masses. Sortir du ghetto, fraterniser avec le Christ tout en respectant la hiérarchie, désengager l'Église du « désordre établi » dénoncé par Mounier, aimer le siècle pour mieux combattre ses erreurs, cette logique de l'as-

1. Voir E. Fouilloux, *les Catholiques et l'Unité chrétienne du XIXe au XXe siècle*, Le Centurion, 1982.
2. Voir R. Pucheu, « Ceux qui ont cru réussir », *Esprit*, avr.-mai 1977, p. 11-27.

somption a trouvé dans la guerre un prodigieux terrain d'expéri-mentation. Malgré des compromissions avec Vichy, le renouveau de la ferveur et de la pratique religieuse, la part des chrétiens dans la Résistance, la logique même, si monstrueuse, des paga-nismes modernes, achèvent de convaincre que l'isolement des catholiques n'est plus concevable et qu'ils peuvent féconder les temps nouveaux : tout est pratiquement acquis en 1940-1945 [1].

C'est donc une Église résolument missionnaire qui affronte l'après-Libération. Elle maintient des positions consolidées pen-dant la guerre. Dans les paroisses, de sermons en pèlerinages à Lourdes ou à Rome pour l'année sainte 1952, de processions en kermesses, se maintiennent encore les formes d'une religion populaire déjà suspectées par le jeune clergé et les activités mini-males de service pour la cohorte des fidèles, les gros bataillons des « pascalisants » ou les candidats aux sacrements de base et aux cérémonies inévitables, baptêmes, première communion, mariage et enterrement. Les patronages et les colonies de vacances, qui connaissent déjà un inquiétant étiage, sont toujours sauvés par des vicaires sportifs, de jeunes moniteurs et la lecture assidue des œuvres complètes d'Hergé ou de *Cœurs vaillants*. Œuvres charitables et mouvements de jeunesse vivent sur leur lancée, l'école libre est surveillée de près : dans des sphères différentes, les succès du Secours catholique fondé en 1946 ou l'aide à l'abbé Pierre en 1954 manifestent sa capacité charitable, le scoutisme qui rassemble plus de 400 000 jeunes l'efficacité de ses nouvelles formes d'encadrement. Les formes de communication modernes sont toujours bien maîtrisées : une édition prospère, une Bonne Presse qui brandit *la Croix* et où les ordres religieux et les mouve-ments multiplient les publications de qualité, une volonté de ne pas négliger le cinéma, la radio, la télévision et le disque. Pour-tant, malgré la force de cet acquis, le triomphalisme n'est plus de mise. Les finances vont mal, denier du culte et dons n'épou-sent pas les rythmes de l'inflation. Après un rattrapage du retard à la Libération et quelques conversions au fond des camps de prisonniers, les vocations piétinent, il faut déjà regrouper des

1. Voir R. Rémond, « Le Catholicisme français pendant la Seconde Guerre mondiale », *Revue d'histoire de l'Église de France*, juil.-septem-bre 1978, p. 203-213.

séminaires dans les grandes villes, les prêtres vieillissent et leur nombre stagne : 48 800 en 1946, 50 200 dix ans plus tard. La faible augmentation était le fait des seuls réguliers, les ordinations ne compensent plus les décès, seuls l'Ouest et le sud du Massif central demeurent d'excellents viviers, sans qu'on ait encore su ventiler leurs maigres surplus sur l'ensemble des paroisses. A terme, la desserte des zones rurales ne sera plus assurée, la présence en milieu urbain deviendra tout à fait ponctuelle, malgré l'effort pour installer de nouveaux lieux de culte, par exemple dans la région parisienne grâce aux « Chantiers du cardinal » lancés en 1931.

Mais il y a plus grave : l'agonie du peuple chrétien. Une sociologie religieuse dont Gabriel Le Bras a affiné les méthodes contribue à la prise de conscience dans les années quarante, chiffre et cartographie le désastre, relance réflexion pastorale et désir d'action. Dès 1943, deux aumôniers jocistes, les pères Godin et Daniel, avaient confirmé la paganisation des prolétaires dans *la France pays de mission*. En 1945, dans ses *Problèmes missionnaires de la France rurale* puis en novembre 1947 dans sa carte de la pratique religieuse publiée par les *Cahiers du clergé rural* (voir ci-contre), un jaciste, le chanoine Boulard, montre la fragilité des bastions à pratique majoritaire cernés par une marée d'indifférence ou de conformisme et isole, surtout dans le Bassin parisien et en Limousin, les cantons vidés de toute référence religieuse. Son *Essor ou déclin du clergé français?*, publié en 1950, parachève le tour d'horizon en signalant l'accroissement des charges pastorales et l'urgence d'une politique des vocations. Enfin, en janvier 1956 dans les jeunes *Archives de sociologie des religions* qui publient ces sociologues missionnaires, Jacques Petit soulève l'ampleur des problèmes posés par la croissance urbaine [1].

Quel autre groupe aurait su faire un tel effort de retour sur

---

1. Compléter par É. Poulat, « La découverte de la ville par le catholicisme français contemporain », *Annales ESC*, nov.-décembre 1960, p. 1168-1179. La France est-elle encore catholique? Une enquête de l'IFOP (S*ondages*, 1952, n° 4, reprise dans *Réalités* de novembre 1952) pose la question. Si 85 % des Français se considèrent comme catholiques, un tiers seulement pense qu'il faut pratiquer. Ces chiffres ont été critiqués par le chanoine Boulard, mais l'enquête révèle le malaise.

Carte religieuse
de la France rurale en 1947-1950

■ paroisses chrétiennes
▦ paroisses indifférentes à traditions chrétiennes
▢ pays de mission

Source : d'après F. Boulard, *Essor ou déclin du clergé français?*,
Éd. du Cerf, 1950, p. 169.

soi-même? Et y puiser une telle détermination? Car cet amer constat a galvanisé une mission plus soucieuse de pratiques que de croyances, trop obsédée peut-être par sa seule présence au cœur des masses ouvrières, mais dont les méthodes et les principes sous-tendent en bonne part un renouveau d'Église que sanctionnera le Concile de Vatican II en 1962. Ce furent d'abord des tentatives pour réveiller la vie paroissiale. Les impératifs de la reconstruction et de l'apostolat font lever une génération pugnace de curés bâtisseurs dont quelques-uns ne craignent pas de moderniser l'art sacré, même s'ils ne parviennent pas à toujours imiter les réussites de Ronchamp, du plateau d'Assy ou de la chapelle de Vence. Le même dépouillement est adopté pour les objets du culte, le déroulement de la liturgie et même l'économie des sermons. A l'exemple de quelques pionniers, les pères Michonneau et Rétif à Colombes, le père Conan à Saint-Séverin de Paris, l'équipe de Saint-Alban à Lyon, la « paroisse-bercail » tente de se transformer en « paroisse-levain », part à la rencontre des milieux sociaux, désenclave l'Action catholique, insiste moins sur les œuvres, multiplie les réunions de quartier ou d'immeuble, met ses laïcs en avant, aménage le catéchisme et les horaires, supprime les quêtes et engage le dialogue. Avec quels succès? Malgré une bonne coordination à partir de 1951 par un Centre pastoral des missions de l'intérieur, bien des curés résistent, des bigots s'affolent, les masses urbaines boudent et dans les campagnes on pare aux urgences, plus voyantes, en regroupant des paroisses. Seuls les convaincus sont raffermis et décuplent leurs activités au service de nouvelles communautés.

La difficulté à mettre tous les catholiques en état de mission apparaît dès lors qu'il faut sortir des structures paroissiales pour faire la percée. Avant la guerre, les mouvements d'Action catholique avaient déjà mesuré l'ampleur des déséquilibres qu'ils introduisaient mais avaient prouvé l'efficacité de leurs méthodes. Ils persévèrent donc après 1945. Avec, seule nouveauté, une crispation sur l'enjeu ouvrier. En fait, ils ne se maintiennent que dans les milieux en vacance d'organisation. Ainsi s'explique le vif succès de la JAC après la guerre, qui regroupe plus de 70 000 jeunes dès 1950, promeut des élites nouvelles vers le syndicalisme agricole, devient la seule organisation de masse capable d'assumer une idéologie de la modernisation des campagnes, quitte à passer sous silence bien des références explicitement chrétiennes : en 1957, tandis que les évêques s'inquiètent déjà, le lancement du CNJA est indirectement son meilleur succès. Et le Mouvement familial rural connaît le même bonheur, diffusant *Clair Foyer* à 250 000 exemplaires en 1958. Mais en milieu ouvrier, où partis et syndicats rendent inutile l'affirmation de forces de substitution, le piétinement est accablant. Le Mouvement populaire des familles, fort de 140 000 membres en 1946, y lance des actions pour le ravitaillement et soutient les squatterisations d'appartements : que devient la priorité de l'évangélisation ? De même, le compagnonnage de certains jocistes avec les militants communistes va très loin, une bonne part des anciens responsables bataillant à la CFTC, les aumôniers voyant fondre leur prestige d'avant-guerre : en 1950, au moment où le MPF se transforme significativement en un Mouvement de libération du peuple, la hiérarchie lance une Action catholique ouvrière sur des bases strictement religieuses. Les scouts eux-mêmes entrent en effervescence quand la Route entreprend de donner une dimension politique à l'engagement : la guerre d'Algérie dès 1957 aggrave les affrontements. L'Action catholique est donc en crise, la JOC servant de point de fixation : à suivre la classe ouvrière ou tout autre groupe conscient de son originalité, comment empêcher l'émiettement des actions en se spécialisant trop, éviter le danger d'une substitution de la rédemption temporelle à la rédemption du Christ ? La disparition en 1956 de l'Association catholique de la jeunesse française (ACJF) est révélatrice des inquiétudes et des impuissances. Ses dirigeants, souvent issus de la JAC et de la JEC, bataillent pour une autonomie des mouvements : ils sont brutalement désavoués par la hiérarchie, qui entreprend une épuration en règle et impose un repli sur le spirituel.

La crise est plus spectaculaire encore dans l'affaire des prêtres-ouvriers. Dès 1941 à Marseille, un dominicain, le père Lœw, s'était embauché comme docker pour connaître de l'intérieur ces ouvriers à convertir [1]. Le cardinal Suhard, bouleversé à la

---

1. Voir J. Lœw, *Journal d'une mission ouvrière (1941-1959)*, Éd. du Cerf, 1959.

lecture du mémoire des abbés Godin et Daniel, autorise la création d'un corps de missionnaires spécialisés, qui par le travail
partent à la rencontre des indigènes du prolétariat : en janvier
1944, la Mission de Paris démarre[1]. En 1953, une centaine de
prêtres-ouvriers s'activent en région parisienne et dans les grandes
villes, dans les usines et sur les chantiers. A Montreuil, où rayonne
le père Depierre, le spectacle de la communauté informelle des
nouveaux chrétiens venus de la classe ouvrière impressionne
beaucoup et fait pleurer Mounier et Mauriac : Gilbert Cesbron
braque les feux de l'actualité sur cette expérience unique en 1952
avec son roman à succès, *Les saints vont en enfer*. Tandis qu'à
Rome le cardinal Ottaviani entasse les pièces d'un dossier de
dénonciation, les prêtres-ouvriers coordonnent leurs expériences,
affichent que l'ignorance religieuse du prolétariat ne peut pas
être dissociée de l'exploitation capitaliste qu'il subit, adhèrent
à la CGT, y militent, sans soupçonner que l'orage romain se prépare : en 1950, ils font campagne avec le Mouvement de la Paix
pour faire signer l'appel de Stockholm, deux d'entre eux sont
arrêtés lors de la manifestation contre Ridgway en 1952. En 1953,
brutale, la condamnation par le Saint-Office démantèle l'expérience. Tandis que la presse intégriste, *Rivarol* et *Aspects de la
France* dénoncent les chrétiens « staliniens », que les jésuites de
Lyon, le père de Lubac en tête, sont interdits d'enseignement,
les évêques demandent en janvier 1954 aux prêtres-ouvriers de
s'abstenir de tout engagement syndical et politique et de ne plus
travailler que trois heures par jour : seuls une quarantaine d'entre
eux s'incline. La mission ouvrière sous cette forme a échoué[2].

On serait donc tenté de conclure à l'impuissance des catholiques
à rencontrer les masses déchristianisées. Et à souligner qu'en
1958 ils ont rarement été aussi divisés. Tout se passe en effet
comme s'il n'existait plus d'espace catholique homogène. La
morale commune de la vieille Chrétienté n'est plus toujours
admise : la cote morale des films par la Centrale catholique du

1. Voir J. Vinatier, *Le Cardinal Liénart et la Mission de France*, Le
Centurion, 1978.
2. Voir le dossier *les Prêtres-ouvriers*, Éd. de Minuit, 1954; É. Poulat,
Naissance des prêtres-ouvriers, Casterman, 1965, et (162), chap. 5 à 9.

cinéma ou la fixité des arguments hostiles à la limitation des naissances [1] ravit les uns et encolère les autres. L'ardeur des dominicains et des jésuites, la hardiesse théologique d'un de Lubac, d'un Congar ou d'un Chenu, l'ampleur même du renouveau biblique, l'émergence à *l'Anneau d'or* d'une spiritualité conjugale, tout irrite les intégristes et épanouit leurs adversaires. La politique achève de durcir les positions. Bien des jeunes chrétiens avaient cru à la Libération pouvoir mener de front la mission et la transformation politique de l'ordre établi, moraliser le débat civique et dépasser le vieux clivage gauche-droite [2] : l'effondrement électoral et idéologique du MRP en décourage beaucoup, seuls le mendésisme et le combat contre la guerre d'Algérie en font persévérer d'autres, avant que la relève par la génération de la fin des années cinquante ne relance le débat. Mais les guerres coloniales et la guerre froide ont fait dans le même temps resurgir un intégrisme violemment antimarxiste, admirateur de l'armée, fanatisé dans la défense de l'Occident chrétien : autant que la condamnation des prêtres-ouvriers, l'Algérie française le conforte. La hiérarchie restant muette devant ce renouveau de l'extrême droite qui intervient au moment où elle reprend les rênes de l'action missionnaire, une part des énergies catholiques est désormais à contre-courant. Car, comme chez les protestants, le vote catholique s'est largement étalé sur le centre et la gauche, grâce au MRP et au mendésisme, ce qui à terme condamne la réaction intégriste mais ne suffit pas à en éteindre les brûlots [3].

Cette division durable est-elle signe d'une inévitable abdication face à ce que le chanoine Boulard nommait « cette civilisation urbaine, fascinante et déchristianisante »? Et d'un irréversible rétrécissement sociologique de la foi? S'il faut retenir les réponses, comment ne pas rappeler la fécondité des périodes de transition et la valeur des hommes qu'elles hissent au premier plan? Le peuple lui échappant, l'Église ne sortira pas du « ghetto ». Mais

1. Voir S. de Lestapis, *la Limitation des naissances*, Spes, 1959.
2. Voir F. Bédarida, « Les jeunes chrétiens face à la politique (1944-1945) », dans *Églises et chrétiens dans la Seconde Guerre mondiale*, Presses Universitaires de Lyon, 1982, p. 493-500.
3. Voir R. Rémond, « Droite et gauche dans le catholicisme français contemporain », *Revue française de science politique*, 1958, n°s 3 et 4.

du catholicisme majoritaire et d'observance d'antan a néanmoins surgi un catholicisme minoritaire et militant[1], qui évolue dans un espace moins cléricalisé et rencontre mieux la société française. Le pari n'est pas tout à fait perdu, car une minorité, elle, a réussi. C'est de son action que la modernité a tiré le meilleur parti. Des hommes formés par le scoutisme et l'Action catholique, souvent influents dans l'ACJF, ont été agrégés aux nouvelles élites nationales et leur apportent leur amour de la cohérence, la logique du « voir-juger-agir », leur certitude que le concret est le plus difficile, leur sens du travail d'équipe, de la conduite de réunion et de l'instruction des dossiers. Tous ne sont pas encore aux commandes, mais tous se savent moralement qualifiés pour y parvenir. Trois noms suffisent à distinguer les services variés qu'ils peuvent rendre déjà : François Bloch-Lainé aux Finances et à la Caisse des dépôts, Michel Debatisse au CNJA et Eugène Descamps à la CFTC[2].

L'engagement des intellectuels.

« La politique commande toutes les issues », tranche Mounier en 1945. Pris au piège du monde d'Hiroshima, prisonnier de sa culture humaniste et de son statut de bâtard social, l'intellectuel, note Sartre la même année, « épouse étroitement son époque. Elle est sa chance unique : elle est faite pour lui et il est fait pour elle ». On condamne donc ceux qui, avec Bernanos, dénoncent à la fois le « démon du productivisme » et le culte du bon savoir[3] : dans un moralisme parfois grandiloquent, une génération de

1. Voir Y. Tranvouez, dans (157), p. 479.
2. Voir également F. Varillon, *Beauté du monde et souffrance des hommes*, Le Centurion, 1980; G. Suffert, *les Catholiques et la Gauche*, Maspero, 1960; *Aimé Savard interroge René Rémond*, Le Centurion, 1976; E. Descamps, *Militer*, Stock, 1971; F. Krumnow, *Croire ou le feu de la vie*, Éditions ouvrières, 1975. Puis l'article déjà cité de R. Pucheu et, pour la génération suivante, R. Chapuis, *les Chrétiens et le Socialisme*, Calmann-Lévy, 1976. L'étude de ce groupe informel n'a, hélas, pas encore été faite.
3. Voir M. Winock, « Bernanos et Mounier, deux attitudes face à la technique et à la croissance économique », *Commentaire*, nᵒ 18, été 1982, p. 297-305.

« chasseurs de sens » prétend, comme le proclame fièrement le premier numéro des *Temps modernes* en octobre 1945, n'avoir pour but que la vérité pratique et « dévoiler pour changer [1] ». Les formes artistiques éclatent et les écoles périclitent sous le choc de la guerre : la parole, la plume, tout art, ne peut qu'être intervention dans le cours des choses, volonté d'action assumée devant l'Histoire.

Pendant plus de dix ans, de la Libération à Budapest, l'heure fut donc aux maîtres à penser et aux engagements impératifs. Dès l'automne 1945, dans un bouillonnement de liberté retrouvée, Saint-Germain-des-Prés a happé tous ceux qui pensent que les vieilles croyances ont été consumées dans l'événement inouï de la guerre. Les « grands » écrivains d'avant 1939 cèdent le pas ou renouvellent leurs thèmes : un Malraux se lancera ainsi dans l'activisme gaulliste du RPF et dans la méditation sur *les Voix du silence*. Dans une débauche de jazz et de littérature américaine, écho des « caves » et parlotes autour de « ouisquies » médiocres répandent la bonne nouvelle, que la presse à sensation répercute dans le monde entier : Paris sera toujours Paris, une philosophie et un nouvel art de vivre y sont nés, l'existentialisme, à Saint-Germain, à l'ombre du clocher de « la cathédrale de Sartre [2] ». Ce dernier est plus qu'un héritier de Heidegger en révolte contre l'idéalisme universitaire : son théâtre, ses romans, ses articles en font un maître à penser, même pour tous ceux qui n'ont pas lu *l'Etre et le Néant* paru en 1943. Ses engagements — y compris dans l'éphémère Rassemblement démocratique révolutionnaire (RDR) qu'il fonde avec Rousset en 1948 — veulent être choix lucide fondé sur une méditation qui dépasse en profondeur les formules hâtivement reprises par la presse, « l'angoisse existen-tielle ne se distingue pas du sens des responsabilités » et « le déses-poir ne fait qu'un avec la liberté ». En quelques mois, la dialecti-que hégélienne revue par Marx se vulgarise, la philosophie

1. Voir J.-P. Sartre, « Qu'est-ce que la littérature? », *Situations II*, Gallimard, 1948.
2. Sur le bouillon de culture germano-pratin, plus que des études appliquées comme celle de H.R. Lottman, *la Rive gauche*, Éd. du Seuil, 1981, voir les œuvres de Boris Vian et surtout, parue en 1952, *la Grande Foutaise* de Gaston Criel, Plasma, 1979.

concrète découvre que « tout ce qui est réel est praxis et tout ce qui est praxis est réel », une apologie fort abstraite de l'action s'impose. Hormis ses mérites philosophiques propres, accessibles à un petit nombre, l'existentialisme a ainsi le privilège de fournir un langage neuf et d'assurer une transition nécessaire entre les engagements de la Résistance et ceux de l'après-guerre.

Il bute pourtant sur le marxisme institutionnel, sur la praxis partisane, en bref sur les communistes. L'intellectuel « engagé » ne peut guère contourner le PCF, installé pour la première fois au centre du débat d'idées et délivrant avec brutalité ses brevets de civisme du haut de l'héroïsme de ses fusillés. De l'adhésion sans réserve d'Aragon, d'Eluard ou de Vailland, de la royauté des *Lettres françaises* fondée sur la Résistance, jusqu'au refus d'un Raymond Aron ou d'un Mauriac, mille nuances sont possibles, compagnonnage d'un Vercors ou sympathie conflictuelle d'*Esprit*, mais le parti des prolétaires arbitre. La maîtrise d'une nouvelle culture au service de tous passe par la révolution, ses espoirs ou ses reflux sont liés aux fluctuations de la politique communiste. Une fois encore, l'itinéraire de Sartre, et à travers lui celui des *Temps modernes*, est exemplaire. La rupture est consommée avec le succès des *Mains sales* en 1948, Kanapa et Courtade ayant multiplié les dénonciations depuis 1946, et Sartre n'y voyant encore qu'une « querelle de famille ». Avec la guerre froide et la Corée, dans un dur antiaméricanisme qui culmine avec l'exécution des Rosenberg, il devient fidèle compagnon de route, le Parti conservant seul le privilège de sa sévérité puisque tout dialogue est impossible avec les anticommunistes, ces « chiens » aux ordres de Truman. En 1952, l'affaire Henri Martin renforce ces liens, *les Communistes et la Paix* posent qu'il est impossible de tenir balance égale entre les deux blocs, que le PCF est l'expression nécessaire et exacte de la classe ouvrière et que le marxisme est à lui seul la Culture : Étiemble, neutraliste, et Merleau-Ponty rompent alors avec l'équipe des *Temps modernes*. Dur réveil en 1956, avec le rapport Khrouchtchev et Budapest : dans une retentissante interview à *l'Express* le 9 novembre, Sartre dénonce « la faillite complète du socialisme en tant que marchandise importée d'URSS », persévère et signe dans un numéro spécial de sa revue en janvier 1957 sur la Hongrie avec un article sur « Le fantôme

de Staline ». Mais le débat n'est pas décentré : les tâches de
demain consistent à maintenir les chances d'un front unique face
aux déviations de la « nouvelle gauche » mendésiste et à tenter
de déstaliniser les communistes français. Le temps de l'irrespect
n'est pas encore venu [1].

Ce réalisme progressiste qui achoppe sur la version soviétique
de la praxis a sans aucun doute été poussé jusqu'à la caricature
en de nombreuses occasions, comme dans l'affaire Kravchenko [2]
ou le procès Rousset, quand toute la culture française put être
invoquée pour nier les camps du Goulag et conforter les staliniens
de Paris. Mais, dans le même temps, le droit à l'expression et à la
morale libres sut être préservé. De *Sens et non-sens* en 1948
aux *Aventures de la dialectique* en 1955, Merleau-Ponty ne renie
aucun engagement mais pose les principes d'une philosophie de
la contingence qui bouscule celles de la conscience et de l'histoire.
Claude Lefort puis le groupe « Socialisme ou barbarie » dénoncent vigoureusement le stalinisme. De vrais révoltés, libertaires
à leur manière, un Louis Guilloux, un Étiemble, un Camus surtout, dès *l'Homme révolté* en 1951, refusent que l'Histoire leur
dicte sa loi et, vaccinés contre les idéologies, jettent sur le monde
et le mal un regard plus attentif et perplexe. Bravant les oukases du
communisme contre Freud, un Lacan tente par l'écriture de faire
accéder à l'intelligibilité du processus analytique. Se lève même
une génération d'écrivains désengagés, chevaux de retour de la
droite gouailleuse ou jeunes hussards rassemblés à la revue *la
Parisienne* en 1953, traqueurs d'indicible ou témoins du mal de
vivre : revanche du style et de la jouissance sur la quête du sens,
si visible dans *le Hussard bleu* d'un Nimier en 1950, *le Rivage
des Syrtes* de Gracq l'année suivante ou les dialogues de l'érotisme
et de la mort chez un Bataille ou un Genet. Déjà, le groupe du
« Nouveau Roman », accueilli par Jérôme Lindon et ses Éditions
de Minuit, s'éloigne du bavardage et du message, entreprend la

1. Voir M.-A. Burnier, *les Existentialistes et la Politique*, Gallimard,
1966.
2. Voir J.-P. Rioux (1), p. 214-217, et G. Malaurie et E. Terrée,
l'Affaire Kravchenko, Laffont, 1982. Sur la tentation du communisme
en général, voir N. Dioujeva et F. George éd., *Staline à Paris*, Ramsay,
1982.

construction froide d'une épopée du langage, elliptique et discontinue, reniant même le récit : ce droit imprescriptible à la recherche — avec ses risques d'hermétisme, aussitôt ressentis par le public — est proclamé en 1949 par le *Portrait d'un inconnu* de Sarraute, ou le *Molloy* de Beckett en 1951, avant que ne vienne la gloire du Renaudot au Butor de *la Modification* en 1957. Installée à jamais à la Huchette dès 1950, *la Cantatrice chauve* de Ionesco clame jusqu'à la caricature le vide métaphysique et le refus de l'intrigue : la situation dramatique elle-même devient un hasard atroce plus qu'un combat.

Voici que la peinture à son tour devient brutale, instable et inquiète, à l'image du monde [1]. Les grands anciens, dominés par un Picasso béatifié de son vivant sous le double hommage du grand public et du communisme, n'ont pas renoncé à marquer leur siècle : Braque, Chagall, Derain, restent fidèles à eux-mêmes, Matisse s'épanouit à Vence ou dans son *Nu bleu* de 1952. L'influence d'un Kandinsky, d'un Mondrian ou d'un Klee peut s'exercer librement, et Paris, au moins jusqu'en 1950, jette ses derniers feux avant d'être relayé par New York. Mais la nouvelle école de Paris doit batailler. Car le réalisme socialiste d'un Fougeron, d'un Pignon ou d'un Taslitzky, suivi de loin par de jeunes « misérabilistes » comme Buffet ou Lorjou, encouragé aux *Lettres françaises* par Kanapa ou Marcenac, entend imposer sur la Seine les lois du jdanovisme : l'exposition « Le pays des mines » en 1951 en constitue l'apogée, avant qu'en mars 1953 le portrait d'un Staline trop guilleret par Picasso, publié dans l'hebdomadaire de Daix et Aragon et jugé offensant pour la mémoire du maréchal par le Secrétariat du PCF, n'ouvre quelques yeux [2]. En fait, le débat entre abstraction et figuration tourne court vers 1950 car les « jeunes peintres de la tradition française » qui avaient bravé en 1941 la censure nazie contre l'« art dégénéré » ont su s'imposer : Manessier, Bissière, Estève, Bazaine ou Le Moal

1. Voir É. Fouilloux, « Peintures en France, 1945-1960 », *Vingtième siècle. Revue d'histoire,* n° 6, avr.-juin 1985, p. 67-73.
2. Voir J. Verdès-Leroux, « L'art de parti. Le parti communiste français et ses peintres (1947-1954), *Actes de la Recherche en sciences sociales,* n° 28, juin 1979, p. 35-55.

sont à leur apogée, relayés déjà par l'abstraction géométrique d'un Vasarely, les fureurs de Poliakoff et les turbulences du groupe de l'« abstraction lyrique » où Mathieu dénonce l'autosatisfaction d'une société de croissance. Dès lors, toutes les expérimentations sont possibles pour se délivrer de la culture à messages, l'art « informel », le signe, la tache, le corps à corps avec la matière brute ou l'objet fracassé, le cinétisme, dans un joyeux mélange des genres et des continents, dès que l'Amérique entre dans la danse : émergent ainsi Michaux, Fautrier, Wols, et surtout Nicolas de Staël et Dubuffet, qui savent dépasser l'alternative « abstrait ou non-abstrait ».

Cette permanence de la libre expérimentation se trouve renforcée dès que des rendez-vous imprévus avec l'Histoire dévoilent les illusions progressistes. En 1954, alors que Simone de Beauvoir dans *les Mandarins* dresse un bilan des impuissances de la Libération et de la guerre froide, la guerre d'Algérie impose une douloureuse transition de l'éthique de conviction à l'éthique de responsabilité. L'année suivante Raymond Aron dans *l'Opium des intellectuels* peut aisément dénoncer leur aliénation par l'idolâtrie de l'histoire. Les combats de 1956 contre la torture en Algérie et pour la déstalinisation parachèvent l'évolution : comme au temps de Dreyfus, la protestation morale et le service de la vérité fondent le seul engagement qui vaille. Sans doute ne suffisent-ils pas encore à ruiner le monopole de la logique marxiste, et d'aucuns se laissent convaincre passivement que les Algériens réalisent enfin les tâches qui incombaient au prolétariat français. Mais cette position confortable devient plus menacée dès que Lacoste provoque « les exhibitionnistes du cœur et de l'intelligence » et que le tiers-mondisme remet en cause les schémas de la révolution : la culture se « désengage » et l'intellectuel retrouve un peu de son prophétisme d'antan en acceptant enfin d'examiner la réalité, en se départant de cette fausse lucidité universelle en usage au café de Flore pour préférer des utopies concrètes aux lendemains qui chantent si faux [1]. Opportun retournement! Car l'humanisme,

---

1. Voir J.-F. Revel, *Pourquoi des philosophes ?*, Julliard, 1957. Le cas de Camus est exemplaire. Voir *Camus et la politique*, L'Harmattan, 1986.

fût-il badigeonné d'existentialisme, subit le choc des nouveautés sociales et le statut même des intellectuels est déjà révisé.

Grandit en effet et prend conscience d'elle-même une couche sociale d'intellectuels technocrates qui gère de nouveaux pouvoirs, d'intellectuels techniciens qui multiplient les savoirs et leurs applications : les experts relaient les lettrés, les distributeurs de culture l'emportent sur les créateurs et le recensement de 1954 comptabilise déjà plus d'un million de personnes qui peuvent légitimement passer pour des intellectuels au travail[1]. Dans l'industrie, dans les bureaux, on remarque déjà l'autonomie de la fonction scientifique et technique; la tertiarisation des activités de pointe rentabilise le savoir et immerge les intellectuels dans le vivier des classes moyennes, en fait des auxiliaires indispensables de la croissance économique et de la mobilité sociale. Peu à peu s'estompent les autocritiques vaines et le provincialisme des idées générales qui avaient tenté de préserver l'intelligence du vent du large quand tous étaient persuadés d'une inévitable stagnation française[2]. Cette découverte de nouveaux horizons, cette reconnaissance progressive du rôle de la recherche et de la culture anglo-saxonne, cette soif d'échanges qui fait enfin admettre que Paris n'est plus le nombril du monde, doivent beaucoup en fait à l'étonnant essor des sciences sociales[3]. L'université et les nouveaux instituts de recherche s'ouvrent à la démographie, à l'économie, à la psychologie sociale et à la polémologie dès avant 1947 et forment des intellectuels d'un nouveau genre, ces bataillons de chercheurs qui ne méprisent plus les sciences exactes et naturelles, passent des contrats avec les firmes du secteur public ou privé, expérimentent et relancent la curiosité. Puis la sociologie s'étale vers tous les horizons de l'activité humaine, observe ban-

---

1. Voir « Les intellectuels dans la société française contemporaine », *Revue française de science politique*, décembre 1959; L. Bodin, *les Intellectuels*, PUF, 1962; F. Bon et M.-A. Burnier, *les Nouveaux Intellectuels*, Éd. du Seuil, 1966.

2. Voir M. Crozier, « Les intellectuels et la stagnation française », *Esprit*, décembre 1953, p. 771-782.

3. Voir A. Drouard, « Réflexions sur une chronologie : le développement des sciences sociales en France de 1945 à la fin des années soixante », *Revue française de sociologie*, janv.-mars 1982, p. 55-85.

lieues et campagnes, croyances et consommation, travail et communications de masse, américanise ses méthodes et son langage, lance ses enquêteurs à l'assaut des entreprises, du Plan et des vieilles Sorbonne. Fait enfin irruption le goût de la différence, venu des rivages exotiques de l'ethnologie : en 1955, les *Tristes Tropiques* de Lévi-Strauss annoncent la vague structuraliste des années soixante et l'anthropologie redonne à l'Histoire un sens local. Cet appel d'air secoue les constructions totalisantes des enfants de Hegel incapables de contourner la question du stalinisme, excite des engagements de libre choix contre la guerre d'Algérie et reconduit en douceur les intellectuels vers les positions stratégiques et les besognes qui sont les leurs : observer et comprendre le changement social, en mesurer le prix en y participant, dénoncer les idéologies qui confortent leurs privilèges culturels et matériels, tenter humblement de donner à la France moderne un nouveau style de pensée pour que tous les acteurs du renouveau puissent maîtriser leur vie.

La culture de masse.

Quels que soient les errements qu'il a rendus possibles, l'engagement des intellectuels peut se donner justifications et légitimité dans sa rencontre avec le fort élan pour un partage de la culture qui a saisi la France à la Libération. Dans le droit-fil du programme du CNR, la démocratie culturelle croit alors triompher, et l'éducation populaire exprime ses ambitions collectives : le préambule de la Constitution de 1946 entérine et légalise ces exigences en garantissant à tous les droits à la culture. Ainsi naissent ou renaissent de multiples associations, foyers, cercles, ciné-clubs, maisons de jeunes et de la culture [1], centres éducatifs et écoles de cadres, qui tentent d'organiser sur tout le territoire une « révolution culturelle ». C'est à l'honneur du Gouvernement provisoire puis de la jeune IVe République que d'avoir accompagné ce mouvement, de lui avoir délégué des missionnaires, animateurs ou éducateurs hâtivement formés, et de lui avoir fourni des subventions.

---

1. La première est lancée par André Philip, à Lyon en octobre 1944. Elles se fédèrent en 1948 et leur nombre atteint déjà 200 en 1958 avant d'être ensuite multiplié par cinq sous la Ve République.

A l'heure du plan Langevin-Wallon, une Direction des mouvements de jeunesse et d'éducation populaire est créée au ministère de l'Éducation nationale et symboliquement confiée à Jean Guéhenno, le fils d'un cordonnier de Fougères devenu normalien, le chantre de 1936 et l'ami de Jean-Jacques : loin de prendre ombrage de cette concurrence avec l'école et ses œuvres post-scolaires, il rêve de couvrir la France de « centres éducatifs » semant la « raison populaire ». Les comités d'entreprise, sur initiative de Parodi, reçoivent la charge d'une action culturelle de longue haleine, les associations sont encouragées : les Lumières ainsi répandues dans le peuple le protégeront de toutes les propagandes totalitaires, ce partage de la culture est floraison de l'antifascisme des « années noires » et prémices d'une morale nouvelle au service de la reconstruction du pays. Cette illusion lyrique n'est pourtant pas à l'abri de la tentation paternaliste qui saisit dans le même temps les intellectuels à messages : l'animation doit relever le goût populaire, faire accéder les masses à la culture classique, quitte à l'actualiser en ajoutant Brecht à Racine, Chostakovitch à Mozart et Picasso à Delacroix, sans que l'éducation populaire se démarque tout à fait de l'école ou que les exigences propres d'une culture populaire soient prises en compte. La nouveauté tient davantage aux ambitions à terme : mobiliser la jeunesse (en 1958 pratiquement un jeune sur 3 aura été touché par les différents mouvements laïcs ou confessionnels), considérer que les associations sont les interlocuteurs naturels des pouvoirs publics, et surtout promouvoir ainsi de nouvelles élites du mérite, constamment renouvelées par les apports populaires.

Ces généreuses ambitions soumettaient néanmoins les projets d'une poignée d'animateurs convaincus à l'arbitrage de la société tout entière. Dès 1947, les réveils sont durs, dès 1952 l'amertume s'étale. Car l'actualisation et la massification de la culture ont inévitablement été soumises aux reflux de la politique générale. L'unanimisme progressiste de 1944 ne survit pas à la guerre froide et à Budapest. Les fractures et les impuissances de la IVe République lui font négliger ses ambitions initiales. La constitution en janvier 1947 dans le cabinet Ramadier d'un nouveau ministère de la Jeunesse, des Arts et des Lettres, confié à un jeune et fringant UDSR, Pierre Bourdan, fut le point d'orgue de ses hardiesses : les gouvernements de la Troisième Force ne prennent pas l'expérience et jugent trop sulfureuse cette agitation militante autour du peuple, à l'heure où le gouvernement Queuille fait traîner en correctionnelle l'éditeur du *Tropique du Cancer* de Miller. Le ministère de l'Éducation nationale, avec la bénédiction des meilleurs laïcs et des partis de gauche, reprend ainsi en main l'avenir de la jeunesse et de la culture, avec la hardiesse que l'on sait. Et un secrétariat d'État aux Beaux-Arts ressuscité et confié en juillet 1951 par Pleven à l'inoffensif sénateur des Côtes-du-Nord, André Cornu, sans budget autonome, renoue avec les mœurs séniles de la Belle Époque, orchestrant une bruyante opération de « sauvetage » de Versailles qui émeut la presse du cœur, ou s'illustrant par le déménagement de la statue de Gambetta qui encombrait la place du Carrousel, avant de remercier cavalièrement de hauts fonctionnaires qui avaient cru en Guéhenno, en particulier Jeanne Laurent, directrice des Théâtres et initiatrice de la politique de décentralisation [1]. Dès 1950, le budget culturel de la nation est inférieur à celui de 1938 et stagne autour de 0,10 % des dépenses publiques : l'académisme « humaniste » s'en satisfait, mais l'action culturelle ne s'en relèvera pas. D'autant plus ques les hommes de terrain, moins épaulés par les pouvoirs publics, ne peuvent pas manquer d'enregistrer les évolutions sociales. Leur populisme culturel qui rêvait d'un parcours rectiligne, des quarante-huitards aux maquis, de Michelet à Vilar en passant par Léo Lagrange, est écartelé entre un moralisme de la bonne volonté et le jdanovisme, entre un système scolaire qui reprend l'offensive et une culture de masse qui submerge toutes les classes. Le Peuple non seulement se dérobe mais se dissout sous leurs yeux, la Culture perd sa majuscule, les zones de création se circonscrivent dans un espace social plus étroit. Ils croyaient diffuser aux masses une culture unifiante qui changerait la vie : ils rencontrent dans leurs associations, leurs théâtres et leurs

1. Voir J. Laurent, *la République et les Beaux-Arts*, Julliard, 1955, et A. Cornu, *Mes Républiques indiscrètes*, J. Dullis, 1976. Sur l'ensemble de la politique culturelle, voir A.-H. Mesnard, *l'Action culturelle des pouvoirs publics*, LGDJ, 1969. En 1954-1955, seuls les gouvernements Mendès France et Faure tentèrent de coordonner une politique d'ensemble de la jeunesse, mais sans la lier à la culture.

clubs de plus en plus des classes moyennes en mal de culture, qui valorisent ainsi leur mobilité sociale et non pas le plus grand nombre auquel d'autres loisirs suffisent. L'action culturelle devient ainsi travail de spécialistes conscients de l'efficacité de leurs techniques d'animation, machine à conforter les nouveaux promus de l'ascension sociale, point de transit pour nouvelles élites d'encadrement assoiffées de formation, laboratoire moderne où l'on teste des produits culturels fabriqués ailleurs, plus que creuset pour une culture commune également partagée. Le lyrisme s'est fait technicien, à l'image de la société.

Quelques réussites spectaculaires témoignent néanmoins de la pérennité des engagements et faciliteront la transition avec la politique culturelle de Malraux sous la Ve République. Citons-en deux, exemplaires et fécondes. Celle de l'association « Peuple et culture », lancée à Grenoble en décembre 1944 puis à Annecy au printemps suivant par les commissions éducation des CDL de l'Isère et de la Haute-Savoie, animée par des anciens d'Uriage et des « équipes volantes » des maquis du Vercors comme Dumazedier, Thisse et Cacérès[1]. Une ferme volonté de ne pas prolonger le vieux débat entre culture bourgeoise et culture prolétarienne mais de « rendre la culture au peuple et le peuple à la culture », de bons relais syndicaux dans la région, des animateurs compétents qui reçoivent des subsides de Guéhenno et des collectivités locales, une « action éducative » qui définit bientôt la technique maison de l'« entraînement mental » : dès l'origine, l'espoir révolutionnaire se combine avec le « management » réfléchi pour « produire de l'éducation comme d'autres produisent du pain, de l'acier ou de l'électricité ». Toute l'histoire de « Peuple et culture » s'organise dès lors autour de ce dysfonctionnement, avec l'activation des maisons de la culture, l'installation dès 1945 à Grenoble de la troupe de Dasté, la formation d'excellents animateurs qui réclament bientôt un statut social et souf-

---

1. Voir J.-P. Rioux, « Une nouvelle action culturelle ? L'exemple de " Peuple et culture " », dans *la Revue de l'économie sociale,* avr.-juin 1985, p. 35-47. Voir aussi les contributions d'un colloque de l'INEP de Marly-le-Roi, « L'espérance contrariée. Éducation populaire et jeunesse à la Libération (1944-1947) », *les Cahiers de l'animation,* no 57-58, décembre 1986.

rent de la désaffection des grands intellectuels parisiens, bientôt
a diffusion d'une collection par les Éditions du Seuil, mais en
etour la centralisation progressive des activités sur Paris et de
rifs conflits avec les communistes à l'heure de la guerre de Corée
et de l'appel de Stockholm : on y vit chaque jour l'agonie du
populisme, la technocratisation de l'action, la tertiarisation des
consommations culturelles et le déferlement de la culture de masse.

Deuxième succès à l'actif de la IVe République, la décentralisation théâtrale. Elle démarre à Colmar dès 1946, Pierre Bourdan
et Jeanne Laurent reprennent l'idée au bond, elle s'impose avec
5 centres dramatiques à Strasbourg, Saint-Étienne, Aix, Toulouse
et Rennes en 1952. Ici, pas de régionalisme gratuit, une volonté
d'arracher le théâtre aux tyrannies de la mode, de la critique et
de la concentration parisiennes (en 1945, la capitale offre 52 salles,
contre 51 pour le reste du pays), d'aller au-devant de ce « peuple
fidèle » s'ignorant lui-même qu'avaient déjà cherché Gémier,
Copeau ou Chancerel, de participer aux luttes de libération
nationale et à l'élaboration d'une démocratie réelle en faisant
du spectacle un service public « comme l'eau, le gaz et l'électricité », dira lui aussi Vilar. Si la réussite ne fut pas totale, si des
municipalités s'effraient parfois de ces nouveautés, cette politique
a réveillé un public endormi par les tournées médiocres et les
caleçonnades du Boulevard, a promu la génération des Dasté
et des Planchon, encouragée par ailleurs depuis 1946-1947 par le
concours des jeunes compagnies et l'aide à la première pièce.
Les festivals parachèvent ce travail en profondeur, et particulièrement celui d'Avignon, lancé à l'été 1947 et bientôt de renommée
mondiale. Jean Vilar, son fondateur, a été formé par Dullin
avant de parcourir la province sous l'Occupation avec la Rou-
lotte de l'association « Jeune France » puis avec sa propre troupe.
Il a monté et joué Molière, Eliot et Strindberg, bouleversant
Paris avec son *Meurtre dans la cathédrale* en 1945. Comme Baty,
Jouvet et Barrault qui rompent de leur côté avec le théâtre « diges-
tif », il se contente de mettre en pratique les acquis du dernier
demi-siècle, avec un sérieux profondément civique, promouvant
un théâtre d'union et de régénération, au-dessus de la mêlée des
classes et des engagements unilatéraux. Le « style » d'Avignon
fait le reste, avec un remodelage de l'espace scénique dans la

cour du Palais des papes, des costumes rutilants, la lumière, la
musique et la couleur, sans autre décor que le souffle du mistral
et les vieilles pierres piquées d'oriflammes, dans ces soirs de communion qu'un public enthousiaste n'oubliera plus : après Shakespeare et Claudel, la partie est définitivement gagnée à l'été
1951, quand surgit dans *le Cid* un Rodrigue prodigieux incarné
par Gérard Philipe. En septembre 1951, Jeanne Laurent confie
à Vilar et à sa troupe un Théâtre national populaire, avec la
charge de continuer l'œuvre amorcée par Gémier en 1920. A
Suresnes, sous un chapiteau itinérant, puis sur la colline de Chaillot,
le TNP brise un à un les obstacles qui effrayaient le public populaire, l'heure tardive, l'ouvreuse, les fauteuils cossus, le prix des
places. Saison après saison, travaillant systématiquement avec
les comités d'entreprise et des associations comme « Travail et
culture », multipliant les week-ends, proposant des abonnements
avantageux, il mène aux grands classiques, Molière, Hugo, Musset,
von Kleist et Shakespeare en tête, puis au répertoire moderne
d'un Brecht ou d'un Pichette un public issu des couches populaires en ascension, fonctionnaires, étudiants, employés de bureaux,
techniciens et quelques ouvriers qualifiés, tandis que l'élite mon-
daine des « premières » et la critique se rallient. Malgré l'hostilité
ouverte de la droite, visible dès le débat budgétaire sur les Beaux-
Arts en décembre 1951, Vilar sait faire partager le souffle de
l'engagement moral et républicain à environ 2 millions de nouveaux spectateurs : ambition et réussite uniques [1].

Toutefois, la gloire de Lorenzaccio n'est pas dissociable de
celle du héros du *Diable au corps* d'Autant-Lara : Gérard Philipe
auquel le TNP doit tant, personnifie les interpénétrations de la
culture classique et de la culture de masse qui marquent les années
cinquante. Répandue par des médias multiples, produite au
rythme industriel, mobilisant d'abord des capitaux, adaptée au
plus vaste public, échappant dans sa conception et sa diffusion
aux intellectuels, quels que soient leurs engagements, une culture

1. Voir J. Vilar, *De la tradition théâtrale*, L'Arche, 1955, et Gallimard, 1963; G. Leclerc, *le TNP de Jean Vilar*, UGE, « 10-18 », 1971
et Ph. Wehle, *le Théâtre populaire selon Jean Vilar*, Alain Barthélemy
et Actes Sud, 1981.

nouvelle sur modèle américain s'impose en effet. Des produits culturels nouveaux circulent, amalgamant héritages nationaux et techniques sans frontières, sélectionnés sur le seul critère de la consommation, sans référence à l'Art ou à la Culture des clercs et des vulgarisateurs de l'humanisme. La création devient ainsi production, l'imaginaire est plus sollicité que la raison, la standardisation substitue le commanditaire à l'auteur : la foule solitaire [1], ce non-public constitué par la nébuleuse en expansion du salariat, trouve avec la croissance économique une nouvelle capacité de consommer des valeurs moyennes. Ce choc disloque les champs culturels anciens, la médiation démocratise et homogénéise un univers régi par l'offre et la demande, instaure même sur fond de silence des consommateurs passifs une nouvelle forme de communication sociale, moins fondée sur le travail que sur le loisir. L'ubiquité de la culture de masse impose une « polyculture » vibrionnante. Des mythologies à haute technologie et totalisantes partent à l'assaut de la société, de nouvelles pratiques socioculturelles investissent vie publique et privée.

Spectacle le plus prisé, le cinéma offre le meilleur exemple de cette évolution. Il a sans aucun doute élargi son assise culturelle. Au « ciné » du samedi soir d'avant 1939, qui mijote encore à feu doux dans la magie simple de la salle obscure et des habitudes familiales de quartier, succède insensiblement une consommation active qui privilégie le langage sur le spectacle, dissèque le talent du réalisateur autant que le charme de la vedette, dans les festivals (celui de Cannes est à son apogée), les ciné-clubs, les premiers cinémas « d'art et d'essai » et dans la critique de presse où s'impose un André Bazin [2]. Le « 7e » art conquiert définitivement les esthètes, les intellectuels et tous les jeunes. Il est honoré en conséquence par les pouvoirs publics, qui, après avoir hâtivement dressé le barrage d'un Centre national du cinéma en 1946 face à l'invasion de la production américaine aveuglément acceptée par Blum à Washington en échange des premiers dollars de la reconstruction,

---

1. Voir D. Riesman, *la Foule solitaire*, paru aux États-Unis en 1952, mais — le décalage est significatif de la résistance française — traduit et publié chez Arthaud en 1964.

2. Voir *Regards neufs sur le cinéma*, Éd. du Seuil, 1953, et A. Bazin, *Qu'est-ce que le cinéma?*, Éd. du Cerf, 1958-1962 (4 vol.).

usent d'une loi d'aide pour encourager des productions de qualité
« à la française » comme *Un condamné à mort s'est échappé* de
Bresson en 1956 ou le *Montparnasse 19* de Becker l'année suivante.
Mais ce qu'il gagne en consécration artistique ne compense pas
les effets néfastes de la loi du marché culturel. S'il a conquis les
jeunes générations, les 15-20 ans composant 43 % du public en
1954, il souffre d'une faible pénétration des bourgades et des
campagnes (95 % des spectateurs à la même date viennent d'une
localité de plus de 2 000 habitants) et surtout la fréquentation
baisse régulièrement : 230 millions de spectateurs par an à la
veille de la guerre, un apogée en 1947 avec 420 millions, puis une
stabilisation autour de 380 millions par an, jusqu'aux basses
eaux de 350 millions en 1959. Avec 130 films français produits
bon an mal an, une faible concentration des firmes de production
qui somnolent depuis le démantèlement de l'empire de Pathé,
il subit déjà la concurrence de la télévision et se défend mal contre
la pression américaine. Le malaise est en fait plus profond : la
production ne satisfait pas un public nouveau et plus averti par
d'autres médias. Le teint rose de la Libération, au temps d'*Antoine
et Antoinette* et de *la Bataille du rail*, s'est couperosé, le cinéma
« de papa » fier de sa « tradition de qualité » n'a pas su mener la
contre-attaque. Les spectateurs qui vont au cinéma pour se dis-
traire autant que pour voir un film déterminé préfèrent peut-être
à 60 % des films français sans complication superflue, mais dès
1950 ils voient plus de films américains que de produits nationaux, sans compter les engouements pour le néo-réalisme italien.
Les grands succès de 1954, par exemple, révèlent un bel éclectisme : pêle-mêle, *le Salaire de la peur* et *La Strada*, *Tant qu'il y
aura des hommes* et *Si Versailles m'était conté*, *Sissi* et *Porte des
Lilas*. Mais les démultiplications monotones du classicisme gris
d'un Borderie ou d'un Le Chanois, d'un Duvivier ou d'un Chris-
tian-Jaque, les charmes mâles de Jean Gabin ou ceux plus incisifs
de Martine Carol ne fidélisent pas à jamais, fût-ce en couleur ou
en cinémascope. Les vrais talents nouveaux, ceux de Tati, de
Resnais, de Clément, de Melville, ou d'Astruc ne trouvent pas
l'infrastructure financière et commerciale qui les eût épanouis
plus tôt. Dans les *Cahiers du cinéma*, lancés en avril 1951 par une
bande de jeunes loups fous de cinémathèque, de westerns et de

caméra incisive et qui détrônent *l'Écran français* dans l'analyse intelligente du malaise français, Truffaut, Godard et Chabrol préparent l'offensive de la « Nouvelle Vague », qui déferle aux premiers mois de 1958 avec *le Beau Serge*. La page du fade réalisme psychologique et de la vacuité humanisante est tournée, s'effacent ses cocus solennels, ses gangsters pères de famille et son ignorance délibérée des problèmes de la France nouvelle : une jeune génération se bat et s'impose à coups de plans fixes, de zooms nerveux et de lumière réelle. La crise du talent est surmontée. Mais le cinéma court plus vite que son propre succès. Déjà, outre-Atlantique, James Dean a détrôné Bogart, le naturel de Marilyn Monroe concurrence les vieilles stars platinées de Hollywood. En 1956, la France reçoit le choc d'un film qui déclenche scandale et passion, en pleine fureur de vivre : *Et Dieu créa la femme* impose définitivement Brigitte Bardot, une petite danseuse très libre qui avait fait timidement la couverture de *Elle* en mai 1949, lancée habilement par Vadim et Raoul Lévy. Au miroir d'un succès sans précédent, « BB » dans sa sensualité boudeuse révèle aux Français qu'ils ont changé, que les codes moraux vieillissent et que la jeunesse provocante saura s'imposer. Revenu aux affaires après le 13 mai, Antoine Pinay tiendra au reste à lui confier personnellement que les mutations culturelles ont du bon, en lui révélant qu'elle rapporte alors à la France plus de devises que la Régie Renault.

Les médias eux aussi épousent le rythme nouveau d'une consommation de masse sensible au moindre tressaillement de la société. Dans la presse écrite, qui a réussi une stabilisation provisoire de ses tirages après l'euphorie de la Libération (plus de 15 millions d'exemplaires par jour en 1946, 9,6 millions en 1952 et 11,4 en 1958) mais attend toujours un statut définitif après les ordonnances provisoires de 1944, les quotidiens d'information politique et générale — supports publicitaires vieillis — déclinent (180 en 1947, 123 en 1958), concurrencés par la radio [1]. Par contre, les concentrations s'accélèrent et des groupes monopolisent davantage la production. La presse provinciale de préfecture

---

1. Voir l'enquête de l'IFOP sur « La presse, le public et l'opinion », *Sondages*, 1955, n° 3.

au style IIIe République perd pied, *Ouest-France, la Dépêche* ou *le Dauphiné libéré* dominent leur région, tandis que se multiplient les fusions sauvages dont un Robert Hersant donne l'exemple en constituant ses fiefs en Picardie ou de Poitiers à Rodez avec *Centre-Presse*, définitivement soudé en 1959. A Paris, *Ce soir* disparaît en 1953 avec le recul communiste, *le Monde* est secoué par deux crises en 1951 et en 1956; Cino del Duca, spécialiste de la presse du cœur, fait en 1957 du vaillant *Franc-Tireur* issu de la Résistance un tabloïd racoleur, *Paris-Journal*; *le Populaire* perd 9 lecteurs sur 10 de 1947 à 1958, *l'Humanité* près de la moitié des siens, *le Parisien libéré, le Figaro* et *l'Aurore* ne devant qu'aux subsides de grands industriels comme Amaury, Prouvost ou Boussac une faible progression des tirages. De batailles politiques en restructurations cyniques, l'argent a imposé de nouveau sa loi. Sans que le public le déplore ouvertement : ses choix nouveaux font le succès des hebdomadaires fabriqués sur le modèle américain, *Paris-Match* dès mars 1949, *l'Express* en mai 1953, ou des feuilles plus confidentielles qui distillent des informations précises et immédiatement monnayables. En fait, les seuls succès durables viennent de la presse féminine, qui avec plus de 200 publications sait toucher toutes les couches sociales, populaires avec *l'Écho de la mode, Nous Deux* ou *Confidences*, qui dépassent le million d'exemplaires chaque semaine, plus moyennes pour *Marie-France, Elle* ou *Marie-Claire* : dans un mélange d'électroménager et de morale en photoroman, de soins de beauté et de publicité moderne, elle est un puissant instrument d'intégration sociale aux modèles dominants[1]. De même, une presse spécialisée traduit avec succès la promotion des loisirs et du mieux-être : elle peut être de détente culturelle, avec la *Sélection du Reader's Digest*; pratique, avec *le Chasseur français* et les guides de tricot ou de jardinage; sportive avec les succès de *l'Équipe*, de *Miroir-Sprint* ou de *Paris-Turf*; vouée au culte de l'automobile, comme *l'Auto-Journal*; provocante avec *France-Dimanche* ou *Détective*. Signe des temps, la presse enfantine, déjà bien lancée avant la guerre, triomphe, imposant la bande dessinée dans l'imaginaire collectif : fait capital, une

1. Voir É. Sullerot, *la Presse féminine*, Colin, 1963.

première génération d'enfants et d'adolescents s'éveille aussi au monde et à la culture à travers *Tintin, Spirou, le Journal de Mickey* ou *Vaillant*, inconsciente des batailles qu'elle déclenche et au cours desquelles l'offensive américaine sera longtemps contenue par la solidité des héritages nationaux au pays de *l'Épatant* et de *la Semaine de Suzette* et par le dynamisme de « l'école belge [1] ».

Ce relais par l'imaginaire pratique se vérifie dans la presse audiovisuelle, qui concurrence victorieusement la presse écrite. Ici encore le conformisme hérité est menacé par l'explosion culturelle. A la Libération, par les ordonnances et décrets de mars et novembre 1945 qui fondaient la Radio-télévision française (RTF), toutes les précautions avaient pourtant été prises pour faire appliquer une très rigide conception du monopole d'État. A la radio, les ambitions culturelles de l'heure, partagées souvent par la jeune génération de journalistes improvisés qui s'installe, s'étalent au Programme national, au Programme parisien et même à Paris-Inter, lancé en 1947, l'information politique est sévèrement contrôlée par les gouvernements. En vain : le public démesurément grossi (5,3 millions de récepteurs en 1945, 10,7 en 1958) impose ses goûts, préfère « Le grenier de Montmartre » ou « Jazz contre musette » au théâtre militant d'un André Delferrière, plébiscite « Paris vous parle » de Desgraupes plutôt que les bulletins monocordes. Un Vital Gayman, directeur très critiqué du « Journal parlé » de 1945 à 1958, un Wladimir Porché, savent comprendre cette évolution, mais les pouvoirs publics brisent tout élan novateur. La radio est enrôlée tour à tour dans la lutte contre le communisme au temps de « Paix et liberté » ou pour la défense de la politique algérienne avec un cynisme tranquille, seules les causeries de Mendès France le samedi soir desserrant un peu ce bâillonnement méthodique. Les derniers mois sont les plus conflictuels, la rue Saint-Dominique préparant elle-même les commentaires de l'expédition

---

1. Voir E. Morin, « Tintin, héros d'une génération », *la Nef*, n° 13, janvier 1958, et P. Ory, « Mickey *go home* ! La désaméricanisation de la bande dessinée (1945-1950) », *Vingtième siècle. Revue d'histoire*, n° 4, octobre 1984, p. 77-88.

de Suez ou Lacoste sélectionnant les sons et les images en provenance de son territoire : dès 1955, avec le départ de Penchenier, la radio n'a plus d'envoyé spécial en Alger! Le monopole d'État est devenu monopole gouvernemental. On comprend alors quels espoirs les Français mettent dans la renaissance des radios privées, où le contrôle est moins aisé, malgré les fortes participations publiques par le biais de la Sofirad créée en 1945. Radio-Luxembourg reprend ses émissions en novembre 1945 et fait mouche aussitôt avec des programmes populaires bien pensés par Louis Merlin : Saint-Granier triomphe dans « On chante dans mon quartier », Jean-Jacques Vital révèle dans « Pêle-mêle » un modeste universitaire, M. Champagne, qui anime la Coupe interscolaire, et sait encourager Bourvil; l'inusable feuilleton de la « Famille Duraton » (qui s'étire de 1930 sur Radio-Cité à 1966 sur RTL!) assure des continuités sans effort; puis le « Quitte ou double » présenté par Zappy Max et qui révèle l'abbé Pierre, la « Reine d'un jour » de Jean Nohain ouvrent l'ère des jeux radiophoniques à grande consommation, dans un rêve « bien de chez nous » financé par Catox. Alors que Radio-Andorre et Radio-Monte-Carlo ont repris leur public, le lancement d'Europe n° 1 en 1955, qui émet depuis la Sarre à l'issue d'une rude bataille financière et politique, accélère l'évolution, dans un mélange de jeux et de flashes publicitaires au service d'une information nerveuse et sûre, que la masse des Français découvre avec les événements de Budapest. Maurice Siégel y impose le reportage en images sonores, le commentaire bref, le meneur de jeu substitué au speaker, la jeune chanson, le jazz et le premier rock anglo-saxon face à ses concurrents englués dans les sucreries lénifiantes ou les airs d'accordéon [1]. Les jeunes, les classes moyennes et le grand public populaire las d'être considérés comme de nonchalants « chers-z-auditeurs » lui font fête.

Tout comme à la télévision, dont l'irruption (60 000 récepteurs en 1954, 680 000 en 1958) s'apprête à briser les dernières résistances à la « polyculture ». Ici, le monopole est préservé, même si les gouvernements n'ont pas pris toute la mesure du nouveau

---

1. Le pari est hardi, car le jazz déplaît encore à 60 % des Français en 1958 (voir *Sondages*, 1958, n°s 1 et 2, p. 78).

pouvoir de l'image. Mais ce nouveau média a sa vitalité propre qui l'adapte avec souplesse à l'air du temps. Au « Journal télévisé » lancé par Pierre Sabbagh en avril 1949 et constamment soutenu par Jean d'Arcy, c'est la future formule d'Europe n° 1, avec souvent les mêmes hommes, qui décuple ses effets, par l'image bientôt chassée en car-reportage ou dans les stations régionales, la réaction directe à l'événement, la hardiesse dans l'improvisation rue Cognacq-Jay. Les speakerines en buste, Catherine Langeais, Jacqueline Joubert puis Jacqueline Caurat, dédramatisent et accueillent. Peu à peu, sur la chaîne unique, mais avec un transfert en 1957 aux studios des Buttes-Chaumont qui relance les capacités de production, un équilibre s'impose librement entre les grands reportages, les émissions de variétés comme « La piste aux étoiles » de Gilles Margaritis, les « 36 chandelles » de Jean Nohain ou « La joie de vivre » d'Henri Spade, les jeux (« Télé-match » en 1954, puis « La tête et les jambes » de Pierre Bellemare et le « Gros lot » de Sabbagh en 1957), les sports très prisés et de solides émissions culturelles qui accomplissent à leur manière les espoirs de 1944, les « Lectures pour tous », « La camera explore le temps », les dramatiques pour la jeunesse de Claude Santelli ou les séries scientifiques d'Étienne Lalou. L'Eurovision, de grands événements colorés comme le couronnement d'Élisabeth II commenté par Léon Zitrone ou le Tournoi des Cinq Nations en rugby, accélèrent à partir de 1952 le ralliement massif des Français à cette forme totale de communication[1].

On pourrait multiplier les exemples de cette marche triomphale de la culture de masse. Avec les puissantes ramifications de la culture classique qu'elle étend : sur modèle américain, la collection du « Livre de poche » lancée en 1953 parachève le succès d'un Camus, d'un Sartre ou d'un Prévert. La presse enfantine relance la production de l'édition pour les jeunes, qui représente 12 % du chiffre d'affaires des éditeurs français en 1957, contre 5 % dix ans plus tôt; les dépenses de lecture suivent au rythme de 6 % par an les progrès généraux de la consommation[2]; le disque 78 tours puis le microsillon, chez les

1. Voir É. Lalou, *Regards neufs sur la télévision*, Éd. du Seuil, 1957.
2. Voir « Ce que lisent les Français », *Réalités*, juillet 1955, p. 54-59.

disquaires ou dans des clubs de vente par correspondance, diffusent
la musique classique et laissent dans les variétés un choix possible
entre les inévitables platitudes et les succès de la chanson française qui connaît un nouvel âge d'or avec Montand, Greco,
Ferré, Brassens ou Brel, puis Aznavour et Bécaud, avant d'être
menacée déjà par Bill Haley ou les Platters. Systématiquement
« couvert » par les médias, le sport, peu pratiqué mais beaucoup
regardé, mal popularisé dans la jeunesse, voit le triomphe à la
fois du jeu collectif avec le football ou le rugby, et du champion-
star, un Cerdan, un Vignal, un Bobet ou un Mimoun : il s'intègre à la culture et aux loisirs avec une force singulière[1]. La
mode qui descend des hauteurs sociales où le *new-look* l'avait
hissée en 1947, la publicité qui se renouvelle totalement, participent elles-aussi à ce *cracking* qui homogénéise les pratiques
culturelles. A mille signes, s'annonce ce que Dumazedier nommera
bientôt la civilisation des loisirs[2].

Les jeux pourtant ne sont pas encore faits. Les techniques
de la culture de masse n'envahissent pas aussi vite la France
que ses voisins européens, et bien souvent par antiaméricanisme
diffus autant que par retard de l'appareil productif; les inégalités
sociales si visibles, la lourdeur des horaires de travail, interdisent de généraliser à la hâte ce tableau des consommations culturelles. A leur niveau le plus simple, prendre des vacances,
bien des progrès devront suivre. Malgré le développement du
tourisme social, associatif ou commercial, avec par exemple
le lancement en 1950 du Club Méditerranée qui fait débarquer
ses premiers contingents de « gentils membres » sur les plages
des Baléares la même année, partir est encore en effet un privilège des Parisiens (51 % des dépenses de vacances en 1957)
ou des habitants des grandes villes : les feux de Saint-Tropez
ne font pas oublier que, à quelques dizaines de kilomètres, 69 %
des Marseillais ne s'évadent pas encore. Néanmoins, et toutes
proportions gardées, l'éthique de loisir se répand et structure
déjà la culture de masse qui le meuble. Dans un mélange de jeu

1. Voir G. Magnane, *Sociologie du sport*, Gallimard, 1964.
2. Voir J. Dumazedier (185).

et de spectacle, de sociabilités anciennes et de tentations modernes qui donnent à ces années cinquante une tonalité chaude et joyeuse, malgré les drames, la « polyculture » devient un vaste terrain d'aventure où les classes sociales se mêlent comme elles ne l'avaient jamais osé. Des mythes discutables, qui éliminent les vieux et bientôt les parents, promeuvent une éternelle juvénilité sociale, mêlent affectivité et modernité, lancent ce peuple à la rencontre de son époque[1]. Rarement acculturation fut aussi brutale et aussi intense. Rarement aussi vieux pays fut autant contraint de participer au présent et de protéger ses valeurs historiques, religieuses ou politiques contre le déferlement des normes mondialisées de la banalité communicative. Séduit déjà, il hésite encore. Brigitte Bardot et le général de Gaulle le prennent en charge.

1. Voir R. Barthes (188).

Conclusion

« Vous voilà débarrassés d'un préjugé ridicule et qui vous coûtait cher! » : le slogan publicitaire pour la promotion d'Astra s'applique à merveille, comme l'observait sur-le-champ Roland Barthes, à toutes les consommations matérielles, morales et politiques des Français au cours des années cinquante. Au corps social lassé du beurre rance et des illusions perdues, la modernisation impose avec l'inévitable triomphe de la margarine une sorte de vaccination agréable, digeste et économique. Sans pouvoir préjuger encore des vertus culinaires des matières grasses dérivées que lui proposera la Ve République, le bon peuple a raisonné comme dans la « pub » : il ne s'est pas levé de table au 13 mai 1958, pour ne pas laisser refroidir les plats excitants qu'il s'était laborieusement offerts. Préjugé, cette folle confiance à la Libération dans les vertus prometteuses d'une démocratie de justice réglée par des partis puissants et honnêtes, cette obstination à trop croire, d'élection en élection, que le vote pouvait imposer des majorités durables et que le parlementarisme élargirait les consensus! Ridicule, ce régime d'assemblée qui énerve la décision, subit l'événement, gouverne peu et mal, dissimule l'impéritie sous les discours vertueux! Et qu'elle coûte cher la myopie de ses hommes, rescapés des traumatismes de 1947, défaits au Tonkin et empêtrés dans leur guerre d'Algérie, quand toute la société, d'un seul élan, aspire au partage du mieux-être! « Qu'importe, *après tout*, note Barthes[1], que la margarine ne soit que de la graisse, si son rendement est supérieur à celui du beurre? Qu'importe, *après tout*, que l'ordre soit un peu brutal ou un peu aveugle, s'il nous permet de vivre à bon marché? Nous voilà, nous aussi, débarrassés d'un préjugé qui

1. Voir R. Barthes (188), p. 46.

nous coûtait cher, trop cher, qui nous coûtait trop de scrupules, trop de révoltes, trop de combats et trop de solitude. » Régime enlisé, France enhardie : la IVe République n'a pas surmonté à temps la contradiction, les Français ont sanctionné son impuissance, lui ont préféré leur confort et la nouveauté sans risques, soumis à la fatalité tranquille du *après tout*.

Ainsi ramassé, à la limite de la caricature, l'enjeu dépasse largement le débat qui excita sans excès tant de contemporains de l'événement, prévisible et déroutant, du 13 mai : suicide ou assassinat? La vieille garde républicaine, morose mais dissimulant Mendès France et Mitterrand derrière Daladier le 28 mai sur les boulevards trop parisiens de la protestation de routine, fustigera longtemps et avec dignité les instigateurs d'un coup d'État promis à la permanence des heureux effets, avant de succomber à son tour aux charmes des institutions qu'ils ont fait plébisciter. A cette défense de principes sans soutien et à cette dénonciation bien usée d'un « bonapartisme » ou d'un « fascisme » violenteurs, des voix talentueuses mais discordantes ont rétorqué en étirant au maximum l'argumentation sur le suicide méthodique. Cette République aurait vécu dans l'agonie. Condamnée à la naissance, puisqu'elle s'est privée en 1946 du charisme du général et du viatique du discours de Bayeux, disent les gaullistes. Hystérique et perverse dès 1947, quand elle livre le pays à l'impérialisme de Washington et se prive du soutien des meilleurs bataillons encadrés de la classe ouvrière, ajoutent les communistes. Mal-aimée, déchirée, traînant les séquelles des années noires et de la guerre froide, immobilisant le pays « à l'heure de son clocher », prolongement cacochyme d'une IIIe République sur le retour, touchée à mort par Diên Biên Phu et l'échec de la CED, achevée par Alger et enlevée à la sauvette dans le silence méprisant des citoyens : observateurs politiques et journalistes ont signé très tôt son permis d'inhumer. Elle « meurt beaucoup moins des coups qui lui sont portés que de son inaptitude à vivre », conclut Sirius dans *le Monde* le 29 mai 1958 [1].

L'historien est tenté d'intervenir avec prudence dans ce débat

---

1. Voir Sirius (75), p. 106,

qui n'est pas encore tranché aujourd'hui dans la conscience nationale. Il sait trop bien que l'attendent des archives encore inaccessibles, que des témoignages essentiels n'ont pas été livrés, il réserverait volontiers un jugement dont il ne veut pas faire une sentence. Néanmoins, il tient à marquer la chronologie, il observe les convalescences heureuses autant que les crises tragiques et se méfie des issues trop fatales. Effet d'une maladie de carence, ce faisceau de contraintes nationales et internationales qui fauche les espoirs en rafales et asphyxie l'ardeur dans l'immédiat après-guerre? Qu'un organisme déjà atteint ait ensuite trouvé jusqu'en 1952 tant de réserves vitales pour asseoir la Troisième Force sur les ruines du tripartisme, stopper l'agression des communistes et des gaullistes, lancer le Plan, la croissance et l'Europe tout en préservant une démocratie grisâtre mais assurée, laisse à penser que la suicidaire avait du souffle. Qu'enfin, après la catastrophe en Indochine et l'embrasement de l'Afrique du Nord, dans un climat social dégradé par un partage inégal de la prospérité économique, flotte sur quelques mois de 1955, grâce à Mendès France et à Edgar Faure, un air frais qui fouette presque comme une rage de vivre, avertit que la moribonde aurait peut-être pu faire longtemps la nique aux pleureuses. En bref, et jusqu'à plus ample information, méfions-nous des interprétations paresseuses par la langueur monotone, la fragilité des régimes « de transition » et la faiblesse des périodes « charnières » promises aux électrochocs ou aux essoufflements.

Faut-il donc abandonner le destin de la IVe République à l'emprise de l'événement, sphinx imprévisible, grain de sable qui enraie les machineries idéologiques expliquant le cours de l'Histoire? Il est banal de rappeler que le choc frontal qui disloqua le régime, ce fut la guerre d'Algérie et que l'hallali est daté du 13 mai 1958. Avec le recul du temps, nous percevons aisément la troublante symétrie de l'échec du renouveau à partir de 1953, quand les appétits de la France moderne et la bourrasque de la décolonisation balaient les solutions trop médiocres ou trop exigeantes du centre droit puis du centre gauche. Qu'il est aisé de repérer rétrospectivement la puissance des lames de fond! N'oublions pas toutefois qu'elles ne se sont manifestées que par l'écume de l'événement et que l'affaire algérienne, par exemple, réservait encore quelques surprises aux hommes de la Vᵉ République : les gouvernants myopes de la IVᵉ, comme leurs prédécesseurs et comme leurs successeurs, peuvent plaider le droit historique à l'erreur, quand leurs adversaires eux-mêmes hésitent et que les Français se prononcent mais en silence. Assurément, c'est le drame algérien qui a acculé le pays à faire un choix douloureux, et plus tôt qu'on ne l'a dit : dès septembre 1957, on s'en souvient, les Français ont baissé les bras, refusant toute confiance à leurs gouvernants pour régler l'affaire et préférant les bienfaits de l'expansion aux sacrifices d'une économie de guerre à outrance. Au 13 mai, quand la volonté de De Gaulle fixe l'enjeu et force l'issue, ce choix latent est dévoilé, dans la passivité des citoyens et l'isolement de la classe politique empêtrée dans ses protestations sans écho et ses palinodies inqualifiables. Qu'aient alors rejoué chez les parlementaires au pouvoir les vieilles fractures de 1947, l'anticommunisme constitutif et l'atlantisme nécessaire, les paralyse sans les éclairer. Tel est sans doute le vice secret du régime : « Quand les hommes ne choisissent pas, observait Raymond Aron [1], les événements choisissent pour eux. »

L'interrogation sur les causes de l'échec trouve ainsi une autre formulation, tout aussi classique dans l'historiographie de la période [2] : est-ce la responsabilité des institutions ou celle des hommes qui est engagée? Les premières ont été trop accablées après 1958 pour qu'on ne soit pas tenté de soupeser le juridisme moralisateur des procureurs les moins suspects. Du bout des lèvres mais, pour la première fois de leur histoire, dans le plein exercice de leur liberté démocratique, les Français ont adopté une Constitution viable. Son parlementarisme pouvait être rationalisé par la puissance de trois partis exprimant bien la volonté populaire. Deux présidents de la République, Auriol puis Coty, ont su exercer honnêtement leur magistrature morale comme leur droit d'opinion et de choix : leur action n'est pas une parenthèse entre deux assomptions du Général. Si la dérive vers un

1. R. Aron (76), p. 256.
2. Voir par exemple (*le Monde*, 23 février 1979) la passe d'armes entre des universitaires qui soulignent la faiblesse institutionnelle et Mendès France qui juge sévèrement les hommes lors d'un récent colloque.

tyrannique régime d'assemblée est incontestable, la faute n'en est pas imputable, quoi qu'on en ait dit, à la toute-puissance des partis colonisant et pervertissant le « système », mais à leurs faiblesses. Vieux ou neufs, ils ne savent pas aller au-devant des aspirations nouvelles de la société, ils se soumettent à la pression de l'électeur sans savoir lui proposer une pédagogie du civisme, gèrent à l'ancienne une souveraineté toute neuve, périclitent quand le corps social prospère, victimes de leurs vues courtes, de leur organisation archaïque, de leurs idéologies datées, et surtout de leur confiance naïve dans les vertus supposées majoritaires et régénératrices d'un esprit de la Résistance qui renouvellerait les élites et mobiliserait durablement un peuple. On sait les abandons qu'entraîne ce défaut d'encadrement, des partis incapables de traduire une volonté au Parlement et déléguant la décision aux états-majors des groupes, des assemblées imposant leurs conditions aux gouvernements sans leur proposer de politique, les couloirs jouant avec le destin du pays. S'installent ainsi peu à peu deux règles tacites, absurdes et dangereuses, qu'aucune « réformette » ne peut tourner. L'élection n'a plus d'autre portée qu'une pression sur le pouvoir, puisque l'électeur sait qu'il ne se prononce ni sur une politique ni sur une majorité de gouvernement : le traumatisme du lendemain des élections de 1956 a valeur de sévère avertissement, quand les députés dépouillent les citoyens de leur choix en préférant Mollet à Mendès France. La crise, à répétition, installant la nation dans l'attente pendant 348 jours de 1946 à 1958, trouve une quasi-légitimité institutionnelle, devient le moyen le plus expéditif pour résoudre les problèmes à coups de décrets tant que le gouvernement démissionnaire expédie les « affaires courantes » : politique à la sauvette, moins inefficace qu'immorale [1].

Ce sont les hommes et leur médiocre regroupement partisan qui ont délabré des institutions qu'ils auraient dû servir. Assurément, se sont levés un Pinay, un Mendès France ou un Edgar Faure, capables de redonner confiance, de conclure la paix en

1. Voir J. Fauvet dans le Monde, 20 juin 1958, et F. Bouyssou, « L'activité des gouvernements démissionnaires sous la IVe République », Revue française de science politique, août 1970, p. 645-680.

Indochine, de relancer l'Europe, d'encourager la modernisation
de résister à la démagogie du poujadisme et d'émerger intact
des scandales. Mais l'événement, impitoyable, a dénudé tro
de petits maîtres du MRP, de potentats de la SFIO, de gaulliste
activistes, de serviteurs des grands intérêts et de Jeunes-Turc
prudentissimes. La République s'affaiblit de leurs divisions
si visibles par exemple dans les retournements de majorité su
la CED, est mutilée par leurs exclusions et leurs rancœurs tenaces
De Gaulle, on l'a vu, déplore l'absence de « MM. Thorez, Poujad
et Ferhat 'Abbās » à l'heure décisive avec une cruelle ironie
comment entretenir un consensus sans l'appui d'une part d
la classe ouvrière, des sinistrés de la croissance et des peuple
d'Algérie? Ces ostracismes, disent-ils, ont sauvé la République
Mais ils ont dangereusement clairsemé les rangs de ses défen
seurs : au 13 mai, la classe politique régnante est livrée à elle
même, son pouvoir lui échappe, « machine infernale abandonné
au centre d'un grand cercle de peur [1] ». A leur décharge, on doi
invoquer la vague sans fin des urgences et la multiplicité des adver
saires. Saluer aussi leur capacité à faire vertu de leurs propre
faiblesses, quand ils laissent s'étendre l'État-Providence de
sociétés nouvelles sans se faire dicter leur conduite par ses ges
tionnaires. A la différence de leurs successeurs, et s'ils ont comm
eux subi la brutale pression de leurs militaires, les hommes d
la IVe République ont su signer avec une haute administratior
bien protégée un contrat équilibré qui préserve le pays de la
confusion des pouvoirs, tout en laissant se préparer au Plan
à l'ENA, dans le secteur public et les ministères l'avènemen
de la technocratie. Mais, au bout du compte, cette « Républiqu
des députés » a entretenu une classe politique trop protégé
des bourrasques sociales pour percevoir et assumer les exigence
nationales. Comme avant 1940, l'extrême dissociation du pou
voir politique, du pouvoir administratif, du pouvoir économiqu
et social, statistiquement démontrée [2], isole dangereusemen
les parlementaires et les appareils de partis des œuvres vives
du pays.

1. Sirius (75), p. 43.
2. Voir P. Birnbaum (27), chap. 3.

Est-ce à dire que la crise du régime ne fut que reflet d'une crise de la nation? La question a été souvent posée[1]. La dépolitisation, l'incivisme ou l'indifférence, dont on s'inquiète à juste titre bien avant 1958, trouvent sans aucun doute leurs racines dans une très pressante aspiration des Français à un encadrement catégoriel qui n'a pas su frayer sa voie dans des regroupements professionnels, syndicaux ou culturels capables de fertiliser le débat politique. Malgré l'élan de la Libération, l'excitation des appétits par la croissance économique prend de court une société civile chroniquement alanguie : le vieux travers national devient source inédite de tensions. A cette incapacité structurelle au dialogue et à la concertation dans la société française, les politiques ne peuvent rien, ou si peu : ils s'abandonnent à la pression contradictoire des groupes les plus soudés, à l'agrégat instable de la revendication catégorielle. Isolés des autres élites d'encadrement, ils subissent plus qu'ils n'utilisent pour forger un nouveau consensus le mieux-être, le goût du savoir, la mobilité sociale, l'expansion du salariat ou l'agitation culturelle. Le Parlement et sa démocratie campent en marge de la société en mouvement mais subissent l'assaut des mécontentements qu'elle avive : rude contradiction, qui n'était peut-être pas insurmontable, mais que la guerre d'Algérie rend insupportable.

Impuissante et troublée, cette République ne fut cependant pas stérile. Elle lègue à la Ve des réalisations et des propositions dont il faut rappeler le palmarès trop volontairement oublié : protection et sécurité sociales, aides à la famille, fixation des enjeux sur l'école moyenne, aspirations au partage de la culture, toute la panoplie de l'État-Providence en pleine vigueur juvénile; la planification, l'aménagement du territoire, des politiques économiques empiriques qui ne maîtrisent pas l'inflation et le déficit mais qui préservent la liberté des chances, la promesse de l'ouverture européenne, sans négliger les impératifs collectifs; les politiques de la recherche scientifique, de développement

1. Voir « La France, crise du régime, crise de la nation », *Cahiers d'économie humaine*, Éditions ouvrières, septembre 1956; « Pouvoir politique et pouvoir économique », *Esprit*, juin 1953.

de l'énergie atomique, d'alliance avec l'Afrique noire qui augurent
bien du maintien de la souveraineté. Elle n'a entravé ni la modernisation en profondeur, ni l'impatience à rajeunir, ni surtout
l'amélioration des conditions de la vie quotidienne. Mais il faut
mettre aussitôt en regard ses limites et ses échecs. Les mécanismes
de l'inégalité et de l'exclusion sociales restent en place : les ouvriers
des paysans, trop de vieillards en souffrent chaque jour. La gangrène en Algérie a attenté au moral de la nation et terni l'image
mondiale des Droits de l'homme. Et surtout, la France titube
sur la scène internationale, ne sachant plus si elle est depuis
1945 la plus petite des grandes puissances ou la plus grande des
petites. « Groggy » et pourtant attaché à chaque parcelle de sa
souveraineté, vivant sans doute au-dessus de ses moyens mais
traversé d'élans, ce pays bruissant vaut mieux que la fin sans gloire
de son régime politique.

Les Français ont tranché. Ils délèguent à de Gaulle le soin
de leur proposer une démocratie sécurisante et mieux hiérarchisée qui renouera, croient-ils, le dialogue interrompu des gouvernants et des gouvernés, conciliera la défense des intérêts et
les ambitions nationales. La IVe République passe à la trappe
pour défaillance d'autorité : ses successeurs prendront grand
soin de couvrir leur politique en mettant périodiquement en
garde la mémoire collective contre les errements de ce fantôme
pervertissant la nation au-delà du tombeau. Ni remords, ni
recours : le régime abattu ne fut longtemps qu'argument décharné
sans consistance historique. Trente ans plus tard, quand de
nouvelles générations affrontent la crise économique, s'interrogent
sur l'État-Providence, la démocratie, le pouvoir et les masses
sans aller jusqu'à une réhabilitation sans objet depuis que la
Ve République jouit d'un si paisible *satisfecit* national pour ses
institutions, les Français pourraient peut-être admettre enfin
que ce régime faible et méprisé n'a pas tout à fait démérité.
Rétrospectivement, nous serions même tentés de porter à
son crédit sa persévérance à gouverner peu, qui permit sans
doute à la France d'afficher librement des hardiesses imprévues,
assumées et fécondes. Mieux encore, par contraste et sans nostalgie inutile, le souvenir de ces années où vitalité et modernité
vont d'un bon pas devrait convaincre ce vieux pays qu'il sait

percer à l'occasion les secrets de son éternelle jeunesse, qu'il peut prendre le risque de concevoir un avenir et l'assurer que, si l'échec est toujours surmontable, l'ambition, elle, n'a pas de prix.

Quelques sigles

ALN	Armée de libération nationale
APEL	Association des parents d'élèves de l'école libre
CANAC	Comité d'action nationale des anciens combattants
CAPES	Certificat d'aptitude au professorat de l'enseignement secondaire
CEA	Commissariat à l'énergie atomique
CEE	Communauté économique européenne
CETA	Centre d'étude technique agricole
CGL	Confédération générale du logement
CNL	Confédération nationale des locataires
COFIREP	Compagnie financière de recherches pétrolières
CREDOC	Centre de recherche et de documentation sur la consommation
CUMA	Coopérative d'utilisation du matériel agricole
DPU	Dispositif de protection urbaine
DST	Direction de la surveillance du territoire
FINAREP	Société financière pour la recherche et l'exploitation du pétrole
FLN	Front de libération nationale
MNA	Mouvement national algérien
MODEF	Mouvement de défense des exploitations familiales
OTASE	Organisation du traité de l'Asie du Sud-Est
RDR	Rassemblement démocratique révolutionnaire
SNCASO	Société nationale de construction aéronautique du Sud-Ouest
SNECMA	Société nationale d'étude et de construction de matériel aéronautique
SNREPAL	Société nationale de recherches et d'exploitation du pétrole en Algérie
UDCA	Union de défense des commerçants et artisans
UDMA	Union démocratique du Manifeste algérien
UEO	Union de l'Europe occidentale
UFNA	Union française nord-africaine
UGEMA	Union générale des étudiants musulmans algériens
UGTA	Union générale des travailleurs algériens
UNAF	Union nationale des associations familiales
URAS	Union républicaine d'action sociale
USRAF	Union pour le salut et le renouveau de l'Algérie française

Chronologie sommaire

1952

6 mars	Investiture de Pinay.
14 mars	Mémorandum du sultan du Maroc.
26 mars	Arrestation de ministres tunisiens.
12 avril	Vote des projets financiers du gouvernement.
28 avril	Ridgway commandant du SHAPE.
9 mai	*Le Monde* publie le « rapport Fechteler ».
26 mai	Lancement de l'emprunt Pinay.
27 mai	Signature à Paris du traité de la CED.
28 mai	Manifestation communiste contre Ridgway.
10 juin	Dissidence d'élus RPF.
22 juin	« États généraux » des PME.
24 juin	Inauguration de la ligne électrifiée Paris-Lyon.
1er juillet	Libération de Duclos arrêté le 28.
3 juillet	Loi-programme sur le développement de l'énergie atomique.
8 juillet	Échelle mobile des salaires.
12 septembre	Hirsch commissaire général au Plan.
16 septembre	Sanctions contre Marty et Tillon.
25 octobre	Inauguration du barrage de Donzère-Mondragon.
1er novembre	Bombe H américaine.
4 novembre	Eisenhower président des États-Unis.
9 novembre	Bourses pour les élèves de l'enseignement privé.
22 novembre	Code du travail pour l'outre-mer.
5 décembre	Assassinat de Fehrat Hached.
7-8 décembre	Émeutes de Casablanca.
23 décembre	Démission du gouvernement Pinay.

1953

7 janvier	Investiture de René Mayer.
12 janvier	Ouverture à Bordeaux du « procès d'Oradour ».
14 janvier	Plan Courant pour la construction.

10 février	Ouverture du marché commun du charbon et du fer (CECA).
25 février	De Gaulle rejette la CED.
5 mars	Mort de Staline.
11-13 mars	Loi d'amnistie et suppression de la Haute Cour de justice.
19 mars	Le Bundestag ratifie le traité de la CED.
10 avril	Retour en France de Thorez.
14 avril	Offensive du Viêt-minh au Laos.
15 avril	Grève dans les transports et chez Renault.
26 avr. et 3 mai	Élections municipales.
6 mai	De Gaulle rend leur liberté aux élus RPF.
8 mai	Navarre commandant en chef en Indochine.
14 mai	Premier numéro de *l'Express*.
21 mai	Démission du gouvernement Mayer.
26 mai	Les parlementaires gaullistes fondent l'URAS.
2 juin	Couronnement d'Élisabeth II en Angleterre.
4 juin	Mendès France ne reçoit pas l'investiture.
16 juin	Émeutes à Berlin-Est.
19 juin	Exécution des Rosenberg.
26 juin	Investiture de Laniel.
21 juillet	Adoption du « plan de Navarre » en Indochine.
22 juillet	Poujade lance son mouvement à Saint-Céré.
27 juillet	Armistice en Corée.
7 août	Grève générale des services publics.
12 août	Laniel dit non à la grève.
20 août	Déposition du sultan.
25 août	Reprise du travail dans les services publics.
7 septembre	Khrouchtchev premier secrétaire du PCUS.
15 septembre	Rome condamne les prêtres-ouvriers.
11 octobre	Barrage de routes par des agriculteurs.
17-27 novembre	Débat sur la CED.
20 novembre	Occupation de Diên Biên Phu.
4-8 décembre	Sommet occidental aux Bermudes.
23 décembre	Coty président de la République.
25 décembre	Offensive du Viêt-minh au Laos.

1954	1er février	Début de la campagne de l'abbé Pierre.
	4 février	Plan de relance économique.
	5 février	Diên Biên Phu est encerclé par le Viêt minh.

4 avril	Laniel et Pleven conspués place de l'Étoile.
10 avril	Loi instituant la TVA.
26 avril	Ouverture de la conférence de Genève.
29 avril	Refus américain d'aide militaire en Indochine.
7 mai	Chute de Diên Biên Phu.
30 mai	La SFIO se prononce difficilement en faveur de la CED.
3 juin	Ély commandant en chef en Indochine.
12 juin	Chute du gouvernement Laniel.
18 juin	Investiture de Mendès France.
20 juillet	Accords de Genève.
22 juillet	L'Assemblée ratifie les accords de Genève.
30 juillet	Boyer de Latour résident général en Tunisie.
31 juillet	Discours de Carthage.
1er-7 août	Cessez-le-feu au Viêt-nam, au Cambodge et au Laos.
13 août	Vote des pouvoirs spéciaux en matière économique. Démission des ministres ex-gaullistes hostiles à la CED.
22 août	Conférence des Six à Bruxelles.
6 septembre	Création de l'OTASE.
18 septembre	Début de l'« affaire des fuites ».
28 septembre	Le gouvernement s'attaque aux betteraviers.
3 octobre	Accords de Londres.
9 octobre	Évacuation de Hanoi.
21 octobre	Accord avec l'Inde sur les comptoirs français.
23 octobre	Accords de Paris sur l'Allemagne et la Sarre.
1er novembre	Début de l'insurrection en Algérie.
22 novembre	Mendès France prône la détente à l'ONU.
30 novembre	Vote de la « réformette ».
3 décembre	Débat parlementaire sur les fuites.
30 décembre	Ratification des accords de Paris.
1955 5 janvier	Programme de réformes en Algérie.
8 janvier	Décret sur la décentralisation industrielle.
20 janvier	Remaniement ministériel.
25 janvier	Soustelle gouverneur en Algérie.
6 février	Chute du ministère Mendès France.
20 février	Grand meeting de Poujade au Vel' d'Hiv'.
25 février	Investiture d'Edgar Faure.

2 avril	Vote de l'état d'urgence en Algérie.
18-24 avril	Conférence de Bandoeng.
15 mai	Traité de paix avec l'Autriche.
21 mai	Rappel des disponibles en Algérie.
27 mai	Le IIe Plan est adopté.
1er juin	Retour de Bourguiba à Tunis.
1er-3 juin	Conférence de Messine.
20 juin	Grandval résident général au Maroc.
22 juin	Début des grèves à Saint-Nazaire.
30 juin	Création du FDES.
18-24 juillet	Conférence des Quatre à Genève.
29 juillet	Maintien de l'état d'urgence en Algérie.
1er et 17 août	Incidents à Saint-Nazaire et à Nantes
20 août	Accord salarial à Saint-Nazaire.
21 août	Massacre FLN à Guelma.
24 août	Rappel des réservistes pour l'Algérie.
12 septembre	Grève générale dans la région nantaise
15 septembre	Accords Renault.
27-30 septembre	L'ONU débat de l'affaire algérienne.
1er octobre	Accords salariaux à Nantes.
13 octobre	Monnet lance un Comité d'action pour l'Europe.
23 octobre	Référendum en Sarre.
5 novembre	Rétablissement de Mohamed V.
15 novembre	Lecœur exclu du PCF.
17 novembre	Élections aux caisses de la Sécurité sociale
29 novembre	Chute du gouvernement Faure.
2 décembre	Dissolution de l'Assemblée nationale.
8 décembre	Constitution du Front républicain.
12 décembre	Ajournement des élections en Algérie.

1956	2 janvier	Élections législatives.
	7 janvier	Mise en route de la pile atomique de Marcoule.
	14 janvier	Création à Alger d'un Comité d'action et de défense de l'Algérie française.
	5 février	Investiture de Mollet.
	6 février	Mollet à Alger. Démission de Catroux.
	9 février	Lacoste résident général en Algérie.
	25 février	Rapport de Khrouchtchev au XXe Congrès du PCUS.
	28 février	Trois semaines de congés payés.
	7 mars	Indépendance du Maroc.
	12 mars	Vote des pouvoirs spéciaux en Algérie.
	20 mars	Indépendance de la Tunisie.
	23 mars	Loi-cadre Defferre sur l'outre-mer.

4 avril	Désertion de l'aspirant Maillot.
12 avril	Dissolution de l'Assemblée algérienne.
5 mai	Création du Fonds national de solidarité.
15-19 mai	Mollet et Pineau en URSS.
18 mai	Massacre de Palestro.
6 juin	*Le Monde* publie le rapport Khrouchtchev.
28 juin	Émeutes de Poznan.
5 juillet	Grève générale des Algériens en France et à Alger.
18-21 juillet	Congrès du PCF au Havre.
25 juillet	Projet Billères de réforme de l'enseignement.
26 juillet	Nasser nationalise le canal de Suez.
8 août	Contacts militaires franco-britanniques.
1er septembre	Contacts secrets avec le FLN à Rome.
10 septembre	Lancement de l'emprunt Ramadier.
14 septembre	La France et la Grande-Bretagne saisissent l'ONU sur l'affaire de Suez.
28 septembre	Première électricité nucléaire à Marcoule.
16 octobre	Arraisonnement de l'*Athos*.
22 octobre	Interception de l'avion de Ben Bella.
23-30 octobre	Insurrection de Budapest.
29 octobre	L'armée israélienne envahit le Sinaï.
30 octobre	Ultimatum franco-britannique à Nasser
3 novembre	Les Israéliens prennent Gaza.
4 novembre	Répression soviétique en Hongrie.
5 novembre	Raid franco-britannique sur le canal et Port-Saïd.
5-6 novembre	Ultimatums russes et américains.
7 novembre	Arrêt des opérations en Égypte. Manifestation anticommuniste à Paris.
29 novembre	Rationnement de l'essence.
24 décembre	Assassinat de Froger à Alger.
28 décembre	Ratonnades de Boofarik.

1957	7 janvier	Massu responsable de l'ordre à Alger.
	16 janvier	Attentat au bazooka contre l'état-major de Salan.
	22 janvier	L'Assemblée est favorable au Marché commun.
	27 janvier	Élections partielles à Paris.
	23 mars	Disparition d'Ali Boumendjel.
	25 mars	Signature du traité de Rome.
	31 mars	Élections territoriales en Afrique noire.
	5 avril	Création de la Commission de sauvegarde des droits et libertés en Algérie.

9 mai	Gouvernement autonome au Cameroun.
21 mai	Chute du gouvernement Mollet.
28-31 mai	Massacres de Melouza et de Wagram.
12 juin	Investiture de Bourgès-Maunoury.
21 juin	Disparition de Maurice Audin.
10 juillet	Ratification des traités de Rome.
25 juillet	Bourguiba président de la République tunisienne.
12 août	Dévaluation déguisée du franc.
15 septembre	Achèvement de la ligne Morice.
30 septembre	Chute du gouvernement Bourgès-Maunoury.
4 octobre	Lancement de Spoutnik I.
7 octobre	Camus prix Nobel.
5 novembre	Investiture de Gaillard.
1958 1er janvier	Ouverture du Marché commun.
11 janvier	Arrivée à Philippeville du premier « brut » saharien.
30 janvier	Prêt américain à la France.
31 janvier	Adoption de la loi-cadre sur l'Algérie.
8 février	Bombardement de Sakhiet.
17 février	« Bons offices » anglo-américains.
13 mars	Manifestation de policiers devant le Palais-Bourbon.
23 mars	Les républicains sociaux font appel à de Gaulle.
27 mars	Saisie de *la Question* d'Alleg.
9 avril	Échec des « bons offices » anglo-américains.
15 avril	Chute du gouvernement Gaillard.
26 avril	Manifestation à Alger pour l' « Algérie française ».
13 mai	Investiture de Pflimlin.
15 mai	Salan lance le nom de De Gaulle au Forum.
19 mai	Conférence de presse de De Gaulle.
24 mai	Succès de Résurrection en Corse.
28 mai	Démission de Pflimlin. Manifestation antifasciste à Paris.
29 mai	Coty appelle de Gaulle.
1er juin	Investiture de De Gaulle.
2 juin	Vote des pleins pouvoirs.
4-7 juin	De Gaulle à Alger : « Je vous ai compris. »
28 septembre	Référendum sur la nouvelle Constitution
23-30 novembre	Élections législatives.
21 décembre	De Gaulle premier président de la Ve République et de la Communauté.

Orientation bibliographique

Cette orientation bibliographique * ne vise qu'à compléter les indications déjà rassemblées dans le premier volume de cet ouvrage, p. 285-301 :

1. J.-P. Rioux, *La France de la IVᵉ République. I. L'ardeur et la nécessité (1944-1952)*, Éd. du Seuil, 1980.

On devra donc s'y reporter sur tous les sujets, l'accent n'ayant été mis ici que sur la crise finale du régime et sur l'évolution de la société.

1. Ouvrages généraux

Compléter **1**, p. 285-289, par :

2. J. Julliard, *La IVᵉ République (1947-1958)*, Calmann-Lévy, 1968, et « Pluriel », 1980.
[BELLE MÉDITATION SUR L'EUTHANASIE.]

3. G. Elgey, *La République des contradictions (1951-1954)*, Fayard, 1968.
[FOUILLÉ ET RICHE EN DOCUMENTS INÉDITS.]

4. P.-M. de La Gorce, *Apogée et mort de la IVᵉ République (1952-1958)*, Grasset, 1979.
[FOISONNANT ET ASSEZ GAULLIEN.]

5. A. Grosser, *La IVᵉ République et sa politique extérieure*, Colin, 1967.
[FONDAMENTAL.]

6. *La Quatrième République*, Actes du colloque de Nice en 1977, Librairie générale de droit et de jurisprudence (LGDJ), 1978.

7. *La IVᵉ République*, Actes du colloque de l'université de Paris-I/CNRS, 1979, à paraître.

8. *La France en voie de modernisation (1944-1952)*, Actes du colloque de la Fondation nationale des sciences politiques (FNSP), 1981, à paraître aux Presses de la FNSP.
[LES PLUS RÉCENTES MISES AU POINT COLLECTIVES.]

* Sauf exception mentionnée, le lieu d'édition des ouvrages est Paris.

2. Vie et mort du « système »

1. *Les forces politiques et les élections.*

9. Ph. Robrieux, *Histoire intérieure du parti communiste*, t. 2, *1945-1972*, Fayard, 1981.
[LA FACE IMMERGÉE DE L'ICEBERG.]

10. R. Bourderon *et al.*, *Le PCF, étapes et problèmes 1920-1972*, Éditions sociales, 1981.
[UNE HISTOIRE QUI SE VEUT MOINS OFFICIELLE.]

11. R. Quilliot, *La SFIO et l'Exercice du pouvoir (1944-1958)*, Fayard, 1972.
[LA SEULE TENTATIVE DE SYNTHÈSE.]

12. « La gauche », *Les Temps modernes*, numéro spécial, 1955.
[BILAN CLINIQUE À CHAUD.]

13. É.-F. Callot, *Le Mouvement républicain populaire*, Rivière, 1978.
[UTILE.]

14. R. Rémond, *Les Droites en France*, Aubier, 1982.
[UN CLASSIQUE QUI A FAIT PEAU NEUVE : FONDAMENTAL.]

15. M. Duverger (sous la direction de), *Partis politiques et classes sociales en France*, Colin, 1955.
[STRUCTURE SOCIALE DES PARTIS ET EXPRESSION POLITIQUE DE LA SOCIÉTÉ : UNE SOMME.]

16. M. Duverger, F. Goguel, J. Touchard (sous la direction de), *Les Élections du 2 janvier 1956*, Colin, 1957.

17. *L'Établissement de la Cinquième République. Le référendum de septembre et les élections de novembre 1958*, Colin, 1960.
[DEUX ÉTUDES DE SCIENCE POLITIQUE.]

2. *La gestion au jour le jour.*

18. S. Arné, *Le Président du Conseil des ministres sous la Quatrième République*, LGDJ, 1962 .
[RÉFLEXION SUR LA DURÉE ET L'AUTORITÉ.]

19. R. Rémond, A. Coutrot, I. Boussard (sous la direction de), *Quarante ans de cabinets ministériels*, Presses de la FNSP, 1982.
[UNE ENQUÊTE QUANTITATIVE.]

20. F. de Baecque, *L'Administration centrale de la France*, Colin, 1973.
[UN GRAND MANUEL.]

21. P. Lalumière, *L'Inspection des finances*, PUF, 1959.

22. F. Bloch-Lainé, *Profession : fonctionnaire*, Éd. du Seuil, 1976.
[UN TÉMOIGNAGE EXCEPTIONNEL ET UNE SOLIDE ÉTUDE SUR DES PERSONNAGES CLÉS.]

23. J. Siwek-Pouydesseau, *Le Corps préfectoral sous la Troisième et la Quatrième République*, Colin, 1969.
[DES AUXILIAIRES DE MATIGNON QUI ONT PERDU LE GOÛT DU RISQUE.]

24. M.-C. Kessler, *La Politique de la haute fonction publique*, Presses de la FNSP, 1978.
[HISTOIRE DE LA PÉPINIÈRE DE L'ÉNA.]

25. R. Catherine, *Fonction publique*, Segep, 1952 (2 vol.), et Sirey, 1958.
[FINS ÉDITORIAUX DE LA *Revue administrative*.]

26. E.N. Suleiman, *Les Hauts Fonctionnaires et la Politique*, Éd. du Seuil, 1976.
[DE GRANDS CORPS IMPARTIAUX ?]

27. P. Birnbaum, *Les Sommets de l'État*, Éd. du Seuil, 1977.
[LES PARLEMENTAIRES ISOLÉS DE L'ADMINISTRATION.]

28. « Pouvoir politique et pouvoir économique », *Esprit*, juin 1953.

29. J. Meynaud, *Les Groupes de pression en France*, Colin, 1958.

30. J. Meynaud, *Nouvelles études sur les groupes de pression en France*, Colin, 1962.

31. G. Vedel (sous la direction de), *La Dépolitisation, mythe ou réalité ?*, Colin, 1962.

32. Ph. Williams, *War, Plots and Scandals in Post-War France*, Cambridge University Press, 1970.
[L'ACCUMULATION DES PROBLÈMES QUI SAPENT L'AUTORITÉ DU RÉGIME.]

3. *De Pinay à Mendès France.*

33. S. Guillaume, *Antoine Pinay*, Presses de la FNSP, 1983.

34. R. Poidevin, *Robert Schuman, homme d'État (1886-1963)*, Imprimerie nationale, 1986.
[BIOGRAPHIES FOUILLÉES.]

35. R. Aron et D. Lerner (sous la direction de), *La Querelle de la CED*, Colin, 1956.
[« ESSAIS D'ANALYSE SOCIOLOGIQUE » : UNE GRANDE ENQUÊTE.]

36. J.-F. Noël, *Les Postiers, la Grève et le Service public*, Maspero, 1977.
[LA CRISE SOCIALE DE L'ÉTÉ 1953.]

37. S. Hoffmann, *Le Mouvement Poujade*, Colin, 1956.
[EXCELLENTE « HISTOIRE IMMÉDIATE ».]

38. D. Borne, *Petits-bourgeois en révolte ? Le mouvement Poujade*, Flammarion, 1977.
[TRÈS CLAIR.]

39. P. Rouanet, *Mendès France au pouvoir (1954-1955)*, Laffont, 1965.
[LE MEILLEUR RÉCIT.]

40. F. Bédarida et J.-P. Rioux (sous la direction de), *Pierre Mendès-France et le mendésisme*, Fayard, 1985.
[UN COLLOQUE QUI FAIT LE POINT SUR L'EXPÉRIENCE GOUVERNEMENTALE ET SA POSTÉRITÉ.]

41. P. Mendès-France, *Œuvres complètes*, t. 3, *Gouverner, c'est choisir (1954-1955)*, Gallimard, 1986.
[TOUS LES TEXTES.]

4. *L'Indochine et Genève.*

42. F. Joyaux, *La Nouvelle Question d'Extrême-Orient,* t. 1, *L'Ère de la guerre froide (1945-1959),* Payot, 1985.

43. J. Roy, *La Bataille de Diên Biên Phu,* Julliard, 1963.
[DE NOMBREUX DOCUMENTS ET UNE CHRONOLOGIE.]

44. D. Artaud et L. Kaplan (sous la direction de), *Diên Biên Phu. L'alliance atlantique et la défense du Sud-Est asiatique,* Lyon, La Manufacture, 1989.

45. H. Navarre, *Le Temps des vérités,* Plon, 1979.
[LE GÉNÉRAL EN CHEF PLAIDE NON COUPABLE.]

46. V.N. Giap, *Diên Biên Phu,* Hanoi, Éd. en Langues étrangères, 1964.
[L'ART DE VAINCRE.]

47. J. Lacouture et Ph. Devillers, *La Fin d'une guerre. Indochine 1954,* Éd. du Seuil, 1960.
[LES PÉRIPÉTIES D'UNE NÉGOCIATION.]

48. J. Chauvel, *Commentaire,* t. 3, *De Berne à Paris (1952-1962),* Fayard, 1973.
[LE TÉMOIGNAGE D'UN GRAND DIPLOMATE.]

5. *La guerre d'Algérie.*

49. B. Droz et É. Lever, *Histoire de la guerre d'Algérie (1954-1962),* Éd. du Seuil, 1982.
[INDISPENSABLE.]

50. Y. Courrière, *La Guerre d'Algérie,* Fayard, 1968-1971 (4 vol.), et Le Livre de poche, 1974.
[EXCELLENT REPORTAGE, PUISÉ AUX MEILLEURES SOURCES.]

51. H. Alleg (sous la direction de), *La Guerre d'Algérie,* Temps actuels, 1981 (3 vol.).
[FAVORABLE AUX COMMUNISTES, MAIS RICHE EN DOCUMENTS.]

52. J.-P. Rioux (sous la direction de), *La Guerre d'Algérie et les Français,* Fayard, 1990.
[UN IMPORTANT COLLOQUE.]

53. H. Elsenhans, *Die Französische Algerienkrieg (1954-1962),* Munich, C. Hauser, 1974.
[LA MEILLEURE ÉTUDE SUR LA POLITIQUE FRANÇAISE. QUI LA TRADUIRA ENFIN ?]

54. B. Étienne, *Les Européens d'Algérie et l'Indépendance algérienne,* CNRS, 1968.
[TRÈS SOLIDE.]

55. M. Harbi, *Le FLN, mirages et réalités, des origines à la prise du pouvoir (1945-1962),* Éd. Jeune Afrique, 1980.
[CRITIQUE ET BIEN INFORMÉ.]

56. M. Harbi, *Les Archives de la révolution algérienne,* Éd. Jeune Afrique, 1981.
[LE MEILLEUR RECUEIL DE DOCUMENTS.]

56 bis. M. Harbi, *La guerre commence en Algérie,* Complexe, 1984.
[INDISPENSABLE.]

57. J.-P. Vittori, *Nous les appelés d'Algérie*, Stock, 1977.

58. E. Bergot, *La Guerre des appelés en Algérie*, Presses de la Cité, 1908.
[DES TÉMOIGNAGES HONNÊTEMENT ROMANCÉS.]

59. G. Perrault, *Les Parachutistes*, Éd. du Seuil, 1961.
[L'ENVERS DU MYTHE.]

60. R. Girardet, *L'Idée coloniale en France (1871-1962)*, La Table ronde, 1972.
[SUBTIL.]

61. P. Vidal-Naquet, *La Torture dans la République*, La Découverte, 1983.
[LA LOGIQUE DE LA RAISON D'ÉTAT : UNE FORTE DÉMONSTRATION, BIBLIOGRA-PHIE IMPORTANTE.]

62. H. Hamon et P. Rotman, *Les Porteurs de valise. La résistance française à la guerre d'Algérie*, Albin Michel, 1979, et Éd. du Seuil, 1982.

63. J. Cahen et M. Pouteau, *Una resistenza incompiuta. La guerra d'Algéria e gli anticolonialisti francesi (1954-1962)*, Milan, Il Saggiatore, 1964 (2 vol.).
[DEUX ÉTUDES EXHAUSTIVES.]

6. *Le 13 mai et la marche à la Ve République.*

64. O. Rudelle, *Mai 58. De Gaulle et la République*, Plon, 1988.
[AU-DELÀ DE L'ÉVÉNEMENT : DE GAULLE OU SALAN.]

65. P. Viansson-Ponté, *Histoire de la république gaullienne*, t. 1, *La Fin d'une époque (mai 1968-juillet 1962)*, Fayard, 1970.
[DEUX MANUELS SÛRS.]

66. J. Ferniot, *De Gaulle et le 13 mai*, Plon, 1965.

67. A. Debatty, *Le 13 Mai et la Presse*, Colin, 1960.
[LES DEUX SEULES ÉTUDES FIABLES.]

68. J.-P. Buffelan, *Le Complot du 13 mai 1968 dans le Sud-Ouest*, LGDJ, 1966.
[UTILE.]

69. M. et P. Bromberger, *Les 13 Complots du 13 mai*, Fayard, 1959.
[À MANIER AVEC PRÉCAUTIONS.]

70. R. Girardet (sous la direction de), *La Crise militaire française (1945-1962)*, Colin, 1964.
[SOCIOLOGIE D'UN RESSENTIMENT.]

70 bis. R. Rémond, *1958. Le retour de De Gaulle*, Complexe, 1983.
[LA MEILLEURE SYNTHÈSE.]

7. *Pour prendre congé de la IVe République.*

71. R. Buron, *Les Dernières Années de la IVe République. Carnets politiques*, Plon, 1968.
[LUCIDE ET SANS AMERTUME : TÉMOIGNAGE D'UN SAGE VIGILANT.]

72. R. Massigli, *Sur quelques maladies de l'État*, Plon, 1958.
[UN HAUT FONCTIONNAIRE DÉÇU.]

73. F. Mauriac, *Bloc-notes (1952-1957)*, Flammarion, 1958.
[LE VITRIOL HEBDOMADAIRE DANS *l'Express*.]

74. A. Siegfried, *De la IVe à la Ve République*, Grasset, 1958.
[MÉRITES DE LA FRANCE ET IMPUISSANCE À GOUVERNER.]

75. Sirius, *Le Suicide de la IVe République*, Éd. du Cerf, 1958.
[LA TRISTESSE ACTIVE D'UN GRAND JOURNALISTE.]

76. R. Aron, *Immuable et changeante. De la IVe à la Ve République*, Calmann-Lévy, 1959.
[COMMENT S'ADAPTER AU MONDE ?]

77. M. Winock, *La République se meurt (1956-1958)*, Éd. du Seuil/Gallimard, 1985 (coll. « Folio »).
[COMMENT AVOIR VINGT ANS EN 1957 ? UNE MÉDITATION HISTORIENNE.]

78. « La France des Français », *Esprit*, décembre 1957.
[LA FRANCE EXISTE-T-ELLE ENCORE? UN DOSSIER DE L'ÉPOQUE.]

3. Économie et société

Compléter les titres cités dans **(1)**, p. 288, 294-295 et 301-302, par :

1. *La croissance à la française.*

79. F. Caron, *Histoire économique de la France, XIXe-XXe siècle*, Colin, 1981.
[UN MANUEL TRÈS NEUF.]

80. J.-J. Carré, P. Dubois et E. Malinvaud, *La Croissance française, un essai d'analyse économique causale de l'après-guerre*, Éd. du Seuil, 1972.
[LE BRÉVIAIRE.]

81. J.-M. Jeanneney, *Forces et faiblesses de l'économie française (1945-1959)*, Colin, 1959.
[SUBTIL ET SAVANT.]

82. J. Guyard, *Le Miracle français*, Éd. du Seuil, 1965.
[PÉDAGOGIQUE.]

83. A. de Lattre, *Histoire de la politique économique française de 1945 à 1977*, Les cours de droit, 1978.
[UN COURS MINUTIEUX QUI SUIT LA CHRONOLOGIE.]

84. M. Catinat, « La production industrielle sous la IVe République », *Économie et statistique*, janvier 1981.

85. J.-J. Carré, « Évolution de la productivité en France depuis 1949 », *Notes et études documentaires*, mars 1967.

86. Ph. Herzog, « Comparaison des périodes d'inflation et de récession de l'économie française entre 1950 et 1965 », *Études et conjoncture*, mars 1967.
[TROIS ARTICLES MAJEURS.]

87. J.-P. Mockers, *Croissances économiques comparées, Allemagne, France, Royaume-Uni (1950-1967)*, Dunod, 1969.

88. P. Maillet, *La Structure économique de la France*, PUF, 1960.
[UN « QUE SAIS-JE ? » CLAIR SUR LES ANNÉES 1956-1958.]

89. J. Chardonnet, *L'Économie française. Étude géographique d'une décadence et des possibilités de redressement*, Dalloz, 1958 et 1959 (2 vol.).
[UN MANUEL D'UN PESSIMISME ALORS TRÈS RÉPANDU.]

2. *La planification et le rôle de l'État.*

90. R.F. Kuisel, *Capitalism and the State in the Modern France. Renovation and Economic Management in the Twentieth Century*, Cambridge University Press, 1981.
[UNE MISE EN PERSPECTIVE : FONDAMENTAL.]

91. C. Gruson, « Les comptes de la nation, 1949-1959 », *Études et conjoncture*, décembre 1963.
[PAR L'ANCIEN DIRECTEUR DU SEEF.]

92. J. et A.M. Hackett, *Economic Planning in France*, Londres, Allen and Unwin, 1965.
[TROP OUBLIÉ. TRÈS PÉNÉTRANT.]

93. F. Fourquet, *Les Comptes de la puissance. Histoire de la Comptabilité nationale et du Plan*, Recherches, 1980.
[DE GRANDS ACTEURS PARLENT : FORT EXCITANT.]

94. J. Benard, *Comptabilité nationale et modèles de politique économique*, PUF, 1972.

95. J. Fourastié et J.-P. Courthéoux, *La Planification économique en France*, PUF, 1968.
[DEUX MANUELS D'INITIATION.]

96. P. A. Bélanger, *Bibliographie générale sur la planification nationale en France*, Presses universitaires de Grenoble, 1974.
[POUR ALLER PLUS LOIN, GRÂCE À UN ANTHROPOLOGUE QUÉBÉCOIS.]

3. *Inégalités régionales et aménagement du territoire.*

97. J.-F. Gravier, *Paris et le désert français*, Le Portulan, 1947, Flammarion, 1958 et 1972.
[LE CONSTAT QUI A LANCÉ UNE POLITIQUE.]

98. M. Bourjol, *Les Institutions régionales de 1789 à nos jours*, Berger-Levrault, 1969.
[UN MANUEL.]

99. F. Coront-Ducluzeau, *La Formation de l'espace économique national*, Colin, 1964.
[AUSTÈRE.]

100. N. Delefortrie et J. Morice, *Les Revenus départementaux en 1864 et en 1954*, Colin, 1959.

101. P. Madinier, *Les Disparités géographiques de salaires en France*, Colin, 1959.
[DES CHIFFRES BIEN COMMENTÉS.]

102. J. Labasse, *La Planification régionale et l'Organisation de l'espace*, Les cours de droit, 1960.
[LIMPIDE.]

103. J.-P. Jobard, *Les Disparités régionales de croissance*, Presses de la FNSP, 1971.
[LE CENTRE-EST DE 1802 à 1962.]

104. M. Philipponneau, *Le Problème breton et le Programme d'action régionale*, Colin, 1960.
[L'EXEMPLE LE PLUS SIGNIFICATIF.]

4. *L'évolution générale de la société*

105. A. Prost, *Histoire sociale de la France au XXᵉ siècle*, FNSP, 1975-1976 (2 fascicules multigraphiés).
[UN GRAND COURS.]

106. P. Laroque (sous la direction de), *Succès et faiblesses de l'effort social français*, Colin, 1961.
[FONDAMENTAL.]

107. Darras, *Le Partage des bénéfices. Expansion et inégalités en France*, Éd. de Minuit, 1966.
[TABLEAU AU DÉBUT DES ANNÉES SOIXANTE.]

108. S. Hoffmann *et al.*, *A la recherche de la France*, Éd. du Seuil, 1963.
[UN CLASSIQUE.]

109. J.-D. Reynaud *et al.*, *Tendances et volontés de la société française*, SEDEIS/Futurible, 1966.
[LE PREMIER PANORAMA SOCIOLOGIQUE.]

110. G. Rotvand, *L'Imprévisible Monsieur Durand*, Pierre Horay, 1956.
[PORTRAIT-ROBOT À PARTIR D'ENQUÊTES ET DE SONDAGES.]

5. *Patrimoines, revenus et consommations.*

111. Ch.-A. Michalet, *Les Placements des épargnants français de 1815 à nos jours*, PUF, 1968.

112. P. Cornut, *Répartition de la fortune privée française, par département et nature des biens au cours de la première moitié du XXᵉ siècle*, Colin, 1963.

113. R. Pupin, « La fortune privée en France au 30 juin 1958 », *Statistique et études finanières*, mai 1959.

114. F. Divisia, J. Dupin et R. Roy, *A la recherche du franc perdu*, vol. 3, *Fortune de la France*, SERP, 1956.
[QUATRE TENTATIVES D'ESTIMATION.]

115. J. Marchal et J. Lecaillon, *La Répartition du revenu national*, Génin, 1958 (3 vol.).

116. « Données statistiques sur l'évolution des rémunérations salariales de 1938 à 1963 », *Études et conjoncture*, août 1965.

117. « La consommation des ménages français en 1956 », *Consommation, Annales du CREDOC*, 1960, nᵒˢ 2 et 3.
[LES CHIFFRES.]

118. P. Thibaud et B. Cacérès, *Regards neufs sur les budgets familiaux*, Éd. du Seuil, 1958.
[DES DOCUMENTS.]

119. J. Morice, *La Demande d'automobiles en France*, Colin, 1957.
[ANALYSE PAR DÉPARTEMENTS EN 1954.]

6. *Les ruraux.*

120. H. Mendras, *Sociologie de la campagne française*, PUF, 1959.
[EXCELLENT « QUE SAIS-JE ? ».]

121. D. Faucher, *Le Paysan et la Machine*, Éd. de Minuit, 1954.

122. H. Mendras, *Les Paysans et la Modernisation de l'agriculture*, CNRS, 1958.
[LE CHOC DU PROGRÈS TECHNIQUE.]

123. P. Merlin *et al.*, *L'Exode rural*, PUF, 1971.
[COMPARAISONS 1954-1962.]

124. H. Roussillon, *L'Association générale des producteurs de blé*, Colin, 1970.

125. Y. Tavernier, *Le Syndicalisme paysan. FNSEA et CNJA*, Colin, 1969.

126. P. Barral, *Les Agrariens français de Méline à Pisani*, Colin, 1968.

127. J. Fauvet et H. Mendras (sous la direction de), *Les Paysans et la Politique dans la France contemporaine*, Colin, 1958
[ANCIENNES ET NOUVELLES ÉLITES D'ENCADREMENT.]

7. *Les ouvriers*

128. A. Touraine, « La civilisation industrielle », t. IV de l'*Histoire générale du travail*, Nouvelle Librairie de France, 1961.

129. A. Touraine, *L'Évolution du travail ouvrier aux usines Renault*, CNRS, 1955.

130. A. Touraine et O. Ragazzi, *Ouvriers d'origine agricole*, Éd. du Seuil, 1961, et Éd. d'aujourd'hui, 1975.

131. A. Touraine, *La Conscience ouvrière*, Éd. du Seuil, 1966.
[UNE GRANDE SOCIOLOGIE.]

132. M. Collinet, *L'Ouvrier français. Essai sur la condition ouvrière (1900-1950)*, Éditions ouvrières, 1951.
[COMPARAISON 1938-1948.]

133. P.-H. Chombart de Lauwe, *La Vie quotidienne des familles ouvrières*, CNRS, 1956 et 1977.
[UNE ENQUÊTE EXEMPLAIRE.]

134. P. Naville, *L'Automation et le Travail humain*, CNRS, 1961.
[TRÈS FOUILLÉ.]

135. A. Andrieux et J. Lignon, *L'Ouvrier d'aujourd'hui*, Rivière, 1960, et Gonthier/Médiations, 1966.
[MONTAGE D'ENTRETIENS.]

136. P. Belleville, *Une nouvelle classe ouvrière*, Julliard, 1963.
[UTILE TOUR DE FRANCE.]

137. M. Aumont, *Monde ouvrier inconnu. Carnets d'usine*, Spes, 1956.

138. D. Mothé, *Journal d'un ouvrier (1956-1958)*, Éd. de Minuit, 1959.

139. L. Oury, *Les Prolos*, Denoël, 1973.
[TROIS TÉMOIGNAGES.]

8. *Les classes moyennes et supérieures.*

140. M. Crozier, *Le Monde des employés de bureau*, Éd. du Seuil, 1965.

141. M. Crozier, *Petits fonctionnaires au travail*, CNRS, 1956.
[DEUX ENQUÊTES PIONNIÈRES.]

142. F. Gresle, *L'Univers de la boutique*, Presses universitaires de Lille, 1981.
[LES PETITS PATRONS DU NORD DE 1920 À 1975.]

142 bis. G. Lavau, G. Grundberg, N. Mayer dir., *L'Univers politique des classes moyennes*, Presses de la FNSP, 1983.
[LA TENTATION ACTIVISTE.]

143. L. Boltanski, *Les Cadres. La formation d'un groupe social*, Éd. de Minuit, 1982.
[CONSCIENCE DE GROUPE ET « MANAGEMENT » À L'AMÉRICAINE.]

144. F. Jacquin, *Les Cadres de l'industrie et du commerce en France*, Colin, 1955.

145. M. Penouil, *Les Cadres et leurs revenus*, Génin, 1957.
[DEUX PANORAMAS DATÉS.]

146. M. Perrot, *Le Mode de vie des familles bourgeoises*, Colin, 1961, et Presses de la FNSP, 1982.
[UNE COMPARAISON SUR UN SIÈCLE.]

147. A. Girard *et al.*, *La Réussite sociale en France*, PUF, 1961.
[LA SUPÉRIORITÉ VÉCUE : UNE ENQUÊTE DE 1955-1957.]

148. P. Birnbaum, *La Classe dirigeante française*, PUF, 1978.
[ANALYSE DU *Who's Who* DEPUIS 1954.]

149. J.-P. Rioux, « A Changing of the Guard? Old ans New Elites at the Liberation », dans J. Howorth et P.G. Cerny éd., *Elites in France : Origins, Reproduction and Power*, Londres, Frances Pinter, 1981.

9. *La revendication et le syndicalisme.*

150. B. Brizay, *Le Patronat français, histoire, structure et stratégie du CNPF*, Éd. du Seuil, 1975.
[L'ADAPTATION DU CNPF À LA POLITIQUE DE CONTRATS.]

151. G. Lefranc, *Le Mouvement syndical de la Libération aux événements de mai-juin 1968*, Payot, 1969.

152. R. Mouriaux, *La CGT*, Éd. du Seuil, 1982.

153. G. Adam, *La CFTC (1940-1958)*, histoire politique et idéologique, Colin, 1964.
[LES DIFFICULTÉS DU SYNDICALISME.]

154. P. Vignaux, *De la CFTC à la CFDT : syndicalisme et socialisme. « Reconstruction » (1946-1972)*, Éditions ouvrières, 1980.
[UN GROUPE SYNDICAL SENSIBLE A LA MODERNISATION.]

155. R. F. Hamilton, *Affluence and the French Worker in the Fourth Republic*, Princeton University Press, 1967.
[MIEUX-ÊTRE ET PERMANENCE DU VOTE COMMUNISTE.]

156. S. Mallet, *La Nouvelle Classe ouvrière*, Éd. du Seuil, 1963 et 1969.
[ENCORE RÉVOLUTIONNAIRE ?]

10. *Les forces religieuses.*

157. F. Lebrun (sous la direction de) *Histoire des catholiques en France*, Privat, 1980.
[UN CHAPITRE VII À JOUR, AVEC UNE BIBLIOGRAPHIE.]

158. A. Coutrot et F. Dreyfus, *Les Forces religieuses dans la France contemporaine*, Colin, 1965.
[UTILE.]

159. A. Latreille *et al.*, *Histoire du catholicisme contemporain*, t. 3, Spes, 1962.
[OBJECTIVITÉ ET VISION DE L'INTÉRIEUR.]

160. A. Dansette, *Destin du catholicisme français (1926-1956)*, Flammarion, 1957.
[LA PREMIÈRE SYNTHÈSE. VIEILLI.]

161. G. Le Bras, *Études de sociologie religieuse*, PUF, 1955 et 1956 (2 vol.).
[LES RÈGLES SCIENTIFIQUES D'UNE NOUVELLE LUCIDITÉ.]

162. É. Poulat, *Une Église ébranlée*, Castermann, 1980.
[RECUEIL D'ARTICLES PIONNIERS.]

163. P. Toulat, A. Bougeard, J. Templier, *Les Chrétiens dans le monde rural*, Éd. du Seuil, 1962.
[LA SEULE RÉUSSITE D'ÉGLISE A L'ÉPOQUE.]

164. A. Latreille et A. Siegfried, *Les Forces religieuses et la Vie politique*, Colin, 1951.

165. R. Rémond (sous la direction de), *Forces religieuses et attitudes politiques dans la France contemporaine*, Colin, 1965.
[PANORAMAS.]

166. *Histoire des protestants en France*, Privat, 1977, chap. 7 et 8.

11. *Enseignement et éducation.*

167. A. Prost, *L'École et la Famille dans une société en mutation (1930-1980)*, t. IV de l'*Histoire de l'enseignement et de l'éducation en France*, Nouvelle Librairie de France, 1981.
[REMARQUABLE SYNTHÈSE. RICHE BIBLIOGRAPHIE. DISPENSE D'AUTRES LECTURES.]

12. *Cultures.*

168. V. Descombes, *Le Même et l'Autre. Quarante-cinq ans de philosophie française (1933-1978)*, Éd. de Minuit, 1979.
[L'ÈRE DE LA DIALECTIQUE ET DU SOUPÇON.]

169. G. Picon (sous la direction de), *Panorama des idées contemporaines*, Gallimard, 1957.

170. D. Hollier (sous la direction de), *Panorama des sciences humaines*, Gallimard, 1973.
[MORCEAUX CHOISIS.]

171. « Chroniques des années froides (1947-1956) », *Silex*, n° 20, 1981.
[EXCITANT.]

172. J. Bersani *et al.*, *La Littérature en France depuis 1945*, Bordas, 1970.
[UN MANUEL.]

173. R. Escarpit, *Sociologie de la littérature*, PUF, 1958.
[LA LECTURE ET LA VIE.]

174. *Paris-Paris (1937-1957)*, catalogue d'exposition, Centre Georges-Pompidou, 1981.
[UNE MINE SUR TOUS LES SUJETS.]

175. J. Cassou, *Panorama des arts plastiques contemporains*, Gallimard, 1960.
[PÉDAGOGIQUE.]

176. B. Voyenne, *La Presse dans la société contemporaine*, Colin, 1962.
[TRÈS CLAIR.]

177. J.-N. Jeanneney et J. Julliard, « *Le Monde* » *de Beuve-Méry ou le Métier d'Alceste*, Éd. du Seuil, 1979.
[INDISPENSABLE.]

178. S. Siritzky et F. Roth, *Le Roman de* « *l'Express* » *(1953-1978)*, Atelier Marcel-Jullian, 1979.
[ANECDOTIQUE.]

179. E. Morin, *Le Cinéma ou l'Homme imaginaire*, Éd. de Minuit, 1958.
[PÉNÉTRANT.]

180. J. Durand, *Le Cinéma et son public*, Sirey, 1958.
[LES CHIFFRES QUI INQUIÈTENT.]

181. F. Courtade, *Les Malédictions du cinéma français*, Alain Moreau, 1978.
[TRÈS STIMULANT.]

181 bis. R. Chirat, *La IVᵉ République et ses films,* Cinq Continents/Hatier, 1985.
[TRÈS PÉDAGOGIQUE.]

182. P. Albart et A.-J. Tudesq, *Histoire de la radio-télévision*, PUF, 1981.
[PETIT PRÉCIS.]

183. H. Spade, *L'Album de famille de la télévision française (1950-1959)*, Laffont, 1978.
[RÉTRO, SANS COMPLEXES.]

184. « Le loisir », *Esprit*, juin 1959.

185. J. Dumazedier, *Vers une civilisation du loisir ?*, Éd. du Seuil, 1962.
[EXCELLENTS PANORAMAS.]

186. F. Giroud, *La Nouvelle Vague*, Gallimard, 1958.
[UN CERTAIN SOURIRE : LA JEUNESSE.]

187. E. Morin, *L'Esprit du temps*, Grasset, 1962.

188. R. Barthes, *Mythologies*, Éd. du Seuil, 1957.
[DEUX ESSAIS SUPERBES.]

4. Étapes pour un Tour de France

Sans commentaires, pour laisser au lecteur le plaisir de la découverte, les ouvrages qui suivent, issus de toutes les sciences humaines, aideront à nuancer une vision trop nationale de cette histoire :

189. P. George, P. Randet et J. Bastié, *La Région parisienne*, PUF, 1964.

190. P.-H. Chombart de Lauwe, *Paris, essais de sociologie (1952-1964)*, Éditions ouvrières, 1965.

191. J. Lojkine, *La Politique urbaine dans la région parisienne (1945-1972)*, Mouton, 1972.

192. J. Bastié, *La Croissance de la banlieue parisienne*, PUF, 1964.

193. P. George *et al.*, *Études sur la banlieue de Paris*, Colin, 1950.

194. G. Pourcher, *Le Peuplement de Paris*, PUF, 1964.

195. Ph. Bernard, *Économie et sociologie de la Seine-et-Marne (1850-1950)*, Colin, 1953.

196. C. Bettelheim et S. Frère, *Une ville française moyenne : Auxerre en 1950*, Colin, 1950.

197. M.-C. Pingaud, *Paysans en Bourgogne. Les gens de Minot*, Flammarion, 1978.

198. P. Nistri et C. Prêcheur, *La Région du Nord et du Nord-Est*, PUF, 1964.

199. *Histoire du Nord-Pas-de-Calais de 1900 à nos jours*, Privat, 1981.

200. R. Gendarme, *La Région du Nord, essai d'analyse économique*, Colin, 1954.

201. A. Blanc *et al.*, *Les Régions de l'Est*, PUF, 1960.

202. *Histoire de la Lorraine de 1900 à nos jours*, Privat, 1979.

203. C. Prêcheur, *La Lorraine sidérurgique*, SABRI, 1959.

204. S. Bonnet, *Sociologie politique et religieuse de la Lorraine*, Colin, 1972.

205. *L'Alsace de 1900 à nos jours*, Privat, 1979.

206. M. Rochefort, *L'Organisation urbaine de l'Alsace*, Les Belles Lettres, 1960.

207. R. Blanchard, *Annecy, essai de géographie urbaine*, Les Amis du vieil Annecy, 1957.

208. J. Dumazedier et A. Ripert, *Loisir et culture*, Éd. du Seuil, 1966 (Annecy culturel).

209. C. Marie, *Grenoble (1871-1965), évolution et comportement politique d'une ville en expansion*, Colin, 1966.

210. J. Labasse et M. Laferrère, *La Région lyonnaise*, PUF, 1966.

211. M. Laferrère, *Lyon ville industrielle*, PUF, 1960.

212. M. Luirard, *La Région stéphanoise dans la guerre et dans la paix (1936-1951)*, Presses universitaires de Saint-Étienne, 1980.

213. J. Labasse, *Les Capitaux et la Région*, Colin, 1955.

214. J. Lojkine, *La Politique urbaine dans la région lyonnaise (1945-1972)*, Mouton, 1974.

215. P. Clément et N. Xydias, *Vienne sur le Rhône*, Colin, 1955.

216. L. Wylie, *Un village du Vaucluse*, Gallimard, 1968 et 1979.

217. P. Carrère et R. Dugrand, *La Région méditerranéenne*, PUF, 1960.

218. *La Provence de 1900 à nos jours*, Privat, 1978.

219. B. Kayser, *Villes et campagnes de la Côte d'Azur*, Éd. du Rocher, 1960.

220. A. Olivesi et M. Roncayolo, *Géographie électorale des Bouches-du-Rhône sous la IVe République*, Colin, 1961.

221. R. Dugrand, *Villes et campagnes en bas Languedoc*, PUF, 1963.

222. *Histoire du Languedoc de 1900 à nos jours*, Privat, 1980.

223. S. Moscovici, *Reconversions industrielles et changements sociaux. Un exemple : la chapellerie dans l'Aude*, Colin, 1961.

224. P. Barrère et al., *La Région du Sud-Ouest*, PUF, 1962.

225. J. Coppolani, *Toulouse au XXe siècle*, Privat, 1963.

226. M. Preuilh, *L'Évolution de l'industrie dans l'agglomération bordelaise*, Bordeaux, Bière, 1964.

227. P. Estienne et R. Joly, *La Région du Centre*, PUF, 1961.

228. H. Mendras, *Études de sociologie rurale, Novis et Virgin*, Colin, 1953 (Un village d'Aveyron).

229. A. Fel, *Les Hautes Terres du Massif central*, PUF, 1962.

230. J. Bonnamour, *Le Morvan, la Terre et les Hommes*, PUF, 1966.

231. F. Jarraud, *Les Américains à Châteauroux (1951-1967)*, 1981.

232. L. Wylie, *Chanzeaux, village d'Anjou*, Gallimard, 1970.

233. P. Flatrès, *La Région de l'Ouest*, PUF, 1964.

234. W. Diville et A. Guilcher, *Bretagne et Normandie*, PUF, 1951.

235. S. Berger, *Les Paysans contre la politique*, Éd. du Seuil, 1975.

236. E. Morin, *Commune en France. La métamorphose de Plodémet*, Fayard, 1967.

237. A. Burguière, *Bretons de Plozévet*, Flammarion, 1975.

238. *La Normandie de 1900 à nos jours*, Privat, 1978.

239. J. Gouthier, *Naissance d'une grande cité : Le Mans au milieu du XXe siècle*, Colin, 1953.

240. M. Quoist, *La Ville et l'Homme : Rouen*, Éditions ouvrières, 1952.

241. J.-Ph. Damais, *La Nouvelle Ville du Havre*, CNRS, 1963.

242. L. Bernot et R. Blancard, *Nouville, un village français*, Musée de l'Homme, 1953.

Index *

* Cet index recense les noms de personnes cités dans le texte et les notes, à l'exception des auteurs et des acteurs signalés dans l'orientation bibliographique et la chronologie sommaire.

Table

1. La République enlisée
(1952-1958)

2. La France enhardie

IMPRIMERIE HÉRISSEY À ÉVREUX (10-94)
DÉPÔT LÉGAL : FÉVRIER 1983, N° 6385-5 (66839)

Du même auteur

La Révolution industrielle, 1780-1880
Seuil, coll. «Points Histoire», 1971
nouvelle édition, 1989

Révolutionnaires du Front populaire
UGE, coll. «10/18», 1973

Nationalisme et Conservatisme
La ligue de la Patrie française, 1889-1904
Beauchesne, 1977

La France de la IVe République
1. L'ardeur et la nécessité, 1944-1952
Seuil, coll. «Points Histoire», 1980

Erckmann et Chatrian ou le trait d'union
Gallimard, 1989

PRÉSENTATION ET ÉDITION DE

R. de Gourmont, Le Joujou patriotisme
Pauvert, 1967

L. Tailhade, Imbéciles et Gredins
Laffont, 1969

M. Nadaud, Léonard, maçon de la Creuse
Maspero, 1976

P. Novick, L'Épuration française, 1944-1949
Balland, 1985

F. Bloch-Lainé et J. Bouvier
La France restaurée, 1944-1954
Fayard, 1986

W. H. Halls, Les Jeunes et la Politique de Vichy
Syros, 1988

Pierre de Coubertin
Essais de psychologie sportive
Jerôme Millon, 1992

CONTRIBUTION A

Édouard Daladier, chef de gouvernement
sous la direction de J. Bourdin et R. Rémond
PFNSP, 1977

Les Grands Révolutionnaires
Martinsart, 1978, t. VIII

DIRECTION DE

Pierre Mendès France et le Mendésisme
(avec F. Bédarida)
Fayard, 1985

Le Parti communiste français
des années sombres, 1938-1941
(avec J.-P. Azéma et A. Prost)
Seuil, coll. «L'univers historique», 1986

Les Communistes français
de Munich à Châteaubriant, 1938-1941
(avec J.-P. Azéma et A. Prost)
Presses de la FNSP, 1987

La Guerre d'Algérie et les Intellectuels français
(avec J.-F. Sirinelli)
CNRS, 1988

La Guerre d'Algérie et les Français
Fayard, 1990

La Vie culturelle sous Vichy
Complexe, 1990

Fins d'empires
Plon, 1992